Meurtre au *Soleil*

Antoine Yaccarini

MEURTRE AU *SOLEIL*

roman

vlb éditeur
Une compagnie de Quebecor Media

VLB ÉDITEUR
Groupe Ville-Marie Littérature inc.
Une compagnie de Quebecor Media
1010, rue de La Gauchetière Est
Montréal (Québec) H2L 2N5
Tél.: 514 523-1182
Téléc.: 514 282-7530
Courriel: vml@sogides.com

Maquette de la couverture: Anne Bérubé
Photo de la couverture: Archives *Le Soleil*, tirée de Louis-Guy Lemieux, *Le Roman du* Soleil,
Sillery, Septentrion, 1997.

Catalogage avant publication de Bibliothèque et Archives nationales du Québec
et Bibliothèque et Archives Canada
Yaccarini, Antoine, 1944-
    Meurtre au Soleil
    (Roman)
    ISBN 978-2-89649-021-9
    I. Titre.
PS8647.A22M48 2008   C843'.6   C2008-940177-8
PS9647.A22M48 2008

DISTRIBUTEURS EXCLUSIFS:

• Pour le Québec, le Canada
  et les États-Unis:
  LES MESSAGERIES ADP*
  2315, rue de la Province
  Longueuil (Québec) J4G 1G4
  Tél.: 450 640-1237
  Téléc.: 450 674-6237
  *Filiale du Groupe Sogides inc.;
   filiale du Groupe Livre Quebecor Media inc.

• Pour la France et la Belgique:
  Librairie du Québec / DNM
  30, rue Gay-Lussac
  75005 Paris
  Tél.: 01 43 54 49 02
  Téléc.: 01 43 54 39 15
  Courriel: direction@librairieduquebec.fr
  Site Internet: www.librairieduquebec.fr

• Pour la Suisse:
  TRANSAT SA
  C. P. 3625, 1211 Genève 3
  Tél.: 022 342 77 40
  Téléc.: 022 343 46 46
  Courriel: transat-diff@slatkine.com

Pour en savoir davantage sur nos publications,
visitez notre site: www.edvlb.com
Autres sites à visiter: www.edhexagone.com • www.edtypo.com
www.edjour.com • www.edhomme.com • www.edutilis.com

À ma Nuit d'Arabie

PRÉLUDE

Le corps gisait sans vie sur le plancher. L'ombre se tenait debout, immobile. Sur le bureau, la plume trempait encore dans l'encrier. Le silence était total, à peine troublé par le souffle du vent sur la vitre. Aucune agitation chez les voisins, aucune rumeur dans la rue obscure. Dans le foyer, la flamme légère qui avait un bref instant éclairé le visage du cadavre s'était éteinte. Seule demeurait la faible lueur de la lampe à alcool, qui projetait sur les murs les contours vacillants des meubles de la pièce.

Il fallait agir vite, mais sans hâte et sans bruit. Rassembler d'abord les papiers : il y en avait partout. Avec précaution, l'ombre s'approcha du bureau, s'empara des feuillets qui l'encombraient et entreprit de passer en revue les pages couvertes d'une écriture serrée, surchargées de ratures et de corrections. Elle opéra ensuite de la même façon avec les liasses entassées dans les rayons de la bibliothèque. Enfin, elle fouilla les tiroirs, rassembla les feuillets qui s'y trouvaient, les examina à leur tour.

Lorsqu'elle eut terminé, trois piles se dressaient sur le bureau. Elle ouvrit une serviette de cuir et y glissa la pile de droite, la plus petite. Puis, saisissant la seconde, elle la lança violemment en l'air, laissant les feuilles retomber un peu partout. Elle ne toucha pas à la troisième.

9

À nouveau immobile, elle parcourut une fois encore la pièce du regard. Rien n'avait été oublié. Il restait le détail ultime. Le couteau à la main, penchée sur le corps, elle fut saisie d'un frisson.

Deux minutes plus tard, elle sortait de l'appartement, refermait doucement la porte et descendait l'escalier. La nuit était entière, et la rue déserte. L'ombre s'éloigna d'un pas rapide.

Lundi 26 septembre 1898

1

Où l'on apprend enfin pourquoi et comment tout bon policier doit
lire son journal – Le sergent Leahy est chargé d'une mission – Il fait la
connaissance du constable Rioux et découvre des tas d'indices

Il était dix heures lorsque Moreau passa sa tête immense
par la porte entrebâillée.

— Inspecteur ? Le chef vous demande.

La journée avait pourtant bien commencé. Après le
défilé réglementaire qui les avait réunis comme tous les
matins, les constables avaient rejoint leurs postes dans
les différents quartiers de Québec. Seuls étaient restés,
dans les locaux de police de l'Hôtel de Ville, les hommes
du poste numéro 1. Francis Leahy, trente-trois ans, nonchalamment assis les pieds sur la table, la veste débou-
tonnée, la casquette jetée sur une chaise, les cheveux en
bataille, jouissait de quelques instants de tranquillité en
lisant le journal. C'est une habitude qu'il avait prise peu
après sa promotion au grade de sergent, et ses collègues
ne s'en offusquaient plus. Mais à qui s'avisait encore de
s'en étonner devant lui, il répondait que, d'une part, il
fallait suivre l'actualité – cela faisait partie, prétendait-il,
du travail de tout bon policier – et que, d'autre part, il
n'y avait pas de meilleure façon de lire le journal que les

pieds en l'air. On l'écoutait gentiment et on passait à autre chose. Il était parfois un peu agaçant, c'est vrai, mais on l'aimait bien quand même.

Il baissa son journal et leva la tête, étonné.

– Le chef? Pourquoi?

– Si vous croyez qu'il me l'a dit...

Mais lorsque le chef attend, et que ce chef s'appelle Pennée, il ne faut surtout pas traîner. Leahy se leva sans prendre le temps de replier son journal et saisit sa casquette.

– Merci, Alfred. Le jour où je serai inspecteur, je t'offre un verre, c'est promis.

– Ne me remerciez pas... sergent.

Leahy soupira. Il était tout de même agréable de se faire appeler inspecteur, mais Moreau était bien le seul à le faire et le titre ne figurait même pas dans la hiérarchie policière de Québec. Moreau était aussi le seul policier que Leahy tutoyait spontanément, et les deux hommes montraient toujours un plaisir évident à se retrouver et à travailler ensemble. La complicité qui les unissait surprenait les nouvelles recrues, bien en peine de comprendre ce qu'il pouvait y avoir de commun entre un constable canadien-français bâti en Hercule et un petit sergent irlandais. Mais cela, seuls les plus vieux auraient pu l'expliquer, s'ils s'en étaient donné la peine.

Le sergent sortit de son bureau en lançant un regard de regret au journal abandonné sur la table. En fait, la presse lui permettait non seulement de se tenir au courant des derniers événements et des grandes questions de l'heure, mais aussi et surtout de garder le contact avec ce qu'il appelait «l'esprit des gens», leurs préoccupations, leurs espoirs, leurs frustrations. La vision que lui en don-

naient les journaux, il tentait ensuite de l'intégrer à sa propre expérience. Il avait besoin de ce recul pour conserver son équilibre et éviter de se laisser envahir par une tâche trop souvent répétitive et, à tout prendre, banale, meublée de petits vols et d'enquêtes de routine.

Entré dans la police six ans plus tôt, ce jeune homme au regard clair et au franc-parler n'avait pas tardé à se faire apprécier de ses collègues. Il y avait bien eu quelques frictions au début avec certains mal embouchés, mais c'était de l'histoire ancienne. Un petit nouveau doit jouer des coudes pour se faire accepter, c'est normal… Ensuite, une fois que c'est fait, ça va tout seul.

Il se dirigeait à présent, perplexe, vers le bureau de son capitaine, tout en remettant un peu d'ordre dans ses cheveux et en reboutonnant sa veste. Pour quelle raison le chef l'avait-il fait appeler? Frank Pennée n'avait pas pour habitude de convoquer les hommes à la légère. Son entrée en fonction à la tête de la police de la ville, trois ans plus tôt, avait été suivie de bouleversements dont chacun gardait le souvenir. Il avait restructuré l'ensemble de ses services, rétabli une discipline et une éthique souvent malmenées avant lui, réorganisé les archives criminelles, introduit de nouvelles techniques d'investigation, resserré les critères de sélection des candidats, et s'était rapidement forgé une réputation de capitaine exigeant, efficace et juste. Tous, des officiers aux constables, appréciaient son style. Ceux qui ne l'appréciaient pas avaient quitté la police. Ses directives étaient claires et concises, et il allait de soi qu'elles exigeaient une obéissance immédiate. C'était à lui que Leahy devait son avancement. Un mois à peine après la nomination de Pennée, il était constable première classe. Deux ans plus

tard, sergent. Le jeune homme avait été profondément touché de ces marques de confiance, et il vouait à son chef un attachement indéfectible.

Ceux qui connaissaient un peu Pennée savaient que, contrairement à l'immense majorité du corps de police de la ville, Pennée n'était ni canadien-français ni irlandais. Il était né à Charlottetown, une quarantaine d'années plus tôt, de parents fraîchement débarqués d'Angleterre. Pennée était une version légèrement francisée de son nom d'origine, Pennee. Le jeune Frank avait étudié, comme beaucoup de Québécois, au Séminaire de Québec. Car il fallait préciser que les Pennée, bien qu'issus de la bourgeoisie victorienne, étaient catholiques. Ils faisaient ainsi figure d'exception dans le paysage social de la ville : Anglais, ce qui les distinguait des nombreux Irlandais qui étaient venus y vivre ; catholiques, ce qui les distinguait de la majorité des Anglais ; et parfaitement à l'aise dans les deux langues, ce qui les distinguait d'à peu près tout le monde.

En comparaison, Francis Leahy, lui, ne venait de nulle part. Ses parents n'avaient été que de pauvres immigrants arrivés dans la misère la plus totale. Son instruction s'était limitée à quelques années de petite école ; il avait acquis le reste de son éducation à force de volonté et de persévérance, avec cette opiniâtreté qu'il avait héritée de ses origines. Il était entré dans la police lorsque l'occasion s'était présentée, et c'était un Anglais qui l'avait remarqué et lui avait finalement permis de donner sa mesure.

— Entrez, Leahy. J'ai quelque chose pour vous.
Le capitaine finissait de griffonner quelques lignes qu'il tendit au policier.

— Tout est là. Vous y allez tout de suite, en fiacre. Le photographe vous attend dehors. Le Dr Turgeon est déjà sur place, avec le fourgon. Vous me remettrez votre rapport. Simple enquête préliminaire en attendant le verdict du coroner.

Leahy jeta un regard sur la feuille.

— Un meurtre? Pardonnez-moi, monsieur, mais je n'ai aucune expérience de ce genre d'affaire!

— Trouvez-vous que ce soit une remarque intelligente?

— Non, monsieur. Excusez-moi. Et…

— Oui?

— Merci, monsieur.

Leahy devait lever les yeux pour s'adresser au policier qui l'avait accueilli dans l'appartement. L'homme le dépassait d'une tête.

— Le nom de la victime?

— Arthur Laflamme, monsieur.

— Qui l'a découvert?

— Un collègue, monsieur. Un compagnon de travail.

— Quel travail?

— Journaliste au *Soleil*.

— Ce collègue? Son nom, son adresse?

— André Fournier. J'ai tout noté ici, monsieur. Avec son témoignage.

— C'est bien. Vous vous appelez?

— Constable Joseph Rioux, monsieur. Première classe. Poste numéro 6, Saint-Roch.

À l'arrivée du sergent, le constable lui avait demandé l'autorisation d'ouvrir les rideaux, et la lumière du jour

pénétrait généreusement par la grande fenêtre. La pièce où ils se trouvaient, jonchée de feuillets éparpillés sur le lit et le plancher, donnait l'impression d'un complet désordre. Le corps étendu sur le sol, entre la table de travail et la bibliothèque, était celui d'un homme grand, bien bâti, dans la quarantaine. La lividité de son visage faisait ressortir le noir grisonnant de ses cheveux et de sa moustache. Ses vêtements ne portaient aucune trace de sang, mais sa tête, légèrement tournée vers la droite, laissait voir de vilaines blessures à l'arrière du crâne. Les cheveux, à cet endroit, étaient agglutinés par du sang coagulé. Un presse-papiers, tout près, était taché de rouge et quelques cheveux y étaient restés collés.

Mais il y avait autre chose. La gorge de la victime avait été tranchée, et la plaie était restée ouverte. Un couteau était posé sur sa poitrine. À première vue, un couteau de marin. Leahy l'examina. Un couteau de marin, en effet, à peine plus long qu'une main, dont le manche était finement gravé d'une étoile à cinq branches entourée d'un cercle et ornée de courbes complexes et harmonieuses qui s'entrecroisaient subtilement. Une œuvre d'art. Cela lui rappelait vaguement quelque chose. Il roula le couteau dans un papier et le mit dans une des grandes poches de sa veste.

Il était surpris du calme qu'il avait su garder depuis son arrivée sur les lieux du crime. Il avait craint d'être trop impressionné par le cadavre, intimidé par la présence d'hommes plus habitués que lui à ce genre de situation, paralysé par son inexpérience. Mais, paradoxalement, c'était justement le travail tranquille et apparemment efficace de Rioux et du reste de l'équipe qui lui avait redonné confiance en lui-même.

— Vous n'avez rien déplacé, bien entendu ?

— Rien, monsieur.

On avait pris des photos du corps. C'était un des changements introduits par le capitaine Pennée. Une nouveauté inspirée par les récents travaux d'Alphonse Bertillon, ce chef des services photographiques de la police de Paris dont les recherches faisaient autorité jusqu'en Amérique.

— Docteur, vos impressions ?

— Il est mort il y a douze heures environ, certainement à cause d'un coup violent qui lui a brisé le crâne. Plusieurs coups, en fait. Voyez vous-même. Avec le presse-papiers, sans aucun doute. Le premier coup a dû l'assommer, les autres ont terminé la besogne. L'agresseur ne devait pas être très fort, ou alors sans expérience. Ou les deux… Chacun des coups, tout seul, n'aurait pas suffi à tuer.

— Et le couteau ?

— On lui a tranché la gorge, mais regardez : la blessure n'a pas saigné et elle est restée ouverte. Il était donc déjà mort. C'est tout pour le moment, mais je serais surpris d'en apprendre plus à la morgue.

— Il n'a pas essayé de se défendre ?

— Aucune trace de lutte, c'est évident. Pas de vêtements déchirés, pas de coups au visage. C'est pour cela que je pense qu'il a été assommé dès le premier coup. À moins que…

— Oui ?

— Il a les yeux fermés. C'est rare.

— Et alors ?

— Alors, il dormait peut-être lorsqu'on lui a brisé le crâne. Ça expliquerait aussi qu'il ne se soit pas défendu.

Le fourgon attendait, et l'on transporta le corps. Le photographe et le médecin, leur tâche terminée, partirent aussi, et Leahy se retrouva seul avec Rioux. Si le constable était grand, Leahy observa qu'il était en revanche plutôt maigre. Très légèrement voûté, la tête penchée en avant, le visage allongé, le nez fortement busqué, les grands yeux attentifs, il faisait penser à un héron regrettant la solitude de son marais.

– Le vrai travail commence, fit Leahy.

– En effet, monsieur.

Leahy examina la pièce. Le bureau était placé face à la fenêtre, et la bibliothèque occupait tout le mur de gauche. À droite, une armoire et une commode qui se faisaient face encadraient le lit. Rien ne décorait les murs, hormis un miroir et une photographie accrochés au-dessus de la commode. La photo représentait deux jeunes hommes qui souriaient, debout au bord d'un cours d'eau, dans un paysage champêtre. L'un des deux était sans aucun doute Arthur Laflamme, mais la photo devait remonter à plusieurs années. Sur la commode, une cruche en fonte émaillée était posée près d'une cuvette, sous le miroir. Tout à côté, un verre, un savon à raser dans un bol, un blaireau, un rasoir, quelques serviettes pliées.

On n'avait rien touché, avait assuré Rioux, sauf, forcément, les feuilles qui couvraient le sol et sur lesquelles il avait bien fallu marcher pour aller et venir. Leahy en ramassa quelques-unes. Elles étaient couvertes d'une écriture serrée. Certaines comportaient un titre suivi d'une date. Des projets d'articles, de toute évidence. Sur le bureau, à côté d'une lampe dont la mèche consumée avait dû s'éteindre d'elle-même, une pile de feuilles était curieu-

sement restée intacte. Une plume était plongée dans l'encrier, mais rien ne laissait deviner ce que la victime était en train d'écrire avant d'être tuée.

— Les voisins ?

— Je les ai interrogés, monsieur. Ils n'ont rien remarqué d'anormal, sauf la voisine du dessous. Elle dit qu'elle a été réveillée par un bruit sourd.

Lorsque Rioux parlait, c'était d'une voix forte et grave, lentement, comme s'il choisissait soigneusement ses mots. Ce n'était plus un héron, mais un instituteur qui s'adressait patiemment à ses petits écoliers.

— Un bruit de bagarre ?

— Non. Un bruit bref. Assez fort, sans doute, puisqu'il l'a réveillée. Ensuite, une série de bruits plus faibles, comme des secousses.

— La chute, et les coups au crâne… Rien d'autre ? Avant ou après ?

— Avant, elle dormait. Après, elle a entendu quelques pas, mais rien de plus. Elle s'est rendormie.

— Avant de s'endormir la première fois, elle n'avait rien entendu ?

— Les bruits habituels : des pas dans les escaliers, des portes qui s'ouvrent et qui se ferment, des voix. La victime recevait parfois des visites le soir. Une fois par mois, environ.

— Des visites… Des hommes ? Des femmes ?

— Toujours des hommes, semble-t-il. Parfois un seul, parfois deux ou trois. Ils restaient souvent très tard.

— La visite d'hier soir, à quelle heure ?

— Dix heures, dix heures un quart… La voisine venait de se coucher.

— Les voix ? Rien que des hommes, hier aussi ?

– Impossible à dire, monsieur. Les gens qui étaient là parlaient très discrètement.

– Sait-on à quelle heure les visiteurs sont repartis?

– Non.

– À part les visites du soir, rien pendant le jour?

– Si. Un jeune homme, de temps en temps. D'après la description qu'en a donnée la voisine, ce serait le collègue de la victime, celui qui a trouvé le corps. Il y a aussi une femme qui vient faire le ménage une fois par semaine, le lundi après-midi. Elle devrait arriver bientôt.

– Bien. Vous l'attendrez pour l'interroger, voulez-vous? Je compte sur vous.

Leahy ouvrit les tiroirs du bureau et n'y remarqua rien de particulier. Le linge et les vêtements, dans la commode et l'armoire, ne lui apprirent rien non plus. Quelques chemises, des caleçons et des tricots de laine, deux complets, un bonnet de fourrure… Le lit n'était pas défait. Il s'accroupit de nouveau, cette fois-ci près du foyer de la cheminée. Quelques morceaux de bois calciné émergeaient d'une fine couche de cendre. La victime avait-elle fait un feu la veille? On était pourtant loin de l'hiver. Intrigué, le jeune policier se mit à manipuler délicatement et méthodiquement les débris, et son cœur battit plus fort lorsqu'il vit sa patience récompensée. Sous la cendre, un bout de papier noirci n'avait pas entièrement brûlé. Il le retira avec précaution et l'examina. C'était un fragment de forme irrégulière, dont l'un des bords paraissait cependant à peu près droit. Il semblait porter encore des traces d'écriture, impossibles à déchiffrer à l'œil nu. Leahy l'introduisit doucement dans une enveloppe, et entreprit de visiter le reste du logement.

L'appartement était situé au second étage d'un petit immeuble bien tenu de la rue Saint-François, tout près de l'église Saint-Roch. Il ne comprenait qu'une seule chambre, celle où il se trouvait, assez vaste cependant pour faire office à la fois de pièce de travail et de chambre à coucher. Le vestibule servait de salon, avec deux fauteuils et un canapé disposés autour d'une petite table. Deux verres étaient posés sur la table. Leahy les examina : au fond de l'un, un résidu rougeâtre ; dans l'autre, un dépôt ambré. Son attention fut attirée par un détail aperçu du coin de l'œil. Sur l'un des fauteuils, coincé entre le siège et le dossier, un objet émergeait. C'était une petite croix, un crucifix de chapelet. Sa présence était incongrue dans un appartement où le policier avait noté l'absence totale d'images pieuses. Dans toutes les demeures où ses enquêtes le menaient, il y avait un crucifix accroché au-dessus du lit ou de la porte d'entrée, et des images de sainte Anne ou du Sacré-Cœur suspendues un peu partout. Ici, c'était différent. Leahy souleva les autres coussins des fauteuils pour y trouver le reste du chapelet, mais il ne vit rien. Le crucifix rejoignit le couteau dans sa poche.

Avant d'accéder à la cuisine, il fallait traverser un petit corridor sur lequel donnait une salle de bains. Elle était dotée d'un lavabo, d'une baignoire et d'une cuvette de W.-C. avec son réservoir d'eau accroché en hauteur. Bien entretenue – l'air y était imprégné d'une odeur combinée de phénol et de savon de ménage – elle ne disposait cependant pas de l'eau chaude : c'était une commodité que seuls pouvaient s'offrir quelques bourgeois fortunés.

Les deux policiers passèrent à la cuisine. Une porte, dans le fond, donnait accès à une galerie commune aux

deux appartements de l'étage, au-dessus d'une cour intérieure. La porte était verrouillée, et on ne voyait aucune trace d'effraction. La cuisine elle-même était spacieuse. À part l'évier et une cuisinière à gaz, il y avait, au centre, une grande table ronde entourée de six chaises. Une glacière, dans un coin, contenait du fromage, du lait, du beurre, un morceau de pain. Une tranche de viande emballée dans du papier était posée directement sur un bloc de glace. Le bloc avait presque entièrement fondu ; c'était sans doute la femme de ménage qui assurait son renouvellement… Une étagère accolée au comptoir servait à la fois de vaisselier et de garde-manger. On y voyait quelques tasses et assiettes ainsi que les ustensiles de cuisine habituels. Sur un autre rayon se trouvaient du sucre, du thé, deux œufs, une boîte de riz. Sur la tablette inférieure enfin, quatre verres identiques à ceux du vestibule, et deux bouteilles. La première, au profil original, était largement entamée. Leahy examina son étiquette : du cognac. Du vrai cognac de France. L'autre, presque pleine, était une bouteille de vin.

Cette fois, c'est Rioux qui rompit le silence.

– C'est étonnant, n'est-ce pas ?

– Pourquoi dites-vous ça ?

– L'alcool. On dirait que c'était son seul luxe. Ou son seul vice.

– C'est vrai… Mais il ne buvait pas tout seul.

– Hier soir, en tout cas, ils étaient deux, remarqua le constable.

– Donc, il était avec un ami…

– Un ami qui l'a égorgé. Il n'a pas dû aimer son cognac.

– Ou son vin.

— Ou son vin. Donne des boissons fortes à celui qui va mourir, qu'il boive pour oublier sa misère.

Leahy leva les yeux, surpris.

— Je ne comprends pas...

— Excusez-moi, monsieur. C'est dans la Bible. Livre des Proverbes. Une simple réminiscence.

Une quinzaine de minutes plus tard, Francis Leahy était prêt à partir. Avec l'aide de Rioux, il avait soigneusement emballé les deux bouteilles, les verres du vestibule et le presse-papiers. Ils avaient ensuite ramassé toutes les feuilles. Avant de ressortir, il se campa au milieu de la chambre et la parcourut une dernière fois des yeux, lentement. C'était bien ce qu'il avait supposé. Une fois les feuilles enlevées, l'impression de désordre avait complètement disparu.

2

Leahy se rend au Soleil, *rencontre deux journalistes vivants et commence
à réfléchir, ce qui n'est jamais trop tôt*

Leahy prit à peine le temps de déposer à son bureau le
butin recueilli chez la victime. Il rangea soigneusement
les deux verres, les bouteilles et le presse-papiers, posa les
feuilles sur sa table et cacha dans un tiroir l'enveloppe
contenant le bout de papier qu'il avait retiré du foyer. Le
couteau et le crucifix étaient restés dans sa poche. Une
rencontre avec celui qui avait découvert le corps lui paraissait s'imposer sans attendre. Il traversa l'ancienne place
du Marché, longea la basilique rue Buade, et descendit
la côte Lamontagne.

Le gardien, à l'entrée de l'édifice du *Soleil*, le dirigea
vers le second étage. «Sinon, il est peut-être ici, dans l'atelier
de composition. Mais allez voir d'abord là-haut.» Leahy était
soulagé de devoir monter «là-haut», loin du vacarme qui lui
parvenait des salles du rez-de-chaussée, à peine étouffé par
les portes imposantes qui en gardaient l'accès. C'est ici, jugea
le policier, que devaient se trouver les lourdes machines,
presses ou rotatives, nécessaires au tirage du journal.

Au sommet des escaliers, le bruit des machines s'était
mué en une vague rumeur qui parvenait de partout et

de nulle part. Leahy se perdit dans un dédale de couloirs où il s'était engagé au hasard, accompagné par l'odeur d'encaustique qui se dégageait des planchers de bois. Ce n'était partout qu'un va-et-vient de gens qui sortaient d'une pièce, un dossier sous le bras, pour s'engouffrer dans une autre, et qui ne semblaient même pas le remarquer. Des bureaux dont les portes parfois ouvertes laissaient apercevoir deux ou trois hommes en discussion. Il remarqua, sans y entrer, une salle où crépitaient des machines à écrire sur lesquelles tapaient des jeunes femmes trop absorbées par leur tâche pour s'intéresser à lui.

Il fallait qu'il manifeste sa présence. Derrière une porte entrouverte, il devina un homme seul, assis à sa table de travail.

– Où puis-je trouver André Fournier, s'il vous plaît?

L'homme se retourna. Le visage émacié, le front largement dégarni, les yeux pensifs, il semblait avoir été tiré d'une profonde réflexion.

– Et qui êtes-vous, s'il vous plaît?

– Sergent Francis Leahy, police de Québec. J'aimerais rencontrer M. Fournier au sujet de…

– Oui, je suis au courant. Nous sommes tous au courant.

Il se leva lentement, comme à regret.

– Ernest Pacaud, fit-il d'une voix sans énergie. Je dirige ce journal. Enfin, diriger est un bien grand mot. J'essaie simplement de maintenir son cap. Entrez, sergent.

Tout en s'asseyant sur la chaise que lui indiquait son hôte, Leahy jeta un coup d'œil circulaire sur le bureau du directeur. Sans être immense, la pièce était certainement plus grande que son petit bureau de sergent, mais

les meubles qui l'occupaient y laissaient fort peu d'espace libre. La grande table de travail était éclairée par la lumière qui tombait de la fenêtre. Deux des murs étaient entièrement couverts de classeurs, une grande bibliothèque s'élevait presque jusqu'au plafond, et un secrétaire, placé lui aussi tout près de la fenêtre, était également entouré de classeurs. Leahy remarqua au mur, au-dessus du secrétaire, plusieurs photographies qui semblaient représenter des cérémonies ou des événements officiels, avec d'importants messieurs en haut-de-forme ou en soutane. La table de travail était couverte de documents qui attendaient sans doute qu'on s'en occupe, mais le policier y nota aussi la présence d'un petit cadre dont l'un des coins portait un ruban noir. Une photo de deuil, sans doute, mais de sa place il lui était difficile de voir de qui il s'agissait.

— Je vous connais de réputation, monsieur. C'est vous qui avez fondé *Le Soleil*.

— C'est plus compliqué que cela, fit Pacaud en souriant faiblement, vous devez vous en douter. C'est donc vous qui enquêtez sur le meurtre de ce pauvre Arthur?

— Je dois seulement remettre un rapport sur les premières constatations. Il n'y a pas encore d'enquête criminelle proprement dite.

— Je vois, je vois…

Pacaud, visiblement préoccupé, était ailleurs, les yeux tournés vers la fenêtre, absorbé dans la contemplation du léger nuage de poussière qui flottait dans les rayons obliques du soleil.

— Vous le connaissiez bien?

— Pardon? Oui, oui. Bien entendu. C'était un vieux compagnon. Je dis vieux, il était plus jeune que moi.

Mais un collaborateur précieux depuis près de vingt ans, depuis la fondation de *L'Électeur*. Quand *L'Électeur* a disparu et que *Le Soleil* a pris sa place, il a continué avec la même détermination, le même talent. C'était l'un de nos piliers. Le coup est rude. Nos adversaires n'ont aucun scrupule!

Il tourna la tête vers la fenêtre, et parut une fois encore sur le point de se laisser emporter par ses pensées.

– Vos adversaires?

Pacaud se ressaisit.

– Un mouvement d'humeur, excusez-moi. Je ne veux surtout pas influencer votre enquête.

– Il y en aura certainement une, et votre témoignage sera précieux. Pour l'instant, puisque j'ai la chance de vous rencontrer, je voudrais simplement savoir quelles étaient les fonctions de M. Laflamme.

– Ses fonctions? Pacaud leva les bras. Ce n'étaient pas des fonctions, c'était une mission! C'est comme cela qu'il voyait son travail, comme une mission. Il s'était fait l'ennemi de toutes les hypocrisies et de tous les mensonges. Les faux idéaux politiques ou religieux, l'exploitation de la crédulité ou de la misère. Tout ce qui asservit l'homme au lieu de le libérer. Il tirait sur tout ce qui bouge. Même ses amis trouvaient qu'il exagérait parfois...

– Il vous soumettait quand même ses articles avant leur publication?

Le directeur fit un geste vague.

– Il me les montrait. Nous en discutions, j'insistais parfois pour atténuer certains passages trop... véhéments, ou pour qu'il prenne certaines précautions que je jugeais nécessaires. Je ne voulais pas être obligé de fermer *Le Soleil* comme j'ai dû le faire pour *L'Électeur*, il y a

deux ans à peine. Il était difficile à convaincre, et j'avais des scrupules à lui imposer mes vues! Il partait fréquemment pour ce qu'il appelait ses enquêtes, sans nécessairement m'en parler. Il était souvent à Montréal… Mais Québec le tenait également occupé: le Parlement, l'Hôtel de Ville…

– L'Archevêché aussi, sans doute.

Un sourire crispé accueillit la remarque.

– Vous n'y pensez pas! Il ne voulait pas y mettre les pieds, et d'ailleurs personne ne l'y aurait reçu. Lorsqu'il avait besoin d'une information sur le clergé, ou sur les affaires du diocèse, il s'adressait à Fournier. L'homme que vous cherchez, justement.

– Savez-vous s'il avait de la famille?

– À ma connaissance, non. Ses parents sont morts il y a déjà plusieurs années. S'il avait des frères et sœurs, je n'en sais rien. Il n'était pas marié, mais je sais qu'il a passé sa jeunesse en Nouvelle-Angleterre.

❧ ❧

André Fournier n'était pas à son bureau. Dans l'atelier de composition, on désigna à Leahy un homme en conversation avec un typographe. Il devait avoir dans la trentaine, estima Leahy. Le visage légèrement empâté mais bien dessiné, encadré de cheveux clairs, presque blonds, il donnait cependant, avec ses joues mal rasées et ses yeux cernés, son pantalon sans forme et sa chemise parsemée de taches d'encre, l'impression d'un homme fatigué. Leahy l'aborda, mais les rotatives, toutes proches, tournaient sans arrêt, et l'endroit était trop bruyant. Ils sortirent et, d'un commun accord, se dirigèrent vers la

place de l'église Notre-Dame-des-Victoires. Il faisait beau, en cet après-midi de septembre. Les promeneurs se pressaient aux portes de la vieille église, et les deux hommes allèrent s'adosser au muret qui en protégeait le parvis. Personne ne leur prêtait attention.

Leur petite marche avait visiblement essoufflé Fournier, qui alluma pourtant une cigarette qu'il se mit à fumer nerveusement. Leahy remarqua que ses doigts tremblaient.

– Je le connais… je le connaissais depuis près de deux ans. Je travaillais alors à Trois-Rivières, dans une entreprise qui a fermé ses portes l'an dernier. Je le rencontrais parfois quand mes affaires m'amenaient à Québec. Quand j'ai perdu mon emploi, il m'a fait entrer au *Soleil*. C'est lui qui m'a vraiment initié au journalisme. Un ami? Plutôt un grand frère. Je l'admirais. Mais c'était un homme secret, il ne se livrait pas facilement. Il me confiait souvent des choses à faire.

Il parlait d'une voix précipitée, s'arrêtant de temps en temps pour respirer.

– Comme d'aller à sa place à l'Archevêché?

Le journaliste tira longuement sur sa cigarette en regardant ailleurs.

– Ah! Vous êtes au courant… Il y avait un vieux contentieux entre Arthur et le clergé. Chacun supportait l'autre, à condition de ne pas le voir. C'est une histoire que je connais mal.

– Il ne disait pas son chapelet tous les jours…

Fournier eut un mouvement d'épaules.

– Ni tous les jours, ni jamais!

– Je vois. Comment avez-vous découvert le corps de votre camarade? Pourquoi êtes-vous allé chez lui? Normalement, c'est lui qui se rendait au journal?

Le jeune homme fit une grimace.

— Justement, non. Il y allait rarement. Il avait l'habitude de travailler dans son appartement. Lorsqu'il devait remettre un article, il faisait un tour au journal vers midi, et il en profitait pour en discuter avec Pacaud. Monsieur Pacaud.

Il avait dit *monsieur* comme un enfant à qui on a demandé d'être poli et qui obéit avec réticence. Il se balançait constamment d'un pied sur l'autre, changeait de position, ne semblait pas savoir où mettre ses bras, et haussait fréquemment les épaules d'un petit geste brusque. Ce garçon a des soucis, pensa le policier, ou alors il n'a pas beaucoup dormi cette nuit.

— Parfois, on restait deux ou trois semaines sans le voir, et puis il arrivait avec une série d'articles, et cela lui permettait de disparaître à nouveau pendant quelque temps… Il m'est arrivé plusieurs fois d'aller chez lui pour qu'il m'explique ce qu'il attendait de moi.

— Il recevait souvent des visites, chez lui?

Fournier jeta son mégot.

— C'est possible. J'y suis passé une fois après souper. Il était seul, mais quelqu'un est arrivé avant mon départ.

— Quelqu'un que vous connaissiez?

— Jamais vu. Un ami de Montréal, sans doute. Il connaissait beaucoup de monde là-bas. Il y allait souvent.

— Vous vous rappelez son nom?

— Il ne nous a pas présentés. C'était dans sa manière. Peut-être sa façon de marquer la frontière entre sa vie privée et son activité professionnelle.

— Hier soir, vous n'êtes pas allé le voir?

— Non. Je n'avais aucune raison de le faire.

Il avait répondu sèchement, en regardant droit devant lui.

— Et ce matin, il vous attendait ?

— Il m'attendait pour me confier des articles, pour que je les remette moi-même au directeur. Il avait bien insisté.

— Pourtant, en général, il les remettait lui-même, pour en discuter ?

— Cette fois-ci, il ne voulait pas discuter. Il m'a dit : « Ernest en fera ce qu'il voudra, moi je fais ce que j'ai à faire. »

— Il vous a dit ça quand ?

Le journaliste battit des paupières, changea de posture, croisa les bras sur sa poitrine, les décroisa, et décida finalement de mettre les mains dans ses poches.

— Jeudi… Il sortait d'une conversation avec le patron. Une longue conversation. Il avait l'air excédé. Il m'a dit que c'était important, que je devais passer chez lui lundi, aujourd'hui donc, qu'il ne voulait plus en reparler, et qu'il était temps d'agir avant qu'il ne soit trop tard.

— Avant qu'il ne soit trop tard ? Vous n'avez pas cherché à en savoir plus ?

— Je vous l'ai dit : avec lui, ça n'aurait servi à rien. Mais Pacaud est au courant, évidemment.

— Ils s'entendaient bien, en général, Arthur Laflamme et M. Pacaud ?

Fournier fit une mimique qui pouvait signifier n'importe quoi.

— De grands amis qui passaient leur temps à se chicaner ! Pacaud n'a jamais réussi à le soumettre à son autorité. Je me demande s'il a vraiment essayé…

— Il m'a paru un peu distrait, tout à l'heure. C'est normal?

— Pas distrait: assommé! Il y a dix jours, il enterrait sa mère. Aujourd'hui, son principal assistant est assassiné...

— La photo sur son bureau, c'est sa mère?

— Évidemment.

Il y eut un bref silence.

— Donc, reprit Leahy, Arthur Laflamme comptait passer la fin de la semaine à terminer ses articles, avant de vous les remettre à vous. Et hier soir, il a été tué...

Le journaliste, la mine sombre, secoua les épaules et la tête, comme pour chasser une pensée douloureuse.

— Hier soir, oui. Sans doute.

— Et quand vous l'avez découvert, ce matin, vous n'avez rien oublié sur place, dans votre émotion?

— Oublié? Non, je ne vois pas ce que j'aurais pu oublier.

Il fouilla fébrilement dans ses poches, en sortit successivement un mouchoir, quelques pièces de monnaie, un chapelet, un petit portefeuille de toile. Leahy remarqua que le chapelet était intact. Un chapelet de nacre, un chapelet de femme. Fournier surprit son regard.

— C'est celui de ma mère, expliqua-t-il. Elle me l'a donné quand je suis venu vivre à Québec. Non, tout est là... Et je n'avais rien dans les mains. J'ai frappé à la porte, j'ai vu qu'elle n'était pas fermée, je suis entré, j'ai vu le désordre, j'ai vu son corps, sa blessure, le presse-papiers, j'ai touché son front, j'ai compris qu'il était mort. Je suis resté paralysé. La mort est terrible...

Il resta silencieux un moment, la tête baissée.

– Puis je suis sorti et j'ai averti le premier policier que j'ai rencontré.

– Il y avait un couteau posé sur sa poitrine…

– Oui… oui… Il y avait ce couteau…

Fournier s'exprimait d'une voix sourde.

– Il appartenait à votre collègue?

– C'était la première fois que je le voyais. Un drôle de couteau…

– Vous n'avez pas cherché à récupérer les articles qu'il voulait vous confier?

– Je n'y ai même pas pensé. Je ne vois pas comment j'aurais pu faire, d'ailleurs, dans ce fouillis.

Leahy promena son regard sur la place des Victoires. Le soleil n'allait pas tarder à se coucher, il y avait déjà moins de monde sur l'esplanade et l'église fermerait bientôt ses portes. L'heure du repas approchait et le policier, qui n'avait rien mangé depuis le matin, ressentait une certaine fatigue. À strictement parler, sa mission s'arrêtait là. Il avait fait les premières constatations sur le lieu du meurtre et venait de recueillir la déposition du principal témoin. Le reste, tout le reste, dépendrait de celui qui serait chargé de la véritable enquête. Qui le capitaine Pennée allait-il choisir? Leahy espérait bien que ce serait lui. Sinon, pourquoi son chef lui aurait-il confié cette mission? Il décida de poser une dernière question.

– Vous n'avez aucune idée des sujets qui l'intéressaient ces derniers temps?

Fournier hésita.

– Si, bien entendu, un peu. Il surveillait le Pacifique Canadien, qu'il soupçonnait de vouloir former un monopole du chemin de fer : il y a des changements profonds

33

qui se préparent dans ce domaine. Le gouvernement essaie de s'en mêler, ce qui n'est pas du goût de tout le monde. Et il s'occupait aussi du prochain contrat avec l'Archevêché.

Le ton du journaliste avait changé d'une manière à peine perceptible. Leahy dressa l'oreille.

— Un contrat? Quel contrat?

— Mgr Bégin est en pourparlers avec deux compagnies pour un contrat d'électricité. Ils veulent que ça reste confidentiel, mais Arthur suivait tout ça de près.

— Dans quel but?

— À ses yeux, c'était plus qu'une simple affaire commerciale. Les deux entreprises concurrentes ont aussi une couleur politique. L'une est dirigée par des libéraux, l'autre par des conservateurs. Arthur était «rouge», évidemment, libéral comme nous tous au *Soleil*; pour lui, tout ce qui était «bleu» était *a priori* malhonnête. Surtout quand des évêques y étaient mêlés.

— Et qui le renseignait, puisque c'était confidentiel?

— C'est délicat à expliquer. Arthur n'avait pas besoin de rapports détaillés. Il partait d'un fait apparemment sans importance et il bâtissait autour. Il collait tout ça ensemble, il imaginait, il faisait des hypothèses.

— Et il publiait ses hypothèses dans le journal?

— Oh, non! Il n'était pas fou. Il procédait par allusions, il laissait entendre qu'il en savait beaucoup plus qu'en réalité…

Fournier s'était interrompu, comme s'il regrettait ce qu'il venait de dire.

— Et qu'est-ce qu'il espérait en agissant de cette façon?

— Inquiéter l'adversaire, évidemment. L'inciter à commettre une maladresse. Ou le décourager, ou influencer Mgr Bégin dans le bon sens.

— Les détails sans importance, c'est vous qui les lui donniez?

— Je vais régulièrement à l'Archevêché. Une fois par semaine, au moins, le jeudi matin. J'observe, j'écoute. Je surprends des conversations, je vois des gens entrer et sortir.

— Des gens?

— Surtout les négociateurs, les représentants des deux sociétés.

— Vous les connaissez?

— Je connais le représentant de la Canadian Electric Light. La compagnie libérale.

— Comment s'appelle-t-il?

— Horace Routhier, un expert! C'est mon ami.

Il y avait une pointe de fierté dans la voix du journaliste.

— La compagnie adverse?

— La Montmorency Electric Power.

— Et son représentant?

— Un certain Berthelot. Je le croise parfois, mais je ne lui ai jamais parlé.

— Les deux y vont le même jour? Le jeudi?

— Jeudi, c'est Horace. Berthelot, c'est vendredi.

— Donc, vous y allez aussi le vendredi, à l'Archevêché.

— Oui, bien entendu, cela m'arrive.

Le journaliste avait l'air à bout de souffle. Mais au moment où Leahy allait prendre congé, il sortit un calepin de sa poche:

— Sergent, service pour service : je peux vous poser quelques questions ? Il faut que je gagne mon pain, moi aussi…

⁂

En remontant la côte Lamontagne, Leahy, le ventre vide, un peu étourdi, était pressé de rentrer chez lui. Il verrait Pennée le lendemain pour lui rendre compte de sa mission, mais il était curieux de jeter un premier coup d'œil aux feuillets trouvés chez la victime. Il passa à son bureau récupérer le volumineux paquet qu'il y avait laissé, le ficela et l'emporta.

Il habitait heureusement tout près, rue Saint-Flavien, dans un petit logement qu'il occupait depuis à peine plus d'un an, lorsqu'il avait été nommé sergent. Il l'avait trouvé grâce aux petites annonces : *Chambre et cuisine dans maison garnie – Bain à l'étage, W.-C.* Le recours à une maison «garnie» lui avait évité le souci de se meubler. Mais les meubles tenaient à peine debout, même s'ils remplissaient encore héroïquement leurs fonctions, et les W.-C. se trouvaient aussi à l'étage, comme le bain, ce que l'annonce n'avait pas clairement précisé. C'est la proximité de son lieu de travail qui l'avait finalement décidé, et la perspective d'avoir une petite cuisine bien à lui. Deux avantages inappréciables.

Devant sa porte, il posa par terre son paquet et sortit une clé de sa poche. Mais la clé refusa obstinément de tourner dans la serrure. Une vieille clé, dans une vieille serrure, dans une vieille porte… Il espérait chaque fois un miracle qui ne se produisait jamais. Résigné, il donna un solide coup d'épaule à la porte qui s'ouvrit en gémis-

36

sant. Il déposa les feuilles près de son unique fauteuil, sur le vieux tapis. Quelques vêtements encombraient le fauteuil; il les jeta sur son lit, qui était défait, comme toujours, mais au moins ses draps étaient propres : il les avait fait laver le samedi précédent. Il fit une toilette rapide dans sa cuisine et se prépara une omelette qu'il engloutit avec une tranche de pain. Puis, remettant la vaisselle à plus tard, il s'installa enfin dans le fauteuil, le paquet de feuilles sur les genoux.

Avait-il bien fait de choisir son indépendance? Il savait que son père aurait approuvé sa décision, fier de voir enfin son garçon affronter résolument la vie. Mais son père n'était plus là. Sa mère, elle, n'avait rien dit lorsqu'il était parti, mais il avait deviné sa peine. Il se promit de retourner la voir bientôt : sa dernière visite remontait déjà à deux semaines. Il y avait eu dans son départ une question d'amour-propre, c'était évident. Parmi ses collègues, dont bon nombre avaient réussi à fonder une famille malgré leurs pauvres conditions de travail, il n'avait pas voulu être le policier qui vit chez sa maman, mais personne ne l'attendait jamais chez lui, lorsqu'il rentrait le soir, que le silence. En quittant le quartier où il était né, il avait aussi renoncé, sans en avoir alors pleinement conscience, à l'univers qui l'avait vu grandir, aux gens qui le connaissaient depuis toujours et qui l'appelaient par son nom. Il n'avait plus de véritable ami, ses dernières amours remontaient à l'adolescence, et lorsqu'il lui arrivait, au hasard de ses journées de travail, de croiser dans la rue le regard d'une jeune femme, de sentir en passant son parfum de rose ou de lavande, d'entendre le son de sa voix, de surprendre son sourire, la mélancolie qui le saisissait avait bien du mal à s'estomper.

Il se secoua et commença par les feuillets qu'il avait trouvés empilés sur le bureau de la victime. Ils remontaient tous à deux ans au moins : c'étaient des articles écrits pour *L'Électeur* avant qu'il ne soit remplacé par *Le Soleil*. Ils n'avaient pas intéressé l'assassin. Leahy les reposa par terre.

Les autres, ceux qui avaient été dispersés un peu partout, se trouvaient évidemment en désordre. Il fallait les reconstituer et les classer, ce qui lui prit une bonne heure. C'étaient, de toute évidence, des textes destinés au *Soleil*. Il examina attentivement les dates que le journaliste y avait inscrites. Elles allaient du 27 décembre 1896 au 18 septembre 1898. Toutes les dates, à quelques exceptions près, étaient des dimanches. Le journaliste les inscrivait donc une fois ses articles terminés, avant de les remettre, le lendemain, à Ernest Pacaud. À première vue, rien ne manquait. Ces articles-là avaient certainement tous été publiés, une simple visite aux archives du *Soleil* suffirait à le confirmer.

Il devait cependant exister un texte qui n'avait pas encore été publié, et qui ne le serait sans doute jamais. Un texte qui aurait dû se trouver là, avec les autres, et qui n'y était pas. Le manuscrit daté du dimanche 25 septembre 1898, le jour du crime.

Leahy eut le sentiment de toucher là à quelque chose d'essentiel. Il était clair que le but de l'assassin avait été de faire disparaître certains articles. Et de s'assurer de surcroît, en supprimant leur auteur, qu'ils ne seraient jamais lus par personne… Rien d'autre n'avait été volé, selon toute apparence. La chambre de la victime n'avait pas été fouillée par de vulgaires cambrioleurs. Laflamme connaissait son agresseur. Il l'avait fait entrer, ils avaient pris

un verre ensemble et les voisins n'avaient entendu ni lutte, ni querelle.

Rien que le bruit d'une chute, et quelques secousses...

Le jeune sergent repensa à sa conversation de l'après-midi avec Fournier et ressentit le besoin de mettre un peu d'ordre dans ses idées en jetant par écrit ses premières réflexions.

*Circonstances : Visite dans la nuit du 25 septembre. Un, deux, plusieurs ? Un seul, apparemment. De Montréal ? Certainement connu de A. L. Fracture du crâne, presse-papiers. Meurtrier sans expérience. Gorge tranchée. Pourquoi ? Couteau. Crucifix. Manuscrits : vieux articles (*L'Électeur*) empilés ; récents (*Le Soleil*) dispersés. Les derniers feuillets ont disparu.*

Victime : Arthur Laflamme, quarantaine. Jeunesse en Nouvelle-Angleterre. Pas de famille connue. Travaillait à L'Électeur, *puis au* Soleil. *Réservé. Amis connus : Ernest Pacaud, André Fournier. Qui sont les « amis » de Montréal ?*

« Ennemis » connus : clergé de Québec. Raisons : politiques ? religieuses ?

Mobiles : pas assez d'éléments. Pacifique Canadien ? Contrat d'électricité ? À vérifier. Examiner les articles publiés. Revoir Pacaud : il sait ce que A. L. préparait.

En relisant la page qu'il venait de remplir, il fut un moment tenté de la déchirer : cette enquête ne lui appartenait pas ! Il s'était pris au jeu, s'était lancé dans une recherche dont personne ne l'avait chargé, s'exerçait à un rôle qu'on ne lui avait pas confié, pas encore... Son espoir résidait dans ces deux derniers mots : *pas encore...*

Il avait appris à aimer son métier en dépit du découragement qui le guettait parfois au contact d'une violence sans cesse renouvelée mais toujours pareille à elle-même, au spectacle de la méchanceté, de la haine ou de la cupidité dont il était si souvent témoin et qui n'était le plus souvent que le produit de la misère, de l'ignorance ou de la sottise. Cette affaire était cependant bien plus sérieuse, il le pressentait. Plus difficile aussi. Il brûlait du désir de s'y attaquer, mais il fallait d'abord que Pennée le veuille bien...

Sa journée l'avait épuisé. La voix de sa conscience de policier lui chuchota que ce serait une bonne chose de lire tout de suite les articles d'Arthur Laflamme, puisqu'il les avait sous la main. Mais il bâillonna sa conscience et alla se coucher. La voix bâillonnée voulut lui rappeler de faire la vaisselle, mais il dormait déjà.

Mardi 27 septembre 1898

3

Leahy rend compte de sa mission à son chef et endure stoïquement une
séquelle douloureuse du conflit anglo-irlandais

Un crime inqualifiable (Le Soleil, 27 septembre)
C'est une bien macabre découverte que fit notre con-
frère André Fournier lorsqu'il se rendit hier matin au domi-
cile d'Arthur Laflamme, journaliste au Soleil. Le corps de
notre collaborateur était étendu sans vie sur le sol de l'uni-
que chambre de son modeste appartement, le crâne défoncé
et la gorge tranchée. La pièce se trouvait dans un désordre
indescriptible, jonchée de papiers, apparemment des manus-
crits éparpillés par le meurtrier.

Le sergent Francis Leahy, dépêché sur les lieux avec une
équipe de la police de Québec, a fait les premières constata-
tions. Le jeune sergent, qui a bien voulu répondre à nos
questions, semble penser que le meurtrier était connu de sa
victime, mais les indices sont encore trop ténus pour que l'on
puisse désigner le coupable, ou même soupçonner le motif
d'un crime aussi ignoble.

Arthur Laflamme était un membre éminent de l'équipe
de rédaction de notre journal depuis sa fondation, il y a
bientôt deux ans. Son immense expérience, il l'avait acquise
d'abord à Fall River (Massachusetts) où il avait collaboré à

La République, *journal fondé par Honoré Beaugrand en 1878. Quelques années plus tard, il participait à la fondation de* L'Électeur *et y consacrait ses énergies jusqu'à la disparition du journal en 1896. Libéral convaincu, homme d'une vaste culture, humaniste épris des valeurs universelles de justice et de liberté, patriote exemplaire, sa disparition nous remplit tous de tristesse.*

Souhaitons que le meurtrier soit rapidement trouvé, jugé et puni. Pour notre part, le souvenir de notre collègue nous accompagnera toujours et nous ferons tout pour rester fidèle à l'esprit qui l'a animé jusqu'au bout.

❧ ❧

Pennée avait écouté la relation que venait de lui faire son subordonné. Il était resté songeur, adossé à son fauteuil, manipulant tour à tour le couteau et le petit crucifix que Leahy avait rapportés.

— Qu'est-ce qui vous a le plus frappé?

— Le désordre, tout d'abord. C'était un faux désordre. L'assassin a volontairement dispersé les feuilles dans la pièce, mais il savait ce qu'il cherchait. Ce n'était pas un simple voleur.

— Et que cherchait-il, selon vous?

— Des articles, monsieur. Hier soir, j'ai jeté un premier coup d'œil aux feuillets trouvés dans l'appartement. Ceux qui étaient empilés sur le bureau étaient de vieux articles parus dans *L'Électeur*. Ceux qui étaient dispersés, par contre, étaient des articles du *Soleil*, donc plus récents, et déjà publiés. Mais il aurait dû y avoir aussi de nouveaux articles, sur lesquels la victime venait de travailler et qu'il devait remettre hier. Ils n'étaient pas avec

les autres. Je suppose que l'assassin s'en est emparé pour éviter leur publication.

– Des articles politiques?

– Je ne sais pas, monsieur. J'ai interrogé son collègue, Fournier, celui qui a découvert le corps. Il est possible que je tienne quelque chose.

– Ce Fournier est votre premier suspect, je suppose?

– Bien entendu, monsieur. Si vous me confiez l'enquête…

Pennée ne parut pas disposé à saisir la perche.

– Quelle impression vous a-t-il donnée?

– Le meurtre de son collègue paraît l'avoir fortement éprouvé. Ce qu'il dit se tient à première vue. Jeudi, Laflamme lui demande de passer chez lui lundi pour lui confier ses articles. Lundi, quand Fournier s'y rend, Laflamme est mort. Il m'a donné quelques détails que j'aimerais vérifier, au sujet de la victime.

– Bon. Autre chose?

– La gorge tranchée. C'était inutile, puisque l'homme était mort.

– Comment expliquez-vous cela?

– Je ne l'explique pas. Peut-être l'assassin a-t-il simplement voulu s'assurer que sa victime était bien morte? Ce qui m'embarrasse, c'est…

– Oui?

– Je ne sais pas si j'ai raison, il me semble qu'à sa place je n'aurais pas laissé mon couteau. Ce couteau est très particulier, c'est un indice important. Ou alors…

– Ou alors?

– Ou alors, il a été abandonné pour créer une fausse piste. Mais il ne devrait pas être difficile d'identifier son

propriétaire. Si on le trouve, on apprendra forcément quelque chose. La piste ne peut pas être entièrement mauvaise !

— Bien raisonné. D'autres remarques ?

— Le crucifix, monsieur. La victime n'était pas particulièrement pieuse. Apparemment, elle ne fréquentait plus l'Église depuis longtemps. Ce crucifix a sûrement été laissé par le meurtrier.

— Comme le couteau.

— Comme le couteau… Une fausse piste, là aussi ? Mais qu'y a-t-il de commun entre un couteau et un crucifix ?

— Ce couteau ne vous dit rien, Leahy ?

— C'est un couteau de marin. N'importe qui peut se procurer un couteau de marin, mais celui-ci n'est pas banal : ce motif gravé sur le manche… Il me semble avoir déjà vu ce genre de dessin, mais je ne sais plus où.

Pennée se mit à rire.

— Leahy, vous avez renié vos origines ?

— Mes origines ? Quelles origines ?

Il prit le couteau, l'examina, et poussa un grognement de dépit.

— Évidemment, quel idiot je suis ! Ces courbes qui ornent l'étoile, ce sont des entrelacs, c'est du travail typiquement celtique ! Ce couteau appartient à un Irlandais, c'est évident…

— Ne sautez pas trop vite aux conclusions, Leahy. Par ailleurs, regardez cette étoile : c'est un pentacle, une étoile à cinq branches.

— En effet. Et alors ?

— Le pentacle aussi est un symbole très ancien en Irlande. Un symbole magique. Vos druides celtiques

l'appelaient « le pied de la sorcière ». Vous devez savoir que dans votre pays très catholique, il existe encore des survivances païennes.

Leahy rougit. Il était habitué à entendre ses collègues canadiens-français le taquiner sur son origine irlandaise, mais c'était la première fois qu'un Anglais lui infligeait ce traitement. Il rendit un hommage silencieux à sa patrie tyrannisée depuis des siècles par sa perfide voisine, et haussa les épaules.

— Je suis né à Québec, mes contacts avec l'Irlande se sont limités aux souvenirs de mes parents, qui ne m'ont jamais parlé de magie ni de symboles occultes. Sauf peut-être, le soir, dans les contes de sorcières que me racontait ma mère et qui m'empêchaient d'ailleurs de dormir ! Mais ils avaient tous les deux les pieds sur terre.

— Heureusement pour eux et pour vous. Il reste que cette étoile est intéressante.

— Un marin irlandais qui se promène à Québec avec des symboles magiques et un chapelet ? Excusez-moi, monsieur, mais ça me paraît farfelu. Et cet homme serait l'assassin ?

— Vous confondez le meurtrier et l'instigateur du meurtre. Ils ne sont pas forcément une seule et même personne.

— Un homme de main, donc ?

— Pourquoi pas ?

— Mais pour savoir quels articles subtiliser, il faut pouvoir lire le français, le lire vite et savoir exactement ce qu'on cherche ! Comment faire confiance à un vulgaire tueur ?

— En effet. Et s'ils étaient deux ?

— Deux sur place, la nuit du meurtre ? Je ne le pense pas, monsieur.

— Pourquoi donc?

— À cause des verres, monsieur. Il n'y en avait que deux, dans le vestibule. Arthur Laflamme connaissait son assassin.

— C'est probable, en effet. Rien de spécial au sujet des verres?

— À première vue, rien. L'un des deux hommes a pris du vin, et l'autre du cognac. Cependant, le Dr Turgeon a fait une remarque bizarre. Il pense que la victime était peut-être endormie lorsqu'on l'a tuée. On ne s'endort pas comme ça, en pleine activité, surtout lorsqu'on a de la visite…

— Je comprends. Il faut faire analyser ces verres. Donnez-les moi, je les confierai à un laboratoire. La pharmacie Livernois. Ils nous ont déjà rendu quelques services. Vous me donnez les bouteilles aussi, pour qu'ils puissent comparer.

— Mais les verres étaient vides, il ne reste que des traces. Ça risque d'être difficile.

— Ils feront l'impossible, j'y veillerai. Il faudrait aussi que le Dr Turgeon examine le presse-papiers pour voir ce qu'on peut en tirer. Quant au morceau de papier que vous avez trouvé dans le foyer de la cheminée, je le ferai examiner par un expert. On ne sait jamais. Vous croyez qu'il est important?

— Difficile à dire, monsieur. S'il a brûlé la nuit du crime, il peut être très important. S'il était là depuis plusieurs jours, sans doute pas.

— À propos du crucifix, vous avez sûrement remarqué cette inscription, au dos.

— Oui, monsieur: *Roma*. Ce marin criminel et superstitieux est donc aussi un peu pèlerin…

– Pas forcément, Leahy, pas forcément. Il a pu recevoir le chapelet en cadeau, ou l'acheter n'importe où. Mais c'est une indication de plus. Quant à savoir dès maintenant ce qu'elle signifie...

Le chef de police observa un moment son jeune subordonné.

– C'est bon, je vous confie cette affaire, Leahy. Vous me semblez posséder les qualités nécessaires.

Le jeune homme sentit son cœur bondir, mais il s'efforça de rester calme.

– Merci, monsieur.

– Vous savez que l'un de nos deux détectives est allé chercher fortune ailleurs. Au salaire qu'on nous paie, je ne le blâme pas. Vous le remplacez provisoirement. Vous pouvez donc vous habiller en civil, si vous voulez. Votre salaire sera modifié en conséquence, cela va de soi.

– Bien, monsieur.

– Soyez prudent, méfiez-vous des conclusions qui sautent aux yeux, mais ne négligez aucune piste. Officiellement, vous attendez le rapport du coroner. Son enquête a lieu après-demain. Vous y serez, évidemment.

– Oui, monsieur.

– J'ai le sentiment, par ce que vous m'avez dit, qu'il ne s'agit pas d'une affaire facile. Paradoxalement, c'est pour cela que je vous la donne : vous n'avez pas encore de préjugés. Enfin, pas trop, j'espère ! Par quoi allez-vous commencer ?

– L'Irlandais au couteau peut attendre un jour ou deux, s'il ne s'est pas déjà envolé. Je veux d'abord lire les articles de la victime, surtout les plus récents.

– Et qu'espérez-vous y trouver ?

– Une confirmation, monsieur.

4

Leahy bâtit des châteaux en Espagne et se renseigne sur la Nouvelle-Angleterre

Après son entretien avec le capitaine Pennée, Leahy, songeur, était allé s'asseoir à son bureau. C'était à lui de jouer, à présent. Il était heureux d'avoir été chargé de l'enquête. Heureux et fier. Il était désormais détective, l'un des deux détectives de toute la police de Québec! Ce n'était qu'une nomination provisoire, mais tout de même. Avec un peu de chance, il pouvait espérer une promotion définitive. Il se mit à rêver. *Le détective Leahy résout brillamment l'une des énigmes criminelles les plus complexes de la fin du siècle*, lirait-on bientôt dans *Le Soleil*. Et son chef lui remettrait une médaille.

L'avenir matériel était, lui aussi, chargé de promesses. Comme sergent, il gagnait tout juste 500 dollars par an, alors qu'un détective allait chercher dans les 700! Il pourrait faire tellement de choses: gâter sa vieille maman, déménager dans un appartement plus spacieux, s'offrir un complet neuf, se marier, et même prendre un fiacre à l'occasion. Dire qu'il y avait un an à peine, il était simplement constable. Constable première classe: 400 dollars. Comme Rioux. Un brave homme, ce Rioux,

selon toute apparence. Déroutant, peut-être, mais efficace. Leahy se rappela qu'il devait le revoir pour savoir comment s'était déroulé l'interrogatoire de la femme de ménage. Moreau, pour sa part, gagnait à peine un dollar par jour : deuxième classe. Comment fonder une famille dans ces conditions ? Ces gens-là étaient admirables. Par ailleurs, que de chemin parcouru en quelques années ! Il se rappela les locaux exigus où il avait commencé sa carrière, dans une simple maison de la rue Saint-Louis convertie en poste de police. On pouvait à peine y bouger. Maintenant qu'ils étaient logés à l'Hôtel de Ville, même les cellules des prisonniers étaient plus confortables !

Il revint à la réalité du moment. Allait-il se montrer digne de la confiance de son chef ? Assurément. Avec l'aide d'une bonne équipe, il trouverait une piste et la suivrait jusqu'au bout, jusqu'au criminel. Une bonne équipe… Il n'avait pas soulevé la question tout à l'heure, devant Pennée. Cela viendrait assez tôt, et il avait déjà sa petite idée.

Le sol trembla soudainement, et Moreau entra. Leahy accueillait toujours l'imposant constable avec le sourire, mais il appréhendait le moment où le colosse refermait la porte : Moreau ne connaissait pas sa force.

— Alors, inspecteur ? Tout le monde en parle !

La porte claqua, mais les gonds tinrent bon. Ils avaient été réparés huit jours plus tôt.

— Ça y est, Alfred. Je suis détective !

Moreau avait l'air ravi.

— C'est bien ! Un vrai meurtre ?

— Un vrai.

— Magnifique ! Qui est l'assassin ?

– Je n'en sais rien, Alfred. Il faut que je le cherche, justement.

– Je vous aiderai, fit le constable. Si vous voulez…

– Bien sûr, que je veux!

Moreau était aux anges.

– Nous ferons une bonne équipe, tous les deux.

– Tous les deux, ou tous les trois. Ça dépend du chef.

– Ah? Qui est le troisième?

La question cachait mal une certaine inquiétude.

– Je suis sûr que vous allez bien vous entendre. Sinon, c'est lui que je remplacerai…

– Mais je ne crains rien! On commence quand?

– L'enquête du coroner a lieu jeudi. Après-demain. On se voit dans l'après-midi? Je te dirai à quelle heure.

– Parfait. Vous avez une piste?

– Alfred, je n'ai rien du tout! Je vais d'abord faire quelques vérifications. J'espère surtout trouver un mobile. Avec le mobile, je tiendrai une piste.

– C'est bien raisonné… Et vendredi, nous irons arrêter le coupable.

Leahy secoua la tête.

– Je ne crois pas que ce soit si simple. Vois-tu, Alfred, ce n'est pas un crime banal. Il a dû être soigneusement préparé.

– Mais l'assassin a sûrement fait des erreurs! Tous les criminels font des erreurs!

– Je l'espère bien, mais il va falloir les découvrir, ces erreurs.

– En attendant, qu'est-ce que vous allez faire?

– Je vais revoir le directeur du *Soleil*: il devrait m'aider à trouver le mobile. Ah! Alfred, en sortant, laisse ouvert…

— Fournier vous a bien renseigné. Effectivement, Arthur et moi avons eu une discussion plutôt animée, jeudi dernier. Si j'avais pu me douter que je le voyais pour la dernière fois…

Le cadre bordé de noir était toujours à la même place sur le bureau, mais, pas plus que la veille, le directeur n'avait fait la moindre allusion au deuil qu'il vivait.

— Quel était le sujet de cette discussion ? demanda le policier.

Pacaud eut un geste désabusé.

— Comme d'habitude… Il attaquait, et moi je cherchais à modérer ses ardeurs guerrières. Avec lui, j'avais souvent l'impression d'être Sancho Pança essayant de dissuader Don Quichotte de foncer sur des moulins à vent…

— Parce qu'il se trompait d'adversaires ?

— Parce que les moulins à vent sont trop puissants : ils peuvent nous disloquer sans aucun effort, et nous risquons d'obtenir un résultat contraire à celui que nous espérions !

— Dans ce cas précis, qui étaient les moulins ? Qui faisait l'objet des accusations d'Arthur Laflamme ?

— Jeune homme, comprenez-moi bien, fit le directeur d'une voix lasse. Tout ce que j'ai, c'est le souvenir d'une conversation. Il parlait de démolir l'adversaire, de lui asséner un coup fatal. Je n'ai pas lu ses derniers articles et il ne m'a donné aucun détail, sinon qu'il allait porter des accusations dévastatrices, et j'ai appris à me méfier des accusations dévastatrices d'Arthur… Si elles sont fondées, vous devrez de toute façon le démontrer

par votre enquête : quel tribunal prendrait mes déclarations pour preuves ?

— Cela a-t-il un rapport avec le contrat d'électricité que l'Archevêché cherche à conclure ?

— C'est Fournier qui vous a parlé de ça ? fit Pacaud, étonné. Ce ne peut être que lui, évidemment. Il est vrai qu'Arthur s'intéressait de très près à ce contrat. Il est également vrai que notre discussion de jeudi portait sur ce point. Je ne sais pas ce que Fournier vous a dit exactement, mais ne vous fiez pas aveuglément à son jugement. Il est moins… prudent que moi, il a moins d'expérience. Il peut facilement prendre ses impressions pour des réalités.

— Quelles sont ses fonctions, au journal, mis à part ses passages à l'Archevêché ?

— Fournier ? Il nous simplifie la vie. Il sait tout faire, et il apprend vite ce qu'il ne sait pas. Il nous sert souvent de correcteur, parfois de prote. C'est lui qui dépouille le courrier des lecteurs, il trie les dépêches que nous recevons, et il écrit aussi, à l'occasion.

— Vous êtes donc satisfait de lui ?

— Il fait du bon travail, mais je me demande s'il est heureux chez nous.

Leahy avait eu le même sentiment, mais cela ne l'intéressait que modérément, pour l'instant.

— Hier, au sujet d'Arthur Laflamme, vous me parliez d'adversaires sans scrupules ?

Le directeur poussa un profond soupir.

— Vous connaissez le contexte dans lequel nous vivons. Je parle du contexte politique. Les rouges sont enfin arrivés au pouvoir, à Québec comme à Ottawa, mais leur position reste fragile. La puissance des conser-

vateurs est redoutable, leurs alliés sont influents. Ils cherchent par tous les moyens à nous déstabiliser.

— Même par le meurtre?

Pacaud se leva et arpenta son bureau, le visage soucieux.

— J'espère que non. Toutefois, aucun groupe n'est parfaitement homogène. Voyez-vous, sergent, il y a chez les bleus comme chez les rouges des hommes de très grande valeur, qui ont une véritable vision politique, mais il y en a aussi d'autres qui ont beaucoup moins d'envergure et qui ne voient que leur intérêt immédiat. Certains d'entre eux sont peut-être prêts à tout. Ajoutez à cela le contexte religieux, et vous aurez une idée de la complexité de la situation.

L'attention de Leahy redoubla. Il savait que la victime avait été en froid avec l'Archevêché de Québec. Cela avait-il un rapport quelconque avec le contexte religieux qu'évoquait Pacaud?

— De quoi s'agit-il exactement? demanda-t-il. Je sais qu'il y a des tensions, mais je n'ai jamais pu me faire une idée claire du problème.

Pacaud prit le temps de réfléchir avant de répondre.

— Je vais essayer de résumer les choses. Dans notre province de Québec, l'Église considère le Parti libéral comme un nid d'intellectuels anticléricaux, aux idées dangereuses, alors que les conservateurs passent pour ses meilleurs alliés. Cela la conduit à s'ingérer continuellement dans les affaires politiques. Vous savez certainement déjà tout cela.

— Qu'en disent les libéraux eux-mêmes?

— Ils protestent et proclament bien haut leur attachement à l'Église.

— Que leur reproche-t-on, concrètement?

— De vouloir écarter les évêques de la vie politique en prétendant, par exemple, qu'un gouvernement doit gouverner selon le bon jugement des gouvernants, et pas selon l'opinion des évêques.

— Cela semble naturel…

— Et c'est d'ailleurs une directive claire du pape. Vous avez peut-être entendu dire, pour plaisanter, que nos évêques étaient plus catholiques que le pape? Il est arrivé plusieurs fois que certains d'entre eux prennent publiquement position pendant une campagne électorale en faveur des conservateurs. Aux yeux des libéraux, c'est une attitude intolérable.

— Ils ont sûrement réagi?

— Et ils réagissent encore, mais ils doivent le faire avec respect, pour ne pas donner raison à ceux qui les considèrent comme anticléricaux.

— C'est pour cela qu'Arthur Laflamme n'allait jamais à l'Archevêché?

— Oh! Ce pauvre Arthur avait une plume rétive à toute forme de respect…

— Quel intérêt pouvait-on avoir à le tuer? Ses articles étaient-ils donc si dangereux?

— Je vous laisse en juger, sergent.

Pacaud refusait d'en dire plus. Il avait repris place dans son fauteuil, les yeux fixés sur le portrait de sa mère. Leahy était partagé entre la déception et l'espoir. Chaque fois qu'il pensait pouvoir obtenir enfin une réponse claire à ses questions, le directeur du *Soleil* s'en tirait par une pirouette. En même temps, il sentait que ses déclarations allaient dans le même sens que celles de Fournier, et cela lui faisait pressentir que la vérité se cachait là. Un

affrontement entre libéraux et conservateurs, avec le diocèse de Québec comme terrain de lutte? Un affrontement dont le journaliste assassiné aurait été la première victime? Il fallait lire ses articles, comme le lui suggérait Pacaud, et voir si leur contenu était assez menaçant pour inciter au meurtre. Mais il avait encore des questions à poser.

— J'ai lu votre entrefilet sur Arthur Laflamme.

— Nous avons écrit l'article en collaboration, Fournier et moi. Arthur a passé une bonne partie de sa jeunesse en Nouvelle-Angleterre, et c'est là qu'il a fait ses premières armes en journalisme.

— Avec Honoré Beaugrand.

— Exactement.

— Un journal de langue française aux États-Unis, comment cela s'explique-t-il?

— Vous devez savoir que beaucoup de Canadiens français se sont expatriés parce que la vie dans les campagnes était devenue précaire. Ils ont trouvé du travail de l'autre côté de la frontière, et ils ont formé de petites communautés, certaines assez importantes pour justifier la création d'un journal. C'est ce qui s'est produit à Fall River, grâce aux filatures qui embauchaient un grand nombre de nouveaux arrivants, des Canadiens français et des Irlandais en particulier.

— Laflamme ne vous aurait pas parlé d'inimitiés qui seraient nées là-bas?

— Jamais. J'ai l'impression, au contraire, qu'il en gardait un souvenir heureux. Sa vie avait été plus difficile à Boston, à cause de la pauvreté de sa famille. Mais c'était presque un enfant, à l'époque.

— Et donc, si je voulais en savoir plus…

– Il faudrait rencontrer Honoré Beaugrand. C'est le seul homme, à ma connaissance, qui puisse vous en dire davantage.

Leahy fit une pause.

– Hier, en parlant de votre collaborateur, vous m'avez dit que même ses amis trouvaient parfois qu'il exagérait. Il avait donc plusieurs amis?

– Quelques-uns. Rares. Ceux que j'ai pu rencontrer étaient des journalistes eux aussi, à *La Patrie* de Montréal. Il allait régulièrement les voir, et eux venaient parfois nous rendre visite au *Soleil*. *La Patrie* et *Le Soleil* ne sont pas en liaison constante, mais nous sommes du même côté et nous nous battons pour la même cause.

5

Leahy lit des articles sulfureux

La salle des archives ne comprenait qu'une grande armoire vitrée et une table pour la consultation. Tous les numéros du *Soleil* et de *L'Électeur* étaient rangés dans l'armoire, reliés par trimestres. Seuls les numéros de juillet à septembre 1898, sagement empilés, attendaient la fin du mois pour être reliés à leur tour.

— Vous n'avez pas coutume de signer les articles, remarqua Leahy. Je suppose que les éditoriaux n'ont pas tous été écrits par Arthur Laflamme?

— Non, évidemment. J'en écris moi-même régulièrement, mais vous apprendrez vite à distinguer les articles d'Arthur des miens! Il était moins timide que moi. Cela dit, certains articles sont quand même signés.

— Oui, par un pseudonyme. Timon, ou Ignotus…

— En effet, fit Pacaud en souriant. Ignotus, c'est l'inconnu, celui qui préfère demeurer dans l'ombre, qui a déjà reçu trop de coups et ne tient pas à s'attirer les foudres. Timon, lui, est au gouvernail, prêt à essuyer les tempêtes.

— Si je ne me trompe pas, Timon, c'est aussi un philosophe grec de l'Antiquité, un misanthrope désabusé?

– Très bien, jeune homme, très bien!

Leahy cacha son agacement. Ce monsieur le traitait en enfant: «Très bien, mon petit! Excellent, mon garçon!» Mais Pacaud poursuivait:

– Ce pauvre Arthur avait en effet le sentiment d'être à la fois l'un et l'autre. Il affrontait l'orage, mais il l'affrontait sans illusion. Un timonier courageux, mais sans espérance…

– Avez-vous déjà pensé à un successeur de Timon?

– Sa mort est un rude coup pour le journal. Il ne pourra jamais être remplacé. Pas de la même façon, en tout cas… Bon. Je vous laisse, vous savez où me trouver. Oh! J'y pense: les papiers que vous avez trouvés chez lui, Arthur me les avait promis. J'aimerais les publier, quand vous les aurez lus.

Cela rappela à Leahy une question qu'il s'était promis de poser.

– Ces papiers, Arthur Laflamme vous les remettait tels quels, ou il les recopiait d'abord au propre?

– Vous trouvez qu'ils ressemblent un peu à des brouillons? Vous avez bien raison, fit Pacaud avec un sourire résigné. Je les passais à une de nos secrétaires, qui se débrouillait comme elle pouvait pour les déchiffrer avant de les taper à la machine.

– Vous les lui rendiez ensuite?

– Oui. Il voulait tout conserver. Je peux donc compter sur…?

– Laissez-moi encore quelques jours.

❧❧

Leahy s'était donc plongé dans la lecture des archives. Il avait commencé par *L'Électeur*, même s'il risquait

peu d'y trouver un article en rapport direct avec le crime. Il voulait d'abord mieux connaître Arthur Laflamme, comme avaient appris à le connaître, au fil des années, ses lecteurs, amis ou opposants. Il n'eut pas beaucoup de mal, avec ce que lui avait dit Pacaud, à reconnaître son style. La plume était vigoureuse, le ton souvent acerbe, l'ironie cinglante.

Par exemple, après l'élection de janvier 1896 dans Charlevoix, on pouvait lire, sous un titre neutre : « Le candidat libéral élu par une majorité de 176 », ce sous-titre moins anodin : « Sur l'argent, le whisky, les orangistes et les curés ».

En juin, à l'occasion des élections provinciales, un autre titre : « Trafic honteux de la religion », contre les interventions politiques de Mgr Laflèche. L'article se terminait sur un avertissement : « … nous faisons savoir que nous pourrions bien quelqu'un de ces jours publier des notes piquantes d'intérêt sur le digne évêque des Trois-Rivières. »

Quelques jours plus tard, un texte intitulé « La guerre sainte » s'en prenait à l'ensemble des évêques : « Jamais encore notre pays n'a été témoin d'une aussi criminelle et aussi scandaleuse exploitation de la religion. »

Le dernier numéro de *L'Électeur* datait du samedi 26 décembre 1896, il y avait deux ans à peine. Le policier se rappelait que le lendemain, dans les églises, les fidèles avaient appris que leurs évêques en interdisaient dorénavant la lecture. La nouvelle avait traversé la province comme une traînée de poudre, mais *Le Soleil* avait aussitôt pris la relève, et commençait à paraître dès le 28.

— On peut dire qu'ils ont fait vite ! se dit Leahy. Ils s'y attendaient, évidemment ; quelqu'un les avait avertis.

Et puis, avec le temps, les choses s'étaient tassées : on s'habitue à tout… Il parcourut la première page du premier numéro du nouveau quotidien. Elle portait l'image d'un ecclésiastique à l'allure imposante, debout, le regard gravement fixé sur le lecteur :

Mgr Taschereau, souffrant, est au regret de ne pouvoir recevoir la visite des nombreux Québécois qui, chaque année à la même époque, viennent présenter leurs vœux à leur archevêque.

À gauche, en première colonne, un éditorial qu'il parcourut en diagonale :

Depuis quelque temps, il était question de fonder un nouveau journal libéral à Québec [...] Ce projet, dont l'exécution était déjà bien avancée, un événement inattendu, la suspension de publication de L'Électeur, *en a rendu urgente la réalisation immédiate [...] Nous avons à peine besoin de dire que* Le Soleil *sera un journal libéral [...] À Ottawa, nous ferons tout ce que nous pourrons pour maintenir M. Laurier au pouvoir [...] Notre journal [...] sera purement et simplement le champion de la cause libérale à Ottawa et à Québec, et il la soutiendra avec toute l'énergie que la Providence nous a donnée.*
C'était signé *La Compagnie d'Imprimerie de Québec.*

Directement sous l'éditorial, un encadré que Leahy lut avec intérêt :

Une lettre de M. Pacaud
Québec, 28 décembre 1896
MM. les propriétaires du Soleil,

Voulez-vous me permettre d'expliquer dans les colonnes de votre journal la disparition si soudaine de L'Électeur *?*

Tous les catholiques ont entendu hier la lecture du mandement de NN.SS. les Évêques interdisant la lecture de mon journal.

J'en appelle, il est vrai, de cette condamnation à la Cour romaine. Cependant on m'a informé que cet appel ne pouvait suspendre l'effet de la censure.

De ce moment, il ne me restait plus d'alternative. Je devais suspendre la publication de L'Électeur. *Je ne pouvais placer ma clientèle, qui est presque exclusivement catholique, dans cette pénible position de désobéir à l'autorité épiscopale.*

J'espère que ce conflit regrettable disparaîtra avant longtemps et que je pourrai reprendre la publication de L'Électeur *auquel 17 années d'un travail constant et de sacrifices pénibles m'avaient si profondément attaché.*

Bien cordialement,
Ernest Pacaud

Le Soleil annonçait également, toujours en première page, qu'il allait être distribué aux abonnés de *L'Électeur*, le journal disparu.

Leahy entreprit de passer en revue les numéros suivants. *Le Soleil* était peut-être devenu un peu plus sage que son prédécesseur, mais il n'avait pas pour autant renoncé à la polémique. Par exemple, le pape Léon XIII ayant annoncé, en mars 1897, la visite prochaine au

Canada de son délégué apostolique, *Le Soleil* avait déclaré que ce dernier aurait «enfin sous les yeux [...] ceux qui cherchent la religion pour leurs fins éternelles et ceux qui l'accaparent pour leurs fins temporelles».

Sur un autre plan, celui du développement industriel, le journal ne restait pas muet non plus. Il dénonçait en particulier avec véhémence certaines sociétés de chemin de fer qui encaissaient des profits énormes en disposant à leur guise des terres que leur avait concédées le gouvernement. Les compagnies de pulpe et papier, en plein essor, n'échappaient pas non plus à sa vigilance, pas plus que les entreprises d'hydroélectricité. Leahy reconnaissait chaque fois la griffe d'Arthur Laflamme. Il nota aussi le peu de critiques adressées au gouvernement. Il est vrai que c'était un gouvernement libéral...

Toutefois, c'étaient surtout les dernières semaines qui l'intéressaient, et il y avait là de quoi l'occuper des heures. Il parcourut chaque numéro, à la recherche d'une information révélatrice. Dans un numéro d'avril 1898, il tomba sur un entrefilet qui fit battre son cœur un peu plus vite.

L'Archevêché se convertit à l'éclairage électrique
Des informateurs dignes de foi nous apprennent que les autorités ecclésiastiques de l'archidiocèse de Québec ont choisi d'abjurer l'éclairage au gaz et de ne plus éclairer leur lanterne qu'à l'électricité. Les paroissiens de Saint-Roch en jouissent, certes, depuis plus d'un an, mais ce seront désormais toutes les églises et tous les presbytères qui bénéficieront de ces lumières, sans compter toutes les maisons tenues par notre clergé sur l'étendue du diocèse. Suffiront-elles à y dissiper les ténèbres? Espérons-le.

Un nouveau contrat se prépare donc. À qui sera-t-il accordé ? Nous croyons savoir que Mgr Bégin, qui assure la direction du diocèse pendant la maladie de Mgr Taschereau, entend préserver sa pleine indépendance dans ce domaine. Diverses compagnies seraient déjà sur les rangs.

Il s'agit donc d'une affaire qu'il faudra suivre de très près, pour des raisons que nos lecteurs devineront sans peine. Car il sera question de beaucoup d'argent, et l'argent, a-t-on dit, est un mauvais maître… Nous serons vigilants !

Entre-temps, Mgr Taschereau était décédé et Mgr Bégin lui avait succédé. Tout dépendait de lui, à présent. L'article, en soi, était tendancieux mais pas bien méchant. Il exprimait déjà, cependant, une méfiance. Comment cette méfiance avait-elle évolué par la suite ?

Pendant quelques semaines, rien dans *Le Soleil* sur le sujet. Puis, le bal avait commencé. Des passages apparemment sans portée, disséminés çà et là dans des articles signés *Timon*. Ils prenaient après coup, aux yeux du détective, une tout autre importance. Il en nota quelques-uns.

(Mai) *Faut-il se laisser éclairer par le Bleu céleste ou par le Rouge infernal ? Le premier espère acheter un contrat comme on achète une indulgence. L'autre veut convaincre par la raison. Qui l'emportera : la flagornerie ou l'intelligence ?*

…

(Mai) *Les visites ont commencé. Le zouave de service vient remuer la queue, en bon castor soumis. Que va-t-il offrir pour racheter sa totale ignorance du domaine hydroélectrique ? L'ingénieur, pour sa part, offre sa compétence.*

C'est l'irréductible opposition entre la génuflexion et le discours de l'homme libre.

…

(Juin) *Une délégation d'anciens zouaves pontificaux part pour Rome. Elle en reviendra comblée par la bénédiction papale. Qui paie le voyage? Notre zouave de service, pour sa part, préfère demeurer à l'ombre de nos clochers. Il espère que ses courbettes lui vaudront bientôt une récompense autrement substantielle.*

…

(Juin) *L'union fait la force, mais la force garantit-elle le respect de la justice et du droit? Lorsqu'un politicien douteux issu de la Mauricie et un financier sans scrupules sorti de n'importe où s'assurent les services d'une grenouille de bénitier, quel bel exemple d'union et quel touchant tableau! Mais aussi, quelle triste perspective!*

…

(Juin) *L'église de la paroisse Saint-Michel va recevoir, nous dit-on, un orgue tout neuf. C'est un cadeau désintéressé, offert par un financier de Montréal. Par pure coïncidence, ce financier est le principal actionnaire de la compagnie qui a loué les services d'un certain zouave de nos connaissances…*

…

(Juin) *Les promesses désintéressées se succèdent. Elles sont variées, et vont des ornements sacerdotaux aux mobiliers des presbytères. Mais elles possèdent un point commun : elles sont toutes relayées par l'éternel zouave.*

En juillet et en août, *Timon* avait observé un silence relatif. Les négociations s'étaient sans doute ralenties pendant l'été. Mais les commentaires reprenaient avec force dès le début de septembre, sur un autre ton.

Les forces de la nuit s'agitent. Elles trafiquent, elles complotent. La lumière les frappera bientôt de stupeur. Non pas la lumière électrique, mais celle de la vérité que nous ne tarderons pas à dévoiler et qui révélera au grand jour bien des désordres et bien des turpitudes. Argent, que de crimes on commet en ton nom!

...

Le bleu est aussi la couleur de la peur, ne l'oublions pas, comme le rouge est celle de la colère. Notre zouave ne tardera pas à s'en apercevoir. Privé de son fusil, il est aussi impuissant qu'un taureau devenu bœuf. La liberté vaincra aujourd'hui comme il y a trente ans, lorsqu'il était parti se battre en Italie pour une bien mauvaise cause.

...

Pour reprendre une place dont les récentes victoires libérales les ont délogés, les conservateurs et les tenants de la servitude sont prêts à tout. Cet important contrat avec l'Église viendrait leur redonner un peu du lustre qu'ils ont perdu et du prestige qui les entourait hier encore. Mais cela ne se fera pas. Le jour approche où ceux qui veulent voir verront, et ceux qui veulent entendre entendront.

Le 25 septembre, dans la nuit, *Timon* était assassiné.

Ainsi, Arthur Laflamme était passé de l'ironie à l'invective tout en observant une certaine prudence, nota Leahy. Il n'attaquait jamais de front l'Église elle-même. Cela se comprenait facilement, s'il fallait conserver aux libéraux leurs chances de remporter le contrat. On n'insulte pas un client... Par contre, que d'acharnement sur ce malheureux zouave! Qui était-il? Évidemment le représentant des intérêts conservateurs. Un certain Berthelot,

lui avait appris Fournier. S'il fallait en croire les articles qu'il venait de lire, un ignorant, une brute n'ayant pour seul argument que la force du fusil, un *castor soumis*… Un castor. Dans la bouche d'un libéral, cela signifiait un nationaliste à l'esprit étroit, un bigot sans intelligence : le portrait n'était pas flatteur. L'autre, l'ingénieur compétent, c'était sûrement Horace Routhier. Il fallait les rencontrer tous les deux.

À part les attaques personnelles contre le zouave, il y avait aussi les accusations qui visaient la partie adverse dans son ensemble. D'abord de simples insinuations, puis une menace, celle de tout révéler. Révéler quoi ? Là, peut-être, résidait l'essentiel, mais là aussi résidait la difficulté. Les révélations auraient dû se trouver dans les papiers de l'appartement. Elles avaient disparu.

Avant de rentrer chez lui, il fit un crochet par un magasin pour hommes et s'offrit un chapeau melon. Une folle dépense, mais un détective doit savoir faire honneur à sa fonction… Dans sa chambre, il essuya soigneusement la poussière qui recouvrait sa commode et y posa respectueusement sa nouvelle acquisition. Puis il sortit de l'armoire son beau complet – son seul complet, à dire vrai, un peu élimé sur les bords, mais encore tout à fait convenable – qu'il brossa avant de le remettre à sa place. Il s'assit enfin dans son fauteuil, reprit les feuilles manuscrites de la victime et les compara de mémoire avec les articles qu'il venait de lire. C'étaient bien les mêmes. Il ne pouvait plus ignorer la conviction qui s'était progressivement imposée à lui. L'assassin d'Arthur Laflamme était

un dragon, un dragon à trois têtes. La première était bleue, la seconde était marquée au front du signe du dollar, et la troisième ressemblait fort… à celle d'un castor.

Le détective se préparait à partir en guerre. Sur la commode, un chapeau tout neuf semblait frétiller d'impatience.

Mercredi 28 septembre 1898

6

Leahy se prend pour saint Georges, cherche bravement à vaincre les
réticences de son capitaine, et apprend une nouvelle renversante

*Indignation et colère (*Le Soleil, *28 septembre)*
*Nos lecteurs ont appris hier la fin tragique de notre
collaborateur, Arthur Laflamme. Nous tenons à exprimer
aujourd'hui non seulement notre douleur, mais aussi et surtout notre indignation et notre colère devant ce crime abo-
minable.*

*Il nous paraît de plus en plus clair qu'un tel geste a été
guidé par les motifs les plus bas : réduire au silence la voix
de la liberté pour permettre aux forces occultes qui refusent
de renoncer à leurs honteux privilèges de se livrer impunément à leurs manœuvres scandaleuses.*

*Il va de soi que rien ne nous fera dévier de la mission
que nous nous sommes tracée. Dès que ce sera possible, nous
demanderons à la police de nous remettre les articles que
notre regretté collaborateur avait préparés pour notre journal, et qui se trouvent sans doute encore dans son appartement. Nous les publierons intégralement. Ce sera notre
façon de marquer notre fidélité à sa mémoire.*

Un ignoble complot (La Patrie, *28 septembre*)

[...] Ne nous faisons pas d'illusions : en tuant Arthur Laflamme, ce n'est pas lui seulement que l'on voulait atteindre, c'est Le Soleil *et, au-delà du journal, la cause libérale tout entière que l'on cherche à réduire au silence.*

Nous ne nous tairons pas ! Notre combat continue avec une vigueur renouvelée. Arthur Laflamme était sans doute un symbole, mais chacun de nous, à La Patrie *comme aussi, n'en doutons pas, au* Soleil, *est prêt à reprendre le flambeau et à brandir le glaive de l'émancipation.*

❖❖

— Un dragon à trois têtes ? Diable ! Vous ne vous prenez pas un peu pour saint Georges, Leahy ?

Pennée, assis derrière son bureau, avait écouté son jeune subordonné sans paraître remarquer sa mine défaite, ses cheveux décoiffés, ses yeux mal réveillés. Il n'avait pas fait non plus la moindre allusion à ses vêtements civils ni à son nouveau chapeau. Pourtant, le matin, lorsque Leahy était entré dans le poste, tous ses collègues avaient noté le changement et tous l'avaient félicité.

— Non, monsieur. Je ne crois pas. Voyez-vous, monsieur, Arthur Laflamme était l'un des principaux rédacteurs du *Soleil*. Un pilier, à en croire le directeur. Libéral convaincu, hostile aux conservateurs à cause de leur politique désastreuse, critique à l'égard du clergé à cause de son ingérence dans les affaires publiques, mettant les uns et les autres dans le même sac à cause de l'alliance qu'ils ont nouée. Je traduis ses opinions, bien entendu, pas les miennes. Par ailleurs, il surveillait très étroitement le développement des grandes entreprises. Il examinait les

concessions de chutes d'eau ou de forêts faites aux compagnies d'électricité et de pulpe et papier, les contrats d'exploitation de chemins de fer, les luttes pour l'exclusivité de l'éclairage dans les grandes villes, etc. Dès qu'il voyait, ou croyait voir, l'indice d'une malhonnêteté ou d'un abus de pouvoir, il intervenait par des articles assez...

— Vigoureux?

— Disons vigoureux. Mais c'est un euphémisme.

— Cela fait beaucoup d'ennemis possibles. Le Parti conservateur, la grande industrie, le clergé... Ce sont les trois têtes de votre dragon?

— Sans doute pas le clergé lui-même, mais ce qui gravite autour.

— Trois têtes, c'est beaucoup. Il faut choisir...

— Peut-être, monsieur, mais ce n'est pas sûr. Il est possible qu'il y ait eu connivence entre les trois. J'ai lu les articles trouvés dans son appartement. De toute évidence, certains ont été subtilisés après le meurtre. En devinant leur sujet, je tenais une piste.

— Et pour deviner leur sujet?

— J'ai consulté les articles de Laflamme publiés dans *Le Soleil* durant les deux derniers mois, et j'ai comparé avec ceux de l'appartement.

Pennée observait son interlocuteur avec un demi-sourire. Était-ce un signe d'approbation, ou d'ironie? Peut-être les deux à la fois, pensa Leahy, un peu mal à l'aise. Si je me rends ridicule, ma carrière s'arrête ici... Il n'était cependant plus question de faire marche arrière.

— Voyons cela.

— En deux mots, monsieur. Dans les articles publiés ces dernières semaines, Arthur Laflamme avait fait plu-

sieurs fois allusion à un scandale impliquant des personnalités en vue. Il promettait de révéler bientôt tous les détails de l'affaire. Or, aucun des textes trouvés chez lui ne contient la moindre révélation. Les derniers feuillets qu'il a écrits ont disparu.

— Donc, vous ne connaissez cette affaire que par les articles qui ont déjà été publiés.

— C'est cela.

— Et de quoi s'agit-il ?

— Il est question de trois hommes. Ces hommes ne sont jamais nommés : il s'agit d'un industriel, d'un député conservateur, et d'un intermédiaire entre eux et l'Archevêché, que Laflamme appelle par dérision *le zouave de service*.

— Qu'est-ce que ces trois personnages peuvent bien avoir en commun ?

— Il s'agit de tractations pour obtenir un marché. L'Archevêché de Québec est sur le point d'octroyer un contrat important. Un contrat d'électricité : équipement et installation de l'éclairage électrique dans toutes les églises et tous les presbytères du diocèse de Québec. L'industriel administre une compagnie d'électricité, la Montmorency Electric Power, celle-là même qui éclaire les rues de Québec, le député a des intérêts financiers dans l'affaire, et le zouave les représente auprès de l'Archevêché. Ils ne veulent évidemment pas qu'une entreprise concurrente vienne piétiner leurs plates-bandes.

— Combien de paroisses, dans le diocèse ?

— Plus de deux cents, monsieur. Le territoire du diocèse est très étendu, bien au-delà de la ville de Québec. Cela fait deux cents presbytères et deux cents églises, les bâtiments de l'Archevêché lui-même, plus toutes

les autres dépendances du diocèse. On doit penser aussi à l'effet d'entraînement. Les couvents seront évidemment tentés de suivre l'exemple de l'archevêque. Les écoles et les hôpitaux également, puisqu'ils sont gérés par des communautés religieuses. Il y a de quoi faire rêver n'importe quel homme d'affaires...

– Des concurrents ?

– Oui. Une entreprise dirigée, cette fois, par des libéraux : la Canadian Electric Light, basée à Montréal, comme la Montmorency d'ailleurs. Vous connaissez les usages : sous un gouvernement libéral, ce sont les entreprises libérales qui obtiennent les contrats publics. Pour des conservateurs, la seule chance, ou presque, est de chercher des contrats avec des organismes privés. Ce marché avec le diocèse de Québec est une occasion en or.

– Un instant ! Nous avons bien un gouvernement libéral, actuellement. Comment se fait-il que la compagnie qui éclaire Québec soit conservatrice ?

– Elle avait obtenu le contrat avant les dernières élections.

– Bon. Mais alors je trouve normal que les journalistes libéraux crient au scandale...

– Sans doute, mais il est normal, aussi, que les autres utilisent tous les moyens pour obtenir ce nouveau contrat.

– Jusqu'au meurtre ?

– On tue parfois pour des motifs plus futiles !

– Qu'est-ce qui aurait pu leur faire assez peur pour qu'ils aillent aussi loin ?

– Rien n'est sûr, puisqu'on ne sait pas ce que la victime allait révéler. Mais il y a quelques éléments intéressants. Des cadeaux somptueux ont été faits au clergé de

Québec : un orgue dans telle église, des vitraux dans une autre, une nouvelle mitre à l'évêque, le voyage d'une délégation au Vatican… Même si rien de tout cela n'est illégal, les personnes impliquées ne tenaient pas forcément à le voir étalé au grand jour !

Pennée ferma les yeux et prit le temps de réfléchir.

— Je ne vous demande pas si vous avez vérifié les éléments que vous me rapportez. Je suppose qu'ils sont tous exacts.

— Les quelques faits précis que je vous ai rapportés sont exacts. Tout le reste, évidemment, n'est qu'hypothèse.

— J'aime bien vous voir faire la distinction. Parlez-moi du zouave.

— J'ai appris son nom de famille par Fournier. Le reste était facile : Elzéar Berthelot, un ancien zouave pontifical.

— Ceux qui sont allés en Italie dans les années 1860, pour protéger les États du pape ?

— Je ne connais pas les détails, mais c'est cela.

Le chef de police se pencha légèrement tout en fixant le détective.

— Leahy, vous faites du bon travail, je ne dis pas le contraire. En trois jours à peine, vous avez trouvé un début de piste. Cependant, soyez prudent et gardez l'esprit libre : ne vous laissez pas paralyser par votre hypothèse. Elle me gêne un peu, je l'avoue.

— Vous croyez que je me trompe ?

— Je n'ai pas dit cela. Mais vous devez vous assurer que vos soupçons collent aux faits.

Leahy voulut défendre sa cause :

— Monsieur, il y a actuellement d'énormes fortunes qui sont en train de se faire, ou qui risquent de se défaire.

Tout le monde veut produire de l'électricité, tout le monde veut posséder une ligne de chemin de fer ou exploiter une forêt. La concurrence est féroce, et voilà que là, dans l'affaire qui nous occupe, il y a justement un contrat important qui se négocie, et ce contrat est menacé par l'intervention d'un journaliste. Ce journaliste est assassiné, les articles qu'il allait publier sont volés! Il me semble que tout cela crée des présomptions très fortes!

– Leahy, modérez votre enthousiasme. Votre analyse est lumineuse, et les faits que vous invoquez sont troublants. Mais il nous faut des faits en relation directe avec le meurtre. Sans cela il n'y aura que des présomptions, comme vous dites, mais aucune preuve!

Le détective était déçu de la réserve de son supérieur. Il changea de sujet.

– M. Pacaud, le directeur du *Soleil,* insiste pour récupérer les articles de son collègue. Je peux les lui rendre?

– Vous en avez tiré tout ce qui était possible?

– Oui, monsieur. Mais il n'y trouvera que ceux qu'il a déjà publiés…

– Il s'en consolera. Gardez-les tout de même quelques jours. Il est inutile de crier sur les toits que les derniers articles ont disparu. Dites-moi plutôt: comment avez-vous l'intention d'attaquer votre dragon? Par quelle tête?

– La plus vulnérable, monsieur, je crois. Le zouave.

– Très bien, Leahy! Très bien!

Le jeune détective devint tout rouge. Il se levait pour prendre congé lorsqu'on frappa à la porte du bureau.

– Qu'est-ce que c'est? lança Pennée.

Un constable entra.

— Excusez-moi, chef, mais on a du nouveau à propos du journaliste.

— Oui ?

— Le curé de Saint-Roch refuse de célébrer ses funérailles.

— Le curé refuse les funérailles ? Et pourquoi donc ?

— Arthur Laflamme était franc-maçon. Excommunié.

7

Leahy rend visite au curé de Saint-Roch et apprend, à sa grande confusion,
que les presbytères ont le téléphone

Antoine Gauvreau était un homme de belle prestance, le
maintien digne, le visage intelligent, le regard grave et
profond, les lèvres minces, le menton volontaire, le nez
conquérant. Il était de ces hommes pleinement engagés
dans l'action, qui ont mobilisé toutes les ressources de
leur esprit et de leur âme au service de l'idéal qu'ils se
sont fixés. Avant d'être nommé curé de Saint-Roch, trois
ans plus tôt, ce prêtre originaire de Rimouski avait fait
merveille là où il était passé : il avait, entre autres choses,
établi un couvent de religieuses à Saint-Nicolas, redonné
vie au sanctuaire de Sainte-Anne, à Beaupré, fondé l'Hôtel-
Dieu de Lévis. Aujourd'hui, à l'âge de cinquante-huit ans,
il se consacrait à sa paroisse, probablement la plus peuplée de tout le diocèse. Il y avait déjà ouvert un hospice
et travaillait à la création de trois nouvelles paroisses sur
le territoire étendu dont il avait reçu la responsabilité. Il
était partout, s'occupait de tout, toujours présent, toujours à l'écoute.

Il avait reçu Leahy dans le salon du presbytère. En
sa présence, le jeune détective ne pouvait s'empêcher de

penser à son propre chef. Non pas en raison d'une quelconque ressemblance physique. C'était plutôt la mystérieuse parenté des deux destinées qui le frappait. Les deux hommes étaient venus d'ailleurs, ils avaient su, tous les deux, faire la preuve de leur intelligence et de leurs capacités, ils avaient été nommés à de lourdes charges et avaient réussi à insuffler un nouveau dynamisme à leurs fonctions; les deux, enfin, semblaient inéluctablement promis à de nouveaux honneurs. Certains voyaient déjà en Gauvreau le prochain archevêque de Québec, et tous les espoirs étaient permis à Pennée…

— Croyez que je regrette profondément, sergent, de ne pas pouvoir accorder de funérailles chrétiennes à un baptisé, quel qu'il soit. Mais M. Laflamme s'était exclu lui-même de l'Église, et il le savait.

— En devenant franc-maçon?

— Précisément. Les francs-maçons sont excommuniés du fait même de leur appartenance au mouvement. Dans ces conditions, ils ne peuvent recevoir les sacrements. Cela va jusqu'au refus de funérailles. On ne peut pas non plus les enterrer en terre consacrée, c'est-à-dire dans un cimetière catholique.

— Pardonnez mon ignorance. J'entends parler de franc-maçonnerie, ici et là, mais j'ignore ce que c'est…

— Ne vous excusez pas, bien peu de catholiques sont au courant. Sachez d'abord qu'elle se décrit elle-même comme une fraternité universelle. Elle rassemble des hommes qui se sont donné pour objectif le perfectionnement moral de l'humanité, dans la tolérance et dans la paix. Ils veulent faire régner l'harmonie et la liberté, combattre l'ignorance, la superstition et le fanatisme avec les armes de la raison et de la science.

– À première vue, il n'y a là rien de mal.

– C'est bien là le danger! Car, à leurs yeux, ce sont les religions qui engendrent l'ignorance, la superstition et le fanatisme. Les religions, et en particulier l'Église catholique. Vous comprendrez qu'il y a là un sérieux problème: un chrétien qui considère sa religion comme une superstition n'est plus un chrétien! Donnez-moi une minute.

Il sortit mais ne tarda pas à revenir, un petit livre à la main.

– C'est un ouvrage récent sur le sujet. Je vous en lis un passage.

Il feuilleta le fascicule et trouva rapidement ce qu'il cherchait.

– Voilà. Il s'agit d'une déclaration faite il n'y a pas longtemps à Londres, par le maître d'une loge: «Lorsque la Maçonnerie accorde l'entrée de ses temples à un juif, à un mahométan, à un catholique, à un protestant, c'est à la condition qu'il devienne un homme nouveau, qu'il abjure ses erreurs passées, qu'il dépose les superstitions et les préjugés dont on a bercé sa jeunesse. Sans cela, que vient-il faire dans nos assemblées maçonniques?»

Il referma le livre et reprit:

– Les francs-maçons n'accordent aucune réalité à la Révélation de Jésus-Christ, ni à aucune vérité surnaturelle. Ils proclament clairement que l'Église catholique est leur grand ennemi. Comprenez-vous mieux? Tenez, je vous prête cet ouvrage, vous me le rendrez quand vous voudrez. Il vous apprendra beaucoup de choses que vous ignorez sans doute.

Leahy jeta un coup d'œil à la page de couverture. Elle portait une illustration qui montrait un homme à

peine vêtu, les yeux bandés et une corde au cou, debout devant une porte fermée, accompagné d'un guide aux habits solennels. Un autre homme, vêtu comme le guide, se tenait de l'autre côté de la porte. La légende donnait la clé de la scène : «– Qui va là ? – Un pauvre Candidat aveugle qui veut voir la Lumière.» En haut de page, le nom de l'auteur, Jean d'Erbrée, précédait le titre du livre : *La Maçonnerie canadienne-française*. Le détective comprit qu'il y trouverait des renseignements précieux.

– Après de très nombreuses mises en garde, l'Église a donc décidé d'excommunier les francs-maçons.

– Mais pour refuser à Arthur Laflamme une sépulture chrétienne, il faudrait être certain qu'il était vraiment franc-maçon. S'il y avait le moindre doute…

– S'il y avait le moindre doute, soyez assuré que les empêchements seraient levés. Hélas, ce n'est pas le cas. L'appartenance de M. Laflamme à la franc-maçonnerie était patente.

– Est-ce bien sûr ?

Le curé hocha la tête.

– J'ai posé la même question à l'Archevêché. Je connaissais de réputation Arthur Laflamme, c'est entendu. J'avais entendu dire qu'il était franc-maçon, le fait semblait admis. Mais là, maintenant qu'il est décédé, je ne pouvais plus me contenter d'ouï-dire, et j'ai reçu de Mgr Bégin l'assurance la plus formelle à ce sujet. Il appartenait à la loge montréalaise de l'Émancipation, fondée par Honoré Beaugrand et quelques autres il y a deux ans. Dans le livre que je vous prête, on parle de la loge des Cœurs-Unis. Cette loge a disparu en 1896 pour donner naissance, justement, à celle de l'Émancipation.

Voilà donc une boucle qui se referme, pensa Leahy. Cela se tient. Laflamme et Beaugrand étaient de vieux amis, ils partageaient les mêmes vues, et Beaugrand l'aura tout naturellement invité à se joindre à son mouvement.

— C'est Mgr Bégin lui-même qui vous a renseigné?

— Lui-même.

— Croyez-vous qu'il accepterait de me recevoir?

Le prêtre eut un sourire.

— Ce n'est pas un ogre, rassurez-vous!

Il s'arrêta un moment, comme si une idée lui traversait l'esprit.

— Voulez-vous que je lui en parle moi-même? Par téléphone?

— Vous avez le téléphone? s'étonna Leahy.

Il regretta aussitôt sa légèreté. Le téléphone était installé à Québec depuis de nombreuses années, et même si tous n'avaient pas les moyens de se l'offrir, il gagnait en popularité. Les grands commerces, les administrations, la police aussi, bien entendu, l'avaient adopté. Les notaires, les avocats, les médecins, quelques bourgeois fortunés, l'avaient fait installer chez eux. Mais, curieusement, le jeune homme n'avait pas pensé que les paroisses s'étaient jointes au mouvement.

— Cela fait quelque temps. Vous oubliez, mon jeune ami, que Saint-Roch a aussi été l'une des toutes premières églises à adopter l'éclairage électrique!

On sentait une pointe de fierté dans la voix du curé.

— J'estime qu'une paroisse de cette importance doit savoir s'adapter au progrès si elle veut rester dynamique. De plus, le téléphone nous fait gagner un temps précieux, en particulier dans nos relations avec l'Archevêché.

Leahy saisit l'occasion de changer de sujet :

— Le nouvel éclairage de votre église doit créer une atmosphère totalement différente ?

— C'est assez spectaculaire, en effet. Mais nous avons quelques difficultés, que nous espérons régler bientôt. Cela nous coûte assez cher, voyez-vous, et les pannes sont fréquentes.

— Comment espérez-vous résoudre le problème ?

— En en faisant un projet diocésain, et pas seulement paroissial. Si l'ensemble du diocèse confiait son éclairage à une seule compagnie, cela nous permettrait de faire des économies substantielles. Et le service serait sans doute meilleur... Ce sera une décision importante, c'est pourquoi nous prenons le temps de bien y penser.

— Vous jouez donc personnellement un rôle dans cette réflexion ?

— En effet. Avant même le décès de Mgr Taschereau, Mgr Bégin — qui était l'évêque coadjuteur — m'avait demandé de me pencher sur la question.

Gauvreau eut un sourire.

— Comme j'ai déjà une petite expérience dans ce domaine, voyez-vous, depuis que j'ai fait installer l'électricité dans mon église, on me prend pour un expert... C'est une charge dont je me serais bien passé, croyez-moi. J'ai déjà tant de choses à faire ! Mais j'ignorais que vous vous intéressiez aussi à l'électricité ?

Le curé avait brusquement abandonné son sourire et fixait gravement son interlocuteur. Son ton était resté aimable, mais il était clair qu'il attendait une réponse. Le détective décida de jouer franc-jeu :

— J'enquête sur le meurtre d'un homme. Cet homme, dans ses articles, jetait le discrédit sur les pourparlers qui

se déroulent entre vous, je veux dire l'Archevêché, et l'une des compagnies concurrentes. Sa disparition ne va-t-elle pas vous faciliter la tâche ?

Gauvreau ferma les yeux. Quand il les rouvrit, Leahy y lut une colère maîtrisée. Le prêtre répondit cependant d'une voix calme.

— Vous avez raison, monsieur. Le… départ de ce journaliste va certainement créer un climat plus serein. Nous n'aurons plus à craindre ses interventions malveillantes et malhonnêtes. Dans ce sens, oui, sa disparition nous facilitera la tâche.

— Va-t-elle influencer votre décision ?

— Notre décision finale dépendra des détails techniques et financiers que nous discutons avec les entreprises. Elle ne dépendra pas, et n'a jamais dépendu, d'insinuations ni de pressions, quelles qu'elles soient.

Le visage du prêtre se radoucit.

— Il s'agit d'une question délicate, voyez-vous, qui n'engage pas que moi. Tenez, parlez-en à Mgr Bégin quand vous le verrez, il a l'autorité nécessaire pour vous renseigner. Quand voulez-vous le rencontrer ?

— Au jour et à l'heure qui lui conviendront. Pas demain matin : c'est l'enquête du coroner.

— Attendez-moi.

Le curé ressortit, pour réapparaître cinq minutes plus tard.

— C'est entendu. Demain après-midi, à trois heures. Mgr Bégin vous accorde une audience de vingt minutes. Au revoir donc, jeune homme, et…

Leahy leva les yeux, interrogateur.

— … soyez prudent !

Mercredi 28 septembre 1898

8

L'Électrique ne l'est plus – Fournier et Pacaud sont bien embêtés, mais pas à cause de ça

Leahy sortit préoccupé du presbytère. Ainsi, l'appartenance d'Arthur Laflamme à la franc-maçonnerie était patente, comme l'avait dit Gauvreau. Suffisamment connue pour ne pas être considérée comme un secret. Pourquoi, dans ce cas, le directeur du *Soleil* ne lui en avait-il pas parlé? Fournier non plus, d'ailleurs. Il leur avait pourtant, à l'un comme à l'autre, demandé ce qu'ils savaient de la victime. Avaient-ils cherché à lui cacher la vérité? Ils devaient bien se douter qu'il l'apprendrait tôt ou tard. Ou alors, avaient-ils pensé qu'il s'agissait d'un détail sans importance?

Il décida de retourner au *Soleil* et prit le tramway rue Saint-Joseph. L'Électrique, comme on l'appelait couramment, ne méritait pas son nom ce jour-là. À cause d'une panne de courant, on avait dû atteler des chevaux aux voitures, renouant en cela avec de vieilles habitudes. Le résultat, c'est qu'on avançait un peu moins vite, mais Leahy n'était pas pressé. Le tramway quitta la rue Saint-Joseph pour la rue Saint-Paul, avant de s'engager, rue Saint-Pierre,

dans la ligne droite qui le menait jusqu'au marché Montcalm, terme de son parcours. Partout, un va-et-vient continuel, une rumeur constante de piétons et de fiacres sous un ciel doucement éclairé par un beau soleil d'après-midi. Une agitation qui s'expliquait par la proximité du port et de la gare du Palais, à laquelle venait s'ajouter, rue Saint-Pierre, l'activité due aux banques qui s'y étaient établies.

Indifférent à cette animation, Leahy laissait courir ses pensées. La nouvelle qu'il avait apprise ce matin même devait-elle influencer son enquête? Sans doute, mais dans quel sens? Avait-on tué Arthur Laflamme précisément parce qu'il était franc-maçon? Cela aurait pu se défendre, à la rigueur, si la chose était restée ignorée jusqu'à tout récemment. Mais si elle était ancienne, et connue, c'est que le meurtre avait été perpétré pour une autre raison. Peut-être un événement qui s'était produit ces dernières semaines et qui menaçait d'être dévastateur. On ne tue pas pour rien… La seule raison plausible, la seule que voyait le détective, c'était celle qu'il avait découverte dans les articles du *Soleil*. Le curé Gauvreau semblait être un excellent homme, et Leahy avait peine à l'imaginer complotant la mort de son prochain, fût-il hérétique. Mais Gauvreau n'était pas seul. D'autres, peut-être, dans son entourage, sous le double effet d'un fanatisme aggravé par l'amour du lucre, avaient eu moins de scrupules. Dans son entourage, ou pas très loin.

Il descendit au coin de la rue des Sœurs et s'engagea dans la côte Lamontagne.

André Fournier avait l'air gêné. Il paraissait un peu plus calme que l'avant-veille, lorsque Leahy l'avait rencontré pour la première fois, et ses yeux avaient perdu leurs cernes. Mais il avait toujours le même regard inquiet et la même respiration rapide.

– Je l'ai appris ce matin. J'étais à l'Archevêché, Mgr Bégin venait de prendre sa décision.

– Vous l'ignoriez donc?

– Qu'il était franc-maçon? Je vous ai dit qu'il ne se confiait pas, et moi je ne posais pas de questions. Je comprends pourquoi il n'allait jamais là-bas. C'était bien plus qu'une simple répugnance... On ne l'aurait pas reçu!

– Tandis que vous, on vous reçoit sans problème?

– Et pourquoi y aurait-il des problèmes?

– Vous êtes libéral, vous travaillez pour un journal libéral, vous étiez le collègue d'un franc-maçon...

Le journaliste eut un geste d'impatience.

– Le clergé n'est ni aussi sot ni aussi sectaire que certains le prétendent. Il y a encore des préjugés, c'est entendu, mais les libéraux ne sont pas tous anticléricaux!

– Et vous?

– Moi? Je n'aime pas les guerres de mots. J'ai des convictions politiques, je ne les confonds pas avec mes croyances religieuses. Pour le reste, j'essaie de bien faire mon travail. Je suis en bons termes avec le clergé, il respecte mes choix, ça me suffit. Par exemple, à la mort de Mgr Taschereau, *Le Soleil* a reçu le texte de son éloge funèbre bien avant tous les autres journaux, et c'est à moi qu'on l'a remis!

Leahy se tut un moment, laissa Fournier reprendre son souffle, puis il demanda:

— Mais c'est le jeudi que vous allez à l'Archevêché, en général?

Fournier parut désorienté.

— Comment? Oui, oui… Le jeudi matin. En général. Cela dépend. Aujourd'hui, c'était inhabituel. Les circonstances… Et puis, demain, il y a l'enquête du coroner. Je dois y être.

— La semaine dernière, vous y étiez jeudi?

— La semaine dernière, oui.

— Lorsque vous avez vu votre collègue vivant pour la dernière fois, c'était donc après votre retour de l'Archevêché?

— C'est cela, en effet. En début d'après-midi.

— Qui rencontrez-vous d'ordinaire, là-bas?

— Ça dépend… Le plus souvent, c'est l'abbé Marcoux, le secrétaire chargé des relations avec la presse. C'est lui qui me donne les informations que je peux publier. C'est par lui que j'ai appris aujourd'hui le refus de funérailles.

— Il vous parle aussi des négociations, pour le contrat d'électricité?

— Lui? Jamais. Je me demande même s'il en sait quelque chose.

— Où en sont-elles?

— Comment voulez-vous que je le sache?

— Vous devez quand même en avoir une idée. Par votre ami, par exemple. Horace Routhier, le négociateur de la compagnie libérale.

Fournier fixa le détective, comme pour tenter de lire dans ses pensées.

— Il m'en parle, c'est vrai. Mais si peu… rien de précis. Il me confie ses impressions.

– Et quelle est son impression ?

– Je ne l'ai pas vu depuis jeudi dernier.

– Quelle était son impression, jeudi dernier ?

– Il lui semble que le moment approche où Mgr Bégin prendra sa décision. Les détails techniques ont été réglés, on en est à présent aux termes généraux, l'échéancier des travaux, les conditions de paiement, les modalités de service, les garanties…

– C'est bon signe.

– Vous croyez ? Ce n'était pas le sentiment d'Horace, et Arthur était du même avis. Ils disaient que cela prouvait seulement que nous n'avions pas été éliminés, et que les mêmes discussions se déroulaient sûrement avec les autres !

– La mort de votre collègue a dû les soulager.

– Soulager nos concurrents ? Certainement !

– Je veux dire aussi, soulager l'Archevêché.

– Je ne sais pas… J'ai eu le sentiment qu'ils étaient plus graves que d'habitude. Plus préoccupés. C'est cela : préoccupés.

– Où étiez-vous dimanche soir ?

– Dimanche soir ? C'est vrai, c'est dimanche qu'il a été tué… J'étais chez moi, sergent. Le dimanche soir, il n'y a pas grand-chose à faire, à Québec.

– Vous vivez seul ?

– Oui. Pas de femme, pas d'enfants. Mes parents et mes deux frères vivent à Trois-Rivières. J'étais sur le point de me marier, il y a un an. En quittant ma ville après avoir perdu mon emploi, j'ai aussi dû renoncer aux joies conjugales…

Il avait dit cela sur un ton ironique, mais Leahy y perçut de l'amertume.

— Que s'est-il passé ? Elle a rompu ?

— C'est son père qui a rompu. Elle n'était pas assez forte pour s'opposer à lui. Je n'étais plus qu'un bon à rien, voyez-vous, sans argent, sans travail...

⁘

— Franc-maçon. Je m'en doutais.

Assis à son bureau, Ernest Pacaud s'exprimait avec sa lassitude coutumière.

— À vrai dire, j'en étais sûr au fond de moi-même, sans vouloir me l'avouer. Sa vieille amitié avec Honoré Beaugrand, ses séjours à Montréal, le ton de ses articles, tous ces facteurs mis ensemble m'en avaient presque convaincu.

— Avez-vous envisagé de vous passer de ses services ?

— Il n'en a jamais été question ! Arthur était plus qu'un simple confrère, je vous l'ai dit ! Et c'était un excellent journaliste. Je n'aurais pas permis qu'il exprime publiquement, dans mon journal, son adhésion à la maçonnerie, mais pour le reste je n'avais pas le droit de le juger sur ses convictions ! D'ailleurs...

— Et c'est pour cela que vous ne m'en avez pas parlé ?

— Pour cela, oui, en partie. Si j'avais moi-même attiré votre attention sur ce point, j'aurais eu l'air de vous dire : «Orientez donc votre enquête dans cette direction», vous comprenez ? C'était à vous de le découvrir, et à vous d'en faire ce que vous jugeriez bon, mais il y a aussi ceci qui me paraît important : chez Arthur, comme chez la plupart des membres de l'Émancipation, c'était d'abord et surtout une bravade. Ils ont trouvé dans la franc-maçonnerie un cadre déjà formé, qui leur a paru approprié à l'expres-

88

sion de leur engagement social. Ils y ont adhéré non pas tant par conviction que pour se donner une identité, un point de ralliement, un semblant de panache.

– Ils devaient pourtant savoir que cela leur vaudrait de l'hostilité. Comment peuvent-ils espérer que leur message sera écouté par une société catholique ?

– Mais ils ne se font pas d'illusions, jeune homme. Des catholiques sincères ont essayé d'adresser au clergé des critiques honnêtes, constructives, sans se réclamer d'un mouvement quelconque : eux aussi ont été vilipendés, menacés d'excommunication, leurs écrits interdits... Si *L'Électeur* a disparu, c'est d'abord et surtout parce qu'il avait commencé à publier un ouvrage critique de Laurent-Olivier David sur le clergé canadien. David est, autant que je sache, sincèrement catholique. Sa critique était sévère, mais constructive, solidement étayée, et en aucun cas irrévérencieuse. Pourtant, les évêques ont condamné son ouvrage. Dans ces conditions, plusieurs intellectuels ont choisi d'adopter une position plus radicale.

– Ce n'est pas votre choix, pourtant ?

– Non. J'espère toujours. J'ai souvent essayé de raisonner Arthur, de calmer son humeur belliqueuse. Je lui ai fait valoir que sa violence même risquait de faire du tort à la cause qu'il défendait. J'ai suggéré à notre jeune collaborateur, Fournier, d'user de l'influence qu'il pouvait avoir sur lui pour tenter de le convaincre...

– Il tenait régulièrement des rencontres nocturnes dans son appartement. Y avez-vous jamais participé ?

– Jamais. Il ne m'y a d'ailleurs jamais invité.

– Aurait-il pu inviter André Fournier, justement ? C'était son protégé, il a peut-être voulu l'initier à son combat.

Pacaud eut un demi-sourire.

— Cela m'étonnerait. Vous savez, André a beaucoup de qualités et il est plein de bonne volonté, mais ce n'est pas vraiment un intellectuel. Il ne passera pas des heures à palabrer pour remuer des idées!

— Que va-t-il se passer maintenant pour Arthur Laflamme?

— Que voulez-vous dire?

— Où va-t-on l'enterrer?

— Oui, j'y ai pensé… Je dois en parler à Beaugrand. Il n'y a pas beaucoup de choix. Si on l'enterre à Québec, ce ne pourra être qu'au cimetière juif du Bois-Gomin, ou alors au Mount Hermon, sur le chemin Saint-Louis, pas loin du cimetière St. Patrick.

— Je connais.

Mercredi 28 septembre 1898

9

Leahy s'instruit, s'endort et fait un rêve étrange

L'ouvrage qu'Antoine Gauvreau avait confié à Leahy s'appuyait sur de nombreux témoignages d'hommes qui avaient connu la franc-maçonnerie à un titre ou à un autre – certains en avaient même fait partie et s'en étaient détachés – ainsi que sur des documents écrits par les francs-maçons eux-mêmes. Il fourmillait de détails sur leur organisation, leurs codes, leurs objectifs, le déroulement de leurs rencontres, donnait des statistiques sur les loges canadiennes, et se terminait par un exposé des relations entre la franc-maçonnerie et l'Église. C'était dans l'ensemble une étude claire, présentée avec méthode, dans un langage accessible. Elle condamnait la franc-maçonnerie sans équivoque – c'était prévisible – mais elle avait au moins le mérite de s'appuyer sur une argumentation apparemment sérieuse.

Leahy passa la soirée dans son fauteuil, le livre ouvert. Les francs-maçons, y lut-il, se regroupent en «loges». Il y en avait une soixantaine rien que dans la province de Québec, mais une seule était de langue française, celle des Cœurs-Unis. Qui est devenue depuis l'Émancipation, si j'en crois

Gauvreau, se rappela Leahy. Chaque loge tenait ses rencontres dans un «temple». On y discutait de sujets philosophiques ou de questions politiques et sociales, on y organisait régulièrement des banquets solennels, et on y accueillait les nouveaux membres par des cérémonies d'initiation.

Si le détective ne trouvait rien à redire aux banquets et aux discussions, la mention de pratiques initiatrices le mettait mal à l'aise. La franc-maçonnerie n'était-elle donc effectivement, comme cela semblait admis par ceux qui en parlaient sans la connaître, qu'une société secrète et, par conséquent, fortement suspecte? La suite de l'ouvrage sembla confirmer cette impression.

Les initiations, poursuivait le texte, obéissent à des rites traditionnels minutieusement réglés: on doit être vêtu d'une certaine façon, prononcer certaines phrases convenues et faire des gestes bien précis en signe d'appartenance.

1. Saisir la main droite du maçon et toucher le poignet avec la pointe des doigts.
2. Placer le pied droit parallèle à son pied droit à l'intérieur.
3. Mettre le genou droit près de son genou droit.
4. Le sein droit contre son sein droit.
5. La main sur l'épaule, supportant le dos.
Dans cette position seulement [...] le mot de passe est donné.
Ce mot est Mahabone *ou* Macbenach *: « La mort d'un frère », ou: « Un frère est assommé ».*

Sur un plan spirituel, ou allégorique, les francs-maçons sont les héritiers des bâtisseurs du temple de

Salomon, à Jérusalem. Ils empruntent leurs symboles aux confréries de maçons du Moyen Âge, comme le compas et l'équerre, ou à la kabbale juive, comme l'étoile à cinq branches. L'architecte du temple de Salomon, Hiram, a été trahi et tué par trois de ses compagnons qui voulaient s'emparer de ses secrets. Hiram représente «l'homme libre, dépouillé de tout préjugé et de toute superstition». Ses trois assassins symbolisent l'ignorance, la superstition et le fanatisme. Le franc-maçon est un homme nouveau, en qui Hiram ressuscite, affranchi de ces trois fléaux.

Leahy, désorienté, passa à la description de l'initiation. Il y en avait trois en réalité, une pour chaque degré. Au début, on demande à être accepté comme «apprenti», puis, quelque temps après, comme «compagnon», et enfin comme «maître». Le candidat est introduit, les yeux bandés, en présence des membres de la loge qui s'assurent de sa fermeté d'âme en le soumettant à des épreuves. On cherche par exemple, en brûlant du soufre sous son nez, à lui faire croire qu'il est entré dans une caverne peuplée d'animaux diaboliques. Ou encore, on le convainc qu'il est monté sur une haute échelle alors qu'il ne se trouve en réalité qu'à un pied du sol, et on lui demande de sauter. Ou bien, lors de l'initiation du «compagnon», on lui donne trois coups sur la tête en souvenir des trois assassins de Hiram, et on l'enferme quelques minutes dans un cercueil.

Niaiseries! se dit Leahy. Se peut-il que des adultes sérieux se livrent à de telles sottises?

La présentation du serment suivait celle des épreuves. Le candidat devait jurer de toujours porter soutien et assistance à ses «frères», d'obéir aux ordres de sa loge

et de ne jamais révéler les secrets qu'il y aurait appris, sous peine des pires châtiments. Le cœur de Leahy battit plus fort. Il lut et relut les trois serments, incrédule.

Pour l'apprenti maçon :
« Si je manque à mes engagements […] que mon cadavre soit pendu dans une loge pour être la flétrissure de mon infidélité ; qu'on le brûle ensuite et qu'on en jette les cendres au vent afin qu'il ne reste plus aucune trace de ma trahison. »

Pour le compagnon :
« Je m'engage et me soumets à la peine suivante si je manque à ma parole : qu'on me brûle les lèvres avec un fer rouge, qu'on me coupe les mains, qu'on m'arrache la langue, qu'on me tranche la gorge. »

Pour le maître maçon :
« J'observerai tous ces points sans équivoque ni restriction mentale. Si je manque à l'un d'eux, je consens à avoir le corps coupé en deux, les entrailles arrachées et brûlées, et les cendres jetées aux quatre vents du ciel… »

Il se força à lire l'ouvrage jusqu'à la fin, mais son esprit était désormais hanté par le souvenir de ce corps étendu, de cette plaie béante, de ce couteau orné d'une étoile à cinq branches…

— Qu'on me tranche la gorge… répétait-il, revenant sans cesse sur le serment du compagnon. Quel bel exemple d'harmonie fraternelle !

Était-il possible que de telles pratiques existent encore à la toute fin du XIXᵉ siècle ? Les textes qu'il avait

lus, selon l'auteur même de l'étude, remontaient au moins à 1723, date de la première constitution officielle de la Grande Loge anglaise. On avait certainement évolué, depuis cette époque! Les épreuves des candidats, les serments, étaient peut-être toujours les mêmes, mais on ne devait plus les dire que par fidélité à une vieille tradition, sans y croire vraiment. Dans ce cas, l'assassin avait fait une erreur. En ouvrant la gorge de sa victime, il avait voulu faire croire à un meurtre commis par les francs-maçons, alors qu'en réalité il démontrait leur innocence! D'ailleurs, l'ouvrage qu'il tenait entre les mains ne mentionnait-il pas différentes personnalités qui avaient quitté la franc-maçonnerie et qui ne s'étaient guère gênées ensuite pour en parler ouvertement? Elles n'avaient pas eu les entrailles arrachées pour autant.

Lorsque Leahy referma enfin le livre, il se laissa entraîner dans une réflexion qui le tint longtemps éveillé. Il finit par s'endormir dans son fauteuil, le cerveau encombré de mille images confuses.

Il gisait sur le sol d'une salle immense et nue, baignée d'une lueur rougeâtre. Des étoiles tournoyaient au-dessus de lui, tout près, incandescentes comme des braises. Une fumée sombre se dégageait de leurs cinq branches, en lentes volutes qui ondulaient, envahissaient l'air, l'entouraient, l'enfermaient inexorablement dans la mort. L'ennemi apparaissait alors, masqué, la gorge ouverte. De grandes silhouettes couvertes de capes noires surgissaient du nuage, un vent brûlant se levait, emportait les capes, et c'étaient des marins qui dansaient autour de lui, silencieux, le regard vide, un

couteau entre les dents. L'ennemi se penchait, il n'avait plus ni masque ni visage, mais de sa gorge avaient surgi trois têtes de dragon. La bête s'apprêtait à le dévorer lorsqu'une lance la transperçait. C'était saint Georges. C'était Don Quichotte. Pacaud et Sancho Pança passaient par là, main dans la main, sans regarder. Fournier prenait des notes, noyé dans un amoncellement de papiers. L'ange de la vie et de la mort le soulevait de terre, et l'ange avait le nez de Gauvreau. Sur l'ordre du capitaine Pennée, les marins, en uniforme de zouave, s'étaient mis au garde-à-vous.

Il se réveilla moulu.

Jeudi 29 septembre 1898

10

Leahy témoigne à l'enquête du coroner et voit s'ouvrir des horizons insoupçonnés – Il rencontre Mgr Bégin mais semble préférer la conversation de son vicaire – Il entame, avec les constables Rioux et Moreau, une collaboration qui promet d'être fructueuse, même si ça ne se voit pas tout de suite

Une indignité (Le Soleil, 29 septembre)

[...] Ainsi, à la violence meurtrière de la haine voilà que vient s'ajouter celle du mépris et de la honte. Arthur Laflamme n'aura même pas droit à des funérailles dignes, et son corps sera enterré avec celui des mécréants. Aux yeux de certains membres de notre clergé, bien intentionnés sans doute mais trompés par une vision réductrice hélas trop répandue, le combat pour la liberté et la dignité ne peut être le fait que d'ennemis de l'Église. Les multiples démarches entreprises par les amis d'Arthur Laflamme pour que sa dépouille mortelle soit honorée auront été inutiles. Nous le déplorons profondément.

❧

Leahy se prépara un bain chaud qui le remit d'aplomb et se hâta vers la salle d'audience du coroner.

C'est lui qui présenta le premier témoignage, en se gardant de parler des indices matériels. Il fut suivi par Fournier, qui avaït découvert le corps, et par Rioux qui avait été le premier policier sur les lieux du crime. La voisine du dessous confirma ses premières déclarations à propos des visites nocturnes et des bruits entendus la nuit de dimanche. La femme de ménage de la victime était également là. Rioux l'avait convaincue de venir, et Leahy apprécia l'initiative du constable. Elle expliqua qu'Arthur Laflamme était un homme « bien correct » qui menait une vie sans histoire. Ce qu'elle faisait dans son appartement ? Elle rangeait, nettoyait, se chargeait de sa lessive, redescendait parfois à sa demande pour faire un petit marché. Elle n'avait jamais rencontré d'étranger chez lui, sauf de temps en temps « ce monsieur », avait-elle fait en désignant André Fournier.

On produisit des photos de la chambre du crime et du corps de la victime, et le verdict fut sans surprise : « Meurtre à l'aide d'un objet lourd, commis par un ou plusieurs inconnus. »

Tout était terminé avant midi. Le seul élément nouveau était venu du Dr Turgeon : la victime se trouvait sous l'effet d'une drogue au moment où elle avait été tuée.

— Vous viendrez me voir dans une heure, Leahy, j'ai quelque chose pour vous, lui dit Pennée en sortant de la salle.

Fournier s'approcha à son tour du détective, son calepin à la main. Mais Leahy ne pouvait rien lui apprendre de plus.

— Vous en savez autant que moi... je suppose, fit-il en dévisageant le journaliste.

Fournier lui lança un regard sans expression et haussa nerveusement les épaules.

– Ça n'a pas l'air bien difficile d'être coroner. On n'a qu'à poser des questions, et à déclarer ensuite ce que tout le monde sait. En plus, on est bien payé... Que pensez-vous de ce qu'a dit le docteur?

– À propos de la drogue? C'est très intéressant, en effet. Vous n'avez aucune idée à ce sujet?

Le journaliste sembla comprendre que le moment était mal choisi pour une entrevue. Il n'insista pas, replia son calepin, et disparut.

❧

Le détective se présenta chez le capitaine Pennée peu après une heure. Celui-ci le reçut avec un grand sourire, en lui tendant deux feuilles.

– Venez voir, Leahy. Lisez ça.

Leahy prit les papiers en se demandant s'il avait déjà vu son supérieur dans un tel état d'excitation. Sourire, remuer un bras et parler, tout cela en même temps!

La première page provenait du laboratoire. La bouteille de cognac contenait du cognac, et la bouteille de vin contenait du vin. Rien de plus. L'exaltation de Pennée ne pouvait provenir que de la suite.

L'un des deux verres portait des traces de vin, l'autre des vestiges de cognac. Dans le premier, rien à signaler. Dans le second, par contre, un détail supplémentaire: il semblait bien y avoir, aussi, du bromure de lithium. Le rapport restait cependant prudent sur ce dernier point: quantités infimes, difficilement mesurables, mais enfin il semblait bien que... Une note en fin de texte expliquait

que le bromure de lithium se présente sous forme de cristaux blancs, facilement solubles dans l'eau et dans l'alcool.

Leahy leva les yeux vers son supérieur.

– Du bromure de lithium ?

– Vous n'avez pas tout lu. Lisez l'autre page !

C'était le rapport d'autopsie. La mort, survenue entre dix heures du soir et minuit, avait bien été causée par le presse-papiers, et la gorge avait effectivement été tranchée après le décès. Arthur Laflamme avait mangé, légèrement, entre huit et dix heures. Il avait bu, plus tard, de l'alcool. Son estomac contenait en outre des traces d'un sel, presque certainement du bromure de lithium, un produit narcotique. En conséquence de quoi le Dr Turgeon avait précisé quelque peu ses toutes premières conclusions. La victime était endormie ou, à tout le moins, engourdie lorsque le meurtre avait eu lieu.

On tenait, enfin, une preuve matérielle, un de ces indices concrets, indubitables, sur lesquels on pourrait s'appuyer pour aller plus loin.

– C'est inespéré, monsieur.

– Je savais que cela vous ferait plaisir ! Mais j'ai encore autre chose pour vous. Je suis dans un jour faste, profitez-en !

Pennée lui tendit un autre rapport, quatre nouvelles pages. Elles concernaient le fragment de papier calciné, et comportaient de longues explications techniques dont Leahy essaya de deviner le sens. Il y était d'abord question d'observation par éclairage direct, par transparence, par incidence rasante. Il en ressortait qu'on pouvait vaguement deviner certains traits, mais que c'était insuffisant. Il avait donc fallu, poursuivait le rapport, se résoudre à uti-

liser des réactifs chimiques. L'encre couramment utilisée étant une encre de fer, elle n'était pas stable. Avec le temps, elle finissait par changer de couleur au contact de l'humidité ou de l'oxygène de l'air, et attaquait même le papier à cause de son acidité. On avait donc cherché à accélérer le processus de dégradation. Un traitement à l'eau chaude et au bicarbonate de calcium avait donné des résultats à peu près satisfaisants.

L'encre noire avait très légèrement bruni et, en se forçant un peu, on avait enfin été en mesure de reconnaître une majuscule élégamment calligraphiée. Un B ou un R. L'hypothèse d'un P devait être rejetée : on distinguait bien, en effet, sous la boucle supérieure du caractère, un début de trait qui amorçait la seconde boucle d'un B ou la queue d'un R. On pouvait aussi raisonnablement supposer un o ou un e après la majuscule, à la rigueur un a, mais c'était vraiment tout. Ce qui précédait, ce qui suivait, était illisible ou perdu. Le texte précisait encore que le fragment provenait probablement du bord inférieur d'une feuille, et que le papier utilisé semblait de bonne qualité.

Le rapport se terminait enfin par quelques exemples d'interprétation :

Leahy, figé, contemplait les feuilles qu'il tenait, les mains saisies d'un léger tremblement. Trop de questions se bousculaient dans sa tête. Ce qu'il tenait là était probablement inestimable. Il ne voyait pas encore où cela le mènerait, mais il devinait que tout un nouveau champ

de recherches venait de s'ouvrir. C'était à lui, maintenant, d'en tirer parti.

— Merci, monsieur. Cela pourrait s'avérer très précieux.

Pennée hocha la tête, visiblement content de lui. Leahy estima le moment venu de parler de son équipe.

— Pourrai-je compter sur deux hommes pour me seconder, monsieur?

— Vous avez une préférence?

— Le constable Rioux, du poste de Saint-Roch. Il s'est montré efficace, lundi, dans l'appartement de la victime.

— Bon. Je l'affecte à votre service. J'enverrai quelqu'un pour le remplacer.

— Et je ferai aussi appel au constable Moreau, monsieur.

— Fort bien. Mais pourquoi lui?

— J'ai l'impression qu'il me portera chance.

— Superstitieux, Leahy?

— Mon sang irlandais, monsieur, sans doute.

❧❧

L'archevêque de Québec était un homme distant. Assis dans son immense fauteuil, il parlait avec componction, d'une petite voix aigrelette, comme s'il récitait un discours appris par cœur. Seuls ses petits yeux vifs allégeaient quelque peu l'atmosphère de solennité pesante qui régnait dans la salle d'audience épiscopale. Il n'apprit rien de vraiment nouveau au détective.

Arthur Laflamme appartenait bien à l'Émancipation, et se rendait ostensiblement aux réunions de la loge

à Montréal. Les francs-maçons, sous prétexte de défendre la liberté, rejettent les dogmes religieux. Ils prétendent dénier à l'Église le pouvoir de guider les consciences. Dans ces conditions, il est parfaitement normal de considérer qu'ils n'en font pas partie. C'est le sens de l'excommunication.

Leahy aborda le sujet des négociations sur le contrat d'électricité.

Les discussions touchaient à leur fin, expliqua Mgr Bégin du même ton monocorde. Du moins, il l'espérait, mais il ne pouvait pas en dire plus. Toutefois, le sergent pouvait compter sur la pleine collaboration de l'Archevêché en tout ce qui toucherait directement à son enquête. Manière de faire comprendre que, meurtre ou pas, une question indiscrète restait une question indiscrète.

Le détective luttait pour ne pas succomber à la torpeur. Il chercha un moyen d'ébranler la placidité de son interlocuteur. Seul un traitement de choc avait une chance de succès.

— Que faut-il penser des révélations promises par Arthur Laflamme?

L'archevêque remua dans son fauteuil. Excellent, mon garçon! se félicita le policier,

— Comprenez-moi bien, sergent. Je n'accepterai jamais d'être le complice conscient d'une malhonnêteté quelconque! Ce que ce monsieur s'apprêtait à publier, je l'ignore totalement, mais je sais une chose: s'il m'avait accusé, moi ou l'un de ceux qui m'entourent, ses accusations n'auraient été que des mensonges.

— Je suppose qu'il avait l'intention de dénoncer certaines manœuvres de la compagnie Montmorency Electric

Power. Il n'a pas hésité, d'ailleurs, à s'en prendre à son négociateur…

— Vous voyez bien, j'espère, qu'il s'agit là de deux plans différents ? Humilier l'adversaire est une chose, que je trouve quant à moi méprisable. C'est facile, et c'est gratuit. L'accuser de je ne sais quelle manipulation frauduleuse en est une tout autre : il faut prouver ce qu'on avance !

— Il n'en a pas eu le temps.

— Apparemment, mais je ne peux rien vous en dire de plus.

En sortant du salon de l'archevêque, Leahy voulut voir l'abbé Marcoux.

Le prêtre chargé des relations de l'Archevêché avec la presse avait une soixantaine d'années. De petite taille, rondouillard, le regard pétillant et le sourire avenant, il eut l'air ravi de rencontrer le détective.

— Pas seulement des relations avec les journaux, précisa-t-il tout de suite. Avec le public en général ! C'est un va-et-vient continuel, ici, savez-vous ? Je vois entrer et sortir des ecclésiastiques, des hommes politiques, des industriels, des militaires, des écrivains, de simples paroissiens… Et même parfois des policiers, ajouta-t-il malicieusement.

— Ils viennent tous voir Mgr Bégin ?

— Le pauvre homme n'y suffirait pas. Il a des auxiliaires, Dieu merci ! Mais c'est souvent moi qui les reçois, lorsque leur affaire ne justifie pas qu'on dérange un évêque.

– C'est donc à vous qu'André Fournier s'adresse?

– Fournier, du *Soleil*? Oh oui! Nous nous connaissons bien, maintenant. Il vient souvent.

– Le jeudi, je crois?

– Le jeudi? Aujourd'hui, je ne l'ai pas vu. Hier, par contre, il était là, mais c'est vrai, jeudi, c'est le jour où Mgr Bégin reçoit le représentant de cette compagnie d'électricité... Routhier, c'est cela. Horace Routhier. J'ai parfois l'impression que c'est surtout lui que Fournier vient voir! Ils se connaissent depuis longtemps, paraît-il.

– Il doit en profiter aussi pour vous parler. C'est vous qui lui donnez des informations pour son journal.

– Sans doute, sans doute, mais il ne vient pas que le jeudi, savez-vous. Il doit s'ennuyer un peu, alors il vient se distraire chez nous!

Leahy se mit à rire.

– L'Archevêché est devenu son lieu de divertissement? C'est original!

– C'est moins dangereux que d'aller traîner dans les tavernes ou les salles de spectacle, répondit Marcoux sur le même ton amusé. En fait, il joint l'utile à l'agréable. Il peut rencontrer ici beaucoup de monde, établir des relations, apprendre du nouveau... Nous nous asseyons parfois pour parler, mais je vois bien qu'il observe en même temps les gens qui passent. Il me demande qui est celui-ci, ce que fait celui-là...

– Et vous pouvez toujours le renseigner?

– Je ne sais pas tout, et il y a parfois des choses que je n'ai pas le droit de dévoiler. J'ai un devoir de discrétion, savez-vous, mais lorsque je peux, je lui réponds.

– Il a fait la connaissance d'Elzéar Berthelot, le négociateur de la Montmorency Electric Power?

— Sa connaissance, c'est beaucoup dire! Chacun reconnaît l'autre, mais ils se saluent à peine.

— Berthelot doit sans doute lui reprocher de travailler pour le même journal qu'Arthur Laflamme, celui qu'on a assassiné…

— Ne m'en parlez pas! Vous avez lu ses articles? C'est une honte! M. Berthelot en était ulcéré, mais il essayait, comme nous tous, de départager les responsabilités.

— La mort de Laflamme a-t-elle changé quelque chose?

— À l'attitude de M. Berthelot?

— Ou à l'atmosphère en général, dans les négociations avec les deux compagnies d'électricité?

L'abbé Marcoux marqua une pause.

— Je ne suis pas dans le secret des dieux, et cet événement est tout récent. J'ai vu Horace Routhier, ce matin, après son entretien. Le curé Gauvreau le raccompagnait. Les deux avaient l'air beaucoup plus soucieux que d'habitude.

— Et Berthelot?

— Il est passé rapidement, il y a deux jours. Il cherchait quelque chose qu'il avait perdu. Un bon monsieur, mais distrait. Il vit seul avec sa fille, savez-vous. Le vendredi, lorsqu'il sort de sa rencontre avec Mgr Bégin, nous échangeons quelques mots, mais je sens qu'il n'a qu'une seule hâte : aller la retrouver !

Leahy retourna songeur à l'Hôtel de Ville. Mgr Bégin avait bien raison : il fallait distinguer moquerie et accusation. Et l'abbé Marcoux lui semblait de bonne compagnie. Si jamais il s'ennuyait un jour, il saurait où aller se changer les idées…

❧

Les deux constables l'attendaient au poste numéro 1. Ils avaient eu le temps de faire plus ample connaissance et semblaient fort bien s'entendre, comme Leahy l'avait espéré.

Moreau, d'abord. Un colosse au visage d'ange et aux gestes lents, mais à l'indolence trompeuse. Plus d'un malfaiteur s'était laissé prendre à son apparente bonhomie. Son visage se fermait soudainement, son geste devenait vif, précis, et il était trop tard... Leahy se sentait en sécurité sous son aile. Un jour – Leahy venait à peine de s'engager dans la police – on s'était moqué devant lui du « gros Moreau ». Il était intervenu vertement et avait failli, à cette occasion, passer un mauvais quart d'heure, mais le gros Moreau, le géant Moreau, l'avait défendu, lui qui n'avait pourtant jamais réagi auparavant aux quolibets de ses confrères. En découvrant l'efficacité de ses poings, on avait aussi appris, la crainte étant le commencement de la sagesse, à entourer d'un même respect le protecteur et le protégé. Il s'était tout de suite formé, entre les deux hommes, une estime réciproque que rien n'était venu altérer par la suite, même si Leahy était rapidement monté en grade alors que Moreau était demeuré constable de deuxième classe.

Rioux, pour sa part, était tel que le détective l'avait connu trois jours plus tôt, dans l'appartement d'Arthur Laflamme, et tel qu'il l'avait revu à l'enquête du coroner. Très grand, fluet, le regard pensif, il donnait l'impression d'être constamment en train de soupeser des vérités essentielles. Son sérieux, ses remarques judicieuses, son sens de l'initiative, avaient convaincu Leahy que son aide pourrait lui être fort utile.

Le détective les fit entrer dans son bureau. Il avait bien entendu, comme sergent, prit l'habitude de diriger des hommes, mais la collaboration qu'il attendait de ces deux-là serait d'un nouveau genre, et il ne savait pas encore quelle forme elle allait prendre. Le mieux, se dit-il, est de leur expliquer où j'en suis. Ensuite, on verra, selon leurs réactions.

Il exposa brièvement ce que tout le monde savait; puis, un peu plus longuement, ce que tout le monde ne savait pas. Il leur montra les résultats des analyses, ainsi que les bouteilles et les deux verres qu'il avait récupérés au laboratoire.

– Il y avait du vin dans un verre, du cognac dans l'autre. Le cognac contenait aussi un soporifique, du bromure de lithium. Pas de drogue dans le vin. Vous devinez ce qui s'est passé?

– C'est évident, fit Rioux. Son ami a pris du vin, et il l'a endormi avant de le tuer.

– Vous êtes d'accord, Alfred?

Leahy ne tutoyait Moreau que lorsqu'il était seul avec lui.

– Son ami, c'est son assassin?

– On suppose que c'était un ami, expliqua Leahy, sans quoi il ne l'aurait pas laissé entrer. Mais cet ami met la drogue dans le cognac, le journaliste s'endort, et son ami le tue. C'est clair?

– Si c'est clair pour vous, c'est clair pour moi.

– Qu'est-ce qui te gêne? demanda Rioux.

– Il y a de la drogue dans la bouteille de cognac?

– Non, fit Leahy.

Moreau paraissait perplexe.

— Alors, pourquoi son ami n'a pas bu de cognac, lui aussi? Il ne risquait rien!

— Il y a des gens qui n'aiment pas le cognac.

— Et donc Laflamme savait que son ami n'aimait pas le cognac?

— Sûrement.

— Alors, pourquoi ils n'ont pas bu du vin, tous les deux?

Le détective s'apprêtait à répondre par une platitude, mais il se retint. Les questions de Moreau, il ne se les était jamais posées parce qu'il ne voyait pas de mystère dans cette différence entre le contenu des verres. Ce sont des choses qui arrivent et c'est tout.

— Expliquez-moi votre idée, Alfred.

— Laflamme n'aimait pas le vin, c'est sûr. Sinon, il en aurait pris aussi, par amitié.

— Il a raison, fit Rioux.

— Peut-être, dit Leahy. Quelle importance?

Mais Moreau ne voulait pas se laisser distraire.

— C'est celle-là, la bouteille? Sur le bureau?

— Oui.

— Du bon vin? Du vin de France?

— Du vin de Bordeaux. Je suppose qu'il est bon, oui…

— Elle est presque pleine.

— Ça prouve, remarqua Rioux, que l'assassin ne boit pas beaucoup. Notez, il ne fallait pas qu'il boive trop, s'il voulait garder la tête froide. Le vin et les femmes pervertissent les hommes sensés.

— Que viennent faire les femmes dans cette histoire?

— C'est juste une citation, Alfred, fit Rioux. C'est dans la Bible.

— Livre des Proverbes, ajouta Leahy.

— Non, monsieur. Ça, c'est dans l'Ecclésiastique.

— Bien… Et ça nous mène où ?

— On ne sait pas encore, inspecteur, répondit Moreau. Pardon, sergent. On réfléchit.

— On réfléchit, confirma Rioux.

Leahy commençait à se demander s'il avait bien fait de s'adjoindre ces deux oiseaux. Mais il n'osait pas les bousculer : ce serait mal inaugurer leur nouvelle collaboration…

— C'est cher, le vin, reprit Moreau. Je n'en bois jamais. Mais il paraît qu'il perd son goût au bout de quelques jours, une fois la bouteille ouverte.

— Et alors ?

— Ou bien son ami venait le voir souvent, ou bien il venait rarement. Le journaliste, il recevait souvent de la visite ?

— Régulièrement, mais pas souvent, répondit Rioux qui se rappelait les déclarations de la voisine. Tous les mois, plus ou moins.

— Alors, c'était une visite spéciale. Et ce Laflamme, il a acheté une bouteille pour l'occasion parce qu'il savait que ça ferait plaisir à son ami.

— Ou bien, ajouta Rioux, c'est l'ami qui a apporté le vin.

— Écoutez, Alfred, et vous aussi, Rioux. Je vous promets qu'on reparlera de tout ça. Pour le moment, je veux vous charger d'un travail. On se revoit demain, même heure, et on en discute. Ça vous va ?

Il fallait bien, de temps en temps, rétablir son autorité…

— Vous allez visiter les pharmacies. Alfred en haute ville, Rioux en basse ville. Voir si les pharmaciens se rap-

pellent qui leur a acheté du bromure de lithium ces derniers temps. Disons entre le 15 et le 25 septembre. S'ils ont remarqué quelque chose d'anormal dans ces achats, ou un client bizarre, ou quoi que ce soit d'inhabituel. Et pour répondre à votre question, Alfred, j'aimerais savoir qui vend ce vin, et à qui, à quelle fréquence, et là encore s'il s'est passé quelque chose d'anormal. Vous, Rioux, cherchez aussi qui vendait le cognac à Arthur Laflamme – on devait le connaître, dans son quartier – et s'il n'aurait pas acheté le vin au même endroit.

— Vous voulez tout ça demain ? demanda Rioux.

— C'est trop court ?

— Je ne sais pas, ça dépend des pharmaciens et des épiciers. Je ferai mon possible.

— On fera notre possible, approuva Moreau.

Aussitôt sortis du bureau, les deux constables se mirent à échanger leurs impressions. Leahy tendit l'oreille. La question du vin les préoccupait toujours.

— Tu allais dire quelque chose, tantôt, disait Moreau.

— Oh, je ne sais pas. Je me disais que l'ami a peut-être apporté son vin, après tout !

— Même pour en boire un seul verre ?

— Ce n'est pas vraiment important, n'est-ce pas ? Ce qui est important, c'est qu'il avait l'intention de tuer. À côté de ça, payer un dollar pour une bouteille, c'est secondaire !

— Dans ce cas, pourquoi apporter la bouteille ? C'était inutile…

Les deux hommes s'étaient éloignés et Leahy n'entendit pas la suite.

Vendredi 30 septembre 1898

11

Leahy se rend dans un fort beau cimetière, assiste à une sépulture et fait la connaissance de deux éminentes personnalités – Il éprouve tour à tour les bienfaits de la marche à pied et l'inconvénient de poser des questions à des gens discrets

Le cimetière Mount Hermon domine le fleuve du haut de la falaise qui prolonge le cap Diamant jusqu'au cap Rouge. Ses pelouses gracieusement ondulées descendent en pente douce jusqu'au bord du précipice et offrent au promeneur solitaire séduit par le calme des lieux le magnifique spectacle du Saint-Laurent dont les eaux puissantes et tranquilles s'écoulent tout en bas, attirées par l'océan lointain. Ce matin-là sous un ciel gris, tout près d'un jeune érable dont les feuilles déjà rousses bruissaient au vent, sur l'un des coteaux du cimetière, un cercueil était posé près d'une fosse fraîchement creusée. Huit hommes se tenaient là, en silence, mais seuls quatre d'entre eux s'étaient approchés du cercueil. Il y avait Pacaud, bien entendu. Fournier, rasé de près, portait complet et cravate. Les deux autres, que Leahy n'avait jamais vus auparavant, le directeur du *Soleil* les lui avait brièvement présentés : Honoré Beaugrand et Godfroy Langlois, arrivés de Montréal la veille au soir. Les deux visiteurs de

Montréal avaient pris la précaution de se couvrir d'un pardessus et d'une écharpe pour se protéger de la fraîcheur matinale. Ils se tenaient tout droits, le chapeau à la main, la tête baissée, le regard grave. Si Langlois était visiblement en excellente santé, on remarquait par contre que Beaugrand était fatigué. Tout à l'heure, lorsqu'ils s'étaient dirigés ensemble vers la tombe, Leahy l'avait vu essayer, sans grand succès, de se passer de sa canne et de suivre sans aide, d'un pas mal assuré, le maigre cortège.

Le directeur du cimetière les avait courtoisement accueillis. Puis, avec trois employés, il avait aidé à porter le cercueil jusqu'à la fosse. À présent, légèrement à l'écart avec ses assistants, il attendait le moment de le mettre en terre. Leahy était demeuré un peu plus loin, sous un tilleul. Il avait préféré, lui aussi, ne pas trop s'approcher pour ne pas troubler le dernier adieu des compagnons d'Arthur Laflamme, mais il tenait à les observer.

Des compagnons, sans doute. Des amis? Peut-être. Selon ce que Pacaud et Fournier avaient déclaré à plusieurs reprises, Laflamme était un caractère secret, qui ne devait pas facilement offrir son amitié ni accepter celle des autres. Ainsi, cet homme qui avait passé sa vie à lutter pour une cause sans doute controversée mais dans laquelle il s'était engagé tout entier, habité par l'espoir d'une société nouvelle, cet homme était brutalement assassiné, la société refusait d'honorer sa dépouille, et seule une poignée de compagnons fidèles étaient venus l'accompagner au bout de son voyage…

Quelqu'un l'avait tué, quelqu'un qu'il connaissait. Sinon, l'aurait-il laissé entrer chez lui, la nuit? Les voisins n'avaient entendu ni bruit violent ni querelle. Était-ce l'un

des quatre hommes qui se recueillaient en ce moment même près de son cercueil? Mais ce n'était pas forcément à une figure connue qu'il avait ouvert la porte. Un messager, un envoyé, qui vient de la part de… De la part de qui? De l'Émancipation? Cela expliquerait la macabre mise en scène de la gorge tranchée. De quelle trahison envers la loge maçonnique Arthur Laflamme avait-il pu se rendre coupable? Leahy n'avait trouvé dans ses articles aucun indice en ce sens, mais cela ne prouvait rien. On ne reconnaît une trahison que si l'on en connaît déjà la forme. Et Leahy ne savait rien des secrets de la loge maçonnique…

Il se rappela l'article paru dans *La Patrie* de mercredi. *La Patrie*, le journal de Beaugrand: «chacun de nous est prêt à brandir le glaive de l'émancipation…» Le dernier mot n'avait pas été choisi au hasard. Cela sonnait comme une déclaration de guerre aux assassins: Nous, les membres de l'Émancipation, vous poursuivrons jusqu'à votre perte! Cela tendait à disculper la loge, mais ce n'était peut-être qu'une ruse, pour déjouer les soupçons.

Ou alors, le dragon… Laquelle de ses trois têtes? La politique, l'industrielle, la sectaire? Peut-être les trois ensemble, comme il l'avait pensé tout d'abord. Laflamme attaquait les conservateurs, il cherchait à faire échouer la signature d'un contrat, et il était franc-maçon. De quoi s'attirer toutes les foudres. Il faut être doué pour se faire autant d'ennemis!

Toutes ces réflexions avaient rapidement traversé l'esprit du policier, mais son attention fut attirée par ce qui se passait devant lui. Pacaud avait relevé la tête et dirigeait son regard vers le directeur du cimetière. Celui-ci comprit et s'avança.

– Nous allons mettre à présent le cercueil en terre, si vous le voulez bien. Aimeriez-vous que je dise d'abord une prière pour le défunt?

Les quatre hommes le regardèrent avec surprise.

– Mais… comment? dit Beaugrand

– Messieurs, vous savez que je suis anglican, pas catholique romain. Rien ne m'interdit de prier pour l'âme d'un disparu, quel qu'il soit.

Après un court silence, Pacaud répondit:

– Faites, monsieur.

Le directeur prononça quelques mots très simples, et lorsqu'il dit «Amen» Pacaud et Fournier répétèrent «Amen». Langlois et Beaugrand restèrent muets, mais Leahy crut voir Beaugrand faire rapidement, de son pouce, un petit geste sur sa poitrine.

⁂

Après la mise en terre, alors qu'ils regagnaient la grille du cimetière, Pacaud s'était approché de Leahy: Honoré Beaugrand acceptait de le recevoir l'après-midi même, à l'hôtel Blanchard. Langlois et lui repartiraient pour Montréal le lendemain matin. En attendant – il était à peine plus de dix heures – Pacaud avait invité les deux visiteurs au salon du *Soleil* pour une collation. Leahy y serait bienvenu. Le détective devina que Pacaud ne formulait cette invitation que par souci de bienséance et il le remercia poliment.

Le cimetière était situé à près de trois quarts d'heure de marche de l'Hôtel de Ville. Leahy hésita un instant, et décida de rentrer à pied. Si Pacaud le lui avait proposé, il aurait sans doute accepté de revenir avec les autres dans

le cabriolet qu'ils avaient réservé. C'était sur leur chemin, mais peut-être n'y avait-il pas pensé. Il se mit courageusement en route. Cinq minutes plus tard, il entendit un bruit de sabots derrière lui. Il se retourna. La voiture s'arrêta à sa hauteur, la portière s'ouvrit, et Pacaud l'invita à monter. Leahy, pris au dépourvu et sans doute un peu vexé, souleva son chapeau.

– C'est très aimable à vous, monsieur, mais j'ai besoin de marcher.

Le cabriolet s'éloigna, tandis que le détective se maudissait d'avoir été aussi bête. Sa promenade obligée lui donnerait au moins le loisir de réfléchir à son aise. « Qu'est-ce que je sais ? Qu'est-ce que je cherche ? » Il eut le sentiment de ne rien savoir du tout, de se trouver dans le brouillard. Il tenta de retrouver le fil de ses pensées. Qui donc était avec Arthur Laflamme ce soir-là ? Attendait-il une visite ? Il n'attendait certainement ni celle de Pacaud, ni celle de Fournier. Pacaud était son directeur, il n'aurait eu aucune raison de se rendre chez lui à une heure aussi tardive. Les deux hommes pouvaient facilement se voir de jour, au journal ou ailleurs. D'ailleurs, Pacaud ne se serait sûrement pas déplacé pour une aussi basse besogne, et Leahy le voyait mal courir les tripots à la recherche d'un tueur à gages. Fournier ? Il était attendu le lendemain matin pour prendre les articles qu'il devait remettre à Pacaud. Sous quel prétexte se serait-il présenté chez son collègue sans y être attendu ? Il est vrai qu'un prétexte est toujours facile à inventer, mais pour quelle raison l'aurait-il tué ? C'était absurde : Fournier, Pacaud et Laflamme étaient du même camp.

Leahy passa devant la grille ouverte du cimetière St. Patrick. Il ralentit, fut tenté d'y entrer, de s'arrêter un

moment auprès de l'une de ses tombes, de se laisser aller au souvenir d'un homme qu'il avait aimé, qu'il avait admiré, qu'il avait cru immortel, un homme qui l'avait entouré de ses bras en l'appelant « mon fils ». Il serra les dents et poursuivit son chemin.

Laflamme attendait peut-être quelqu'un de Montréal. Un ami qui n'était pas venu se recueillir près du cercueil, mais qui aurait eu intérêt à y être pour ne pas attirer les soupçons. Ou qui avait été là, au contraire : Langlois ? Beaugrand ? Peu probable. L'un comme l'autre aurait envoyé un homme de main, ou un frère francmaçon, dévoué et prêt à tout. Leahy devait fouiller la question.

Celui qui s'était présenté dimanche soir pouvait aussi être une figure connue sans être une figure amie. Un adversaire, un de ces adversaires qu'on sait être des hommes d'honneur, qu'on respecte en dépit des divergences et qu'on est prêt à recevoir chez soi pour une conversation sérieuse, pour un affrontement respectueux. Berthelot, le zouave de service ? Un émissaire de Berthelot ? Dans les deux cas, on n'arrive pas à l'improviste. Laflamme aurait-il ouvert sa porte à Berthelot si celui-ci ne s'était pas annoncé ? Lorsqu'on a publiquement bafoué quelqu'un, qu'on l'a ouvertement ridiculisé, peut-on tout simplement le laisser entrer chez soi comme si de rien n'était ? C'était l'une des faiblesses de l'hypothèse, mais une faiblesse qui semblait bien légère en regard de tous les indices concordants : les motifs financiers, le contexte politique et religieux, et surtout la violence des attaques du journaliste.

Une intuition se présenta soudain, et s'estompa si vite qu'il n'eut pas le temps de la retenir. Il en fut irrité. Il

savait bien que l'idée resurgirait tôt ou tard, mais cela lui arrivait trop souvent ; il pensait à trop de choses à la fois.

Les résultats des analyses lui revinrent à l'esprit. Le bromure, le papier brûlé. Très bien. Et ça me mène à quoi ? Il fallait rencontrer Berthelot, le zouave. Et Routhier, l'expert. Que lui avait dit Pennée ? « Fournier est votre premier suspect. » Si on veut. Il faudrait voir… Où habitait donc Fournier ? Il fouilla dans ses poches tout en marchant. Il longeait à présent les plaines d'Abraham, à la hauteur de la prison. Il sortit la note que Rioux lui avait remise dans l'appartement du crime : André Fournier, journaliste au *Soleil*, 32, rue Sainte-Marguerite. À quelques minutes à peine de chez Arthur Laflamme. Un détour insignifiant sur le trajet de son domicile au journal. C'était devenu, apparemment, une habitude. Fournier passait chez son collègue, celui-ci le recevait, lui faisait partager son expérience, lui donnait quelques conseils, et Fournier prenait ensuite l'Électrique pour se rendre au journal, comme Leahy l'avait fait après avoir rencontré l'abbé Gauvreau. Ou alors, il passait le voir à la fin de sa journée de travail. La requête de Laflamme, en demandant à Fournier de venir prendre ses articles, était donc naturelle, il savait qu'il n'imposait pas un grand détour à son protégé. Fournier avait eu l'air, lui aussi, de trouver la chose tout à fait normale.

Cela signifiait aussi autre chose : dimanche soir, il aurait été très facile à Fournier de se rendre chez Laflamme, et de rentrer chez lui une fois son crime commis. Fournier prétendait avoir passé la soirée dans son appartement, seul, mais il suffirait qu'il ait croisé dans la rue quelqu'un qui le connaissait pour que tout change. L'espoir était mince : ces petites rues sont désertes la nuit,

surtout le dimanche. Il devait en parler à Rioux. Rioux connaissait bien le quartier.

Quel jour étions-nous ? Vendredi. Le jour où Berthelot se rendait d'ordinaire à l'Archevêché. Leahy pressa le pas. Il serait sûrement intéressant d'apercevoir l'homme, de l'étudier un peu à son insu, de se faire une première idée de sa personnalité à son allure, à ses gestes, à sa voix. Combien de temps duraient les rencontres ? Leahy s'aperçut qu'il n'en savait rien. Il arriverait sans doute trop tard. S'il avait accepté la proposition de Pacaud…

⁂

Il arriva trop tard, en effet. L'abbé Marcoux lui apprit que l'ancien zouave pontifical était reparti vers dix heures quarante-cinq.

— Comment l'entretien s'est-il déroulé ? Avait-il l'air satisfait ?

— Je serais bien embarrassé pour vous répondre. Je n'y étais pas, et ni Mgr Bégin ni personne ne me fait de confidences à ce sujet. Quant à M. Berthelot, c'est un homme très posé, savez-vous. Toujours calme. Il est difficile de savoir s'il est content ou fâché.

— S'il est inquiet, cela doit bien se voir un peu ?

— Ces jours-ci, nous sommes tous un peu inquiets ! Le meurtre de ce journaliste ne réjouit personne, même si chacun affecte de croire que cela ne le concerne pas.

— Vous en parlez souvent, entre vous ?

— Si nous nous laissions aller, nous ne ferions que ça !

— Vous cherchez donc à savoir qui a commis ce meurtre ?

119

— Chacun a sa petite hypothèse…

— Je peux savoir?

L'abbé se mit à rire.

— Vous savez, sergent, si j'ai reçu une directive claire en trente années de sacerdoce, c'est bien celle de ne pas vous répéter un seul mot de nos conversations!

Vendredi 30 septembre 1898

12

Leahy apprend la recette du dernier cocktail à la mode – Beaugrand et Langlois l'initient aux arcanes de la vie intellectuelle et politique du Canada français

En sortant de l'Archevêché, plutôt déçu, Leahy se demanda ce qu'il convenait de faire dans l'immédiat. Rioux et Moreau avaient certainement commencé leur tournée des pharmaciens et des épiciers, et lui-même n'avait rien de nouveau à annoncer à Pennée. D'autre part, il n'avait pas encore lu les journaux. Il rejoignit donc son poste, ramassa au passage les quotidiens qui traînaient dans la salle commune et s'installa comme à son habitude à son bureau, les pieds sur la table. Mais son esprit était ailleurs, et il ne retenait rien de ce qu'il lisait. Sa longue marche l'avait fatigué. Il ferma les yeux. Lorsqu'il les rouvrit, il était une heure. Il se leva précipitamment et sortit sans saluer personne.

Il était certainement trop tôt pour se rendre au rendez-vous que lui avait fixé Honoré Beaugrand à son hôtel, mais *Le Soleil* était sur son chemin. Si la réception offerte par Pacaud n'était pas terminée, il pourrait encore s'y joindre. Cela lui donnerait l'occasion de jauger l'atmosphère qui régnait entre les quatre hommes qu'il avait

observés le matin même, au cimetière. À l'enterrement, ils s'étaient tous comportés avec la gravité qu'exigeait la circonstance, mais qu'en était-il à présent, une fois libérés du rôle public qu'ils avaient tenu? Les relations entre Pacaud et les deux Montréalais étaient-elles cordiales, simplement courtoises ou carrément froides? Quelle place tenait Fournier dans ce groupe?

Leahy n'était pas mécontent de son idée. Un jour, au cours d'une réunion de tous les sergents de la ville, le capitaine Pennée leur avait déclaré: «Le rôle d'un policier est de trouver des réponses. Mais pour cela, vous devez d'abord vous poser des questions: pas de questions, pas de réponses!» Leahy se posait donc des questions. C'était même, se dit-il, la seule chose qu'il savait faire. Le chef ne leur avait pas dit si les réponses venaient ensuite d'elles-mêmes, ni ce qu'il fallait faire pour les trouver...

Il eut de la chance, les quatre hommes étaient encore là. Pacaud, un peu surpris de le voir entrer, l'accueillit aimablement. Leahy s'excusa de son intrusion, en expliquant qu'il était passé à tout hasard, avant de descendre jusqu'à l'hôtel Blanchard.

– Vous avez bien fait! Je vous offre un verre?

Le détective balaya la pièce du regard. Beaugrand était assis dans un fauteuil confortable, un verre de vin posé à sa portée. Trois hommes, que Leahy ne connaissait pas, avaient tiré des chaises près de lui et l'écoutaient. Des rédacteurs du *Soleil*, certainement, pensa le policier. Langlois, debout derrière Beaugrand, fixait Leahy d'un air perplexe. Fournier se tenait à l'écart, près d'une table aménagée en buffet, un verre dans une main, une cigarette dans l'autre.

– Volontiers.

– Que préférez-vous ? Il y a du vin, du vermouth, du gin, du cognac, du whisky…

Devant son hésitation, Pacaud reprit.

– Je vous laisse vous servir. Fournier vous expliquera.

Puis il rejoignit l'entourage de Beaugrand. Leahy s'approcha de Fournier, qui avait la mine sombre.

– Que me conseillez-vous ? fit-il en guise d'entrée en matière.

– À boire ? Tout est bon. Ça dépend des goûts. Vous aimez le gin ?

– C'est un peu fort. C'est ce que vous avez pris ?

– J'aime bien ce qui est fort, mais comme c'est au-dessus de mes moyens, je n'en bois que lorsqu'on m'y invite, fit-il avec une grimace. Tenez, je vous conseille un tiers de vermouth, deux tiers de whisky et un peu de citron. Vous pouvez manger aussi, si vous voulez. Il y en a pour une armée.

Fournier exagérait. Le buffet avait sans doute été abondant un peu plus tôt, mais il était à présent largement dégarni. Quelques morceaux de viande froide restaient encore, un peu de fromage, du pain, du beurre, des pommes, c'était à peu près tout. Leahy, un moment tenté de plaisanter, préféra s'abstenir. Son interlocuteur paraissait bien mélancolique.

– Comment cela se passe-t-il ? Je suppose que vous parlez d'Arthur Laflamme ?

– Au début, oui, forcément. Mais là, ils parlent tous politique. Une visite comme celle-ci, c'est rare. Alors, ils en profitent pour écouter Langlois et Beaugrand.

– Ça ne vous intéresse pas ?

– Modérément. Il y a des choses plus urgentes. Vous avez du nouveau, depuis hier ?

— J'avance tranquillement.

C'était, de la part de Leahy, un mensonge éhonté. Il n'avançait pas et n'était pas du tout tranquille. Il goutta au mélange que lui avait conseillé Fournier. Surprenant, mais pas mauvais du tout.

— C'est vous qui avez inventé ça ?

Fournier haussa les épaules.

— Ça vient de New York. Ils appellent ça un Manhattan : créé pour satisfaire le caprice d'une riche excentrique qui voulait quelque chose de différent.

Leahy reprit une petite gorgée avant de poursuivre.

— Voyez-vous, une enquête policière est faite de tout un ensemble de détails parfois fastidieux, de vérifications de routine qui prennent parfois un temps énorme et qui ne mènent souvent à rien. Et puis, brusquement, quelque chose surgit qui conduit à la vérité.

Le policier était étonné de la facilité avec laquelle il venait de débiter autant de platitudes. Inquiétant, ce Manhattan…

— Et quelque chose a surgi ? demanda Fournier.

— Vous étiez comme moi à l'enquête du coroner. Nous savons à présent que votre collègue a été drogué. C'est sûrement important. Il faudra voir où cela nous mène.

— Rien d'autre ?

— Pas encore.

Un autre mensonge, pensa Leahy qui préféra reposer son verre : c'était plus prudent. Il y avait le petit bout de papier, mais il était trop tôt pour en parler publiquement. Il y avait aussi que l'assassin avait bu du vin alors que sa victime avait préféré le cognac. Mais cela aussi devait demeurer secret, à supposer que la chose ait

une quelconque importance. Il jeta un coup d'œil au groupe. Godfroy Langlois et l'un des journalistes discutaient vivement des relations entre la haute finance et la haute politique. Pacaud intervenait parfois, et Beaugrand hochait la tête pour exprimer son accord ou sa désapprobation.

— M. Langlois ne boit pas?

— Il a pris un cognac, je crois, comme Pacaud. Vous tenez à rester? Moi, je sors. J'ai du travail.

Leahy se rappela un détail que lui avait appris le directeur du *Soleil* au cours de leur dernier entretien.

— M. Pacaud trouvait que Laflamme était trop violent dans ses articles. Il vous avait chargé de le persuader de…

— De calmer ses ardeurs guerrières? Il aime bien cette expression, Pacaud. Il a voulu lui-même convaincre Laflamme, il n'a pas réussi. Et c'était son ami! Alors, vous pensez bien qu'avec moi…

— Vous avez quand même essayé?

— J'ai essayé. Il a ri. C'est tout ce que j'ai obtenu. Un rire… On s'en va?

Fournier avait raison. Leahy n'avait plus rien à faire là. Il sortit après avoir remercié Pacaud, reçu l'assurance de Beaugrand qu'il le verrait dans une petite heure et lancé un adieu muet à un verre à moitié plein.

Il s'éloigna en direction du port, bien en peine de dire si sa brève incursion lui avait appris quoi que ce soit.

⁂

Le détective s'était présenté à l'hôtel Blanchard une heure plus tard, avec une appréhension timide que

Beaugrand avait rapidement dissipée : il avait reçu son visiteur avec simplicité et avait immédiatement compris ses préoccupations. Langlois n'avait pas tardé à les rejoindre, mais il était resté debout (cet homme ne s'assoit donc jamais ? s'était demandé Leahy), appuyé au linteau de la cheminée, silencieux, l'air soucieux, le visage tourné vers la fenêtre. On devinait cependant qu'il ne perdait rien de la conversation, et qu'il était prêt à intervenir à tout moment.

– Pacaud a raison. L'Émancipation, c'est pour nous comme un nom de théâtre. Nous aurions bien mieux aimé demeurer au sein de l'Église, si elle avait su écouter les critiques et comprendre le malaise de notre génération. Prenez Mgr Émard, par exemple, l'évêque de Valleyfield. Voilà un homme intelligent, ouvert, qui n'a pas peur des idées nouvelles. D'ailleurs, ces idées ne sont nouvelles qu'ici, chez nous, parce qu'on les a interdites : ailleurs, elles sont désormais banales !

Il s'arrêta un moment pour reprendre son souffle.

– Vous avez certainement entendu parler de l'Institut canadien ? C'était un centre de vie culturelle très apprécié, avec une bibliothèque variée, ouverte à tous, et qui invitait des conférenciers de différentes opinions. L'Église a obtenu sa fermeture en excommuniant ses membres... Elle mène, hélas, un combat d'arrière-garde. Voyez comment évoluent les autres sociétés, aux États-Unis, en France. Elles ont pris le chemin de la modernité. Il faudra bien, tôt ou tard, que le Canada français s'y engage lui aussi !

Honoré Beaugrand s'exprimait d'une voix faible mais assurée, et il était clair que, malgré l'âge et la maladie – la maladie, en fait, pensa Leahy : il a à peine plus de cinquante ans ! –, son esprit avait gardé une vigueur intacte.

Les deux mains agrippées aux bras du fauteuil où il se tenait, il donnait l'impression de se préparer à foncer une fois de plus sur les adversaires qu'il avait passé sa vie à combattre. Un silence s'installa, durant lequel il fixa le détective de ses yeux profonds.

– Nous ne sommes pas des assassins. Ces rites francs-maçons dont vous me parlez ne sont qu'une mise en scène à laquelle nous n'accordons aucun sérieux. Nous ne luttons pas contre la bêtise pour y sombrer nous-mêmes! D'ailleurs, que pouvions-nous reprocher à ce pauvre Laflamme au point de le tuer?

– Il aurait pu trahir des secrets.

Langlois eut un geste irrité.

– Des secrets? Quels secrets? Ce que nous pensons, ce que nous avons à dire, nous le disons. Nos réunions sont secrètes, c'est entendu. Mais notre combat, lui, est public.

– Arthur Laflamme était donc bien l'un des vôtres?

– Certainement.

– Sans trahir de secret particulier, il aurait pu, simplement, trahir la cause que vous défendez.

Beaugrand sursauta.

– Arthur, trahir la cause libérale? Vous n'y pensez pas! C'était un ami, nous nous sommes connus il y a déjà longtemps, en Nouvelle-Angleterre. Nous avons travaillé ensemble, nous avions les mêmes convictions, nous étions de la même trempe. Il était peut-être, au contraire, un peu excessif à certaines occasions.

– J'ai eu la même impression en lisant ses articles… Il n'avait aucune famille?

– Fils unique. Sa mère est morte il y a vingt-cinq ans. Son père était mort bien plus tôt, à Boston, où ses

parents avaient émigré. Arthur était né à Boston, le saviez-vous?

— Vous me l'apprenez.

— La mort de son père les a décidés à revenir à Québec. Il y est resté le temps de terminer ses études.

— Au Séminaire, comme tout le monde?

— Non, chez les Frères des écoles chrétiennes. C'est moins cher.

— J'ai trouvé un crucifix chez lui.

Langlois répliqua, visiblement fâché.

— Ce crucifix, ou bien l'assassin l'a laissé par distraction, et cela devrait orienter vos soupçons, ou bien il a été placé là volontairement, pour vous tourner en bourrique!

— La bourrique ne peut se permettre de négliger aucun détail. Si Arthur Laflamme était votre ami, vous seriez le premier à me le reprocher!

— Il ne faut pas vous vexer, fit Beaugrand. Arthur était une inspiration pour nous tous. Nous tenons à ce que son meurtrier soit découvert et puni, et j'espère que vous ne négligerez aucun moyen pour y parvenir.

— Et laissez-moi ajouter, lança Langlois, qu'il vaudrait mieux pour lui que vous le retrouviez avant nous!

Leahy comprit la menace.

— On n'a pas le droit de faire justice soi-même. Vous le savez bien, monsieur.

Langlois haussa les épaules.

— Arthur avait tout de même quelques amis, à Montréal. Je ne suis pas responsable de leurs actes!

Le détective choisit de ne pas s'appesantir.

— Vous lui connaissiez des ennemis?

C'est Langlois qui répondit.

– Des ennemis? Laflamme? Vous plaisantez: il en avait partout! Additionnez les moutons de l'Église aux conservateurs à tout crin, vous aurez la moitié de la société!

– Cela fait beaucoup de suspects... Vous le voyiez souvent, m'a-t-on dit?

– Nous le rencontrions régulièrement, oui, confirma Langlois. Parfois à Montréal, parfois chez lui. De petites réunions, à trois ou quatre, avec des journalistes de *La Patrie*. Même si je ne dirige plus le journal, j'y collabore toujours. Nous discutions de nos plans de bataille, relisions ensemble nos projets d'articles. Des amis sûrs. Aucun d'eux ne pourrait être l'assassin, ou alors je les connais mal. Samedi, nous étions réunis chez moi. Nous n'avons pas été surpris de son absence, nous savions qu'il avait un travail urgent...

– Comment se passaient vos réunions? Cordiales? Tendues? Vous ne parliez que de choses sérieuses?

– Lorsqu'il nous recevait? C'était toujours agréable. Il nous offrait un verre, nous bavardions un peu. Nous faisions du travail sérieux aussi, bien entendu. Nous étions là pour ça!

– La photo, dans sa chambre, sur le mur...

– Arthur et moi, à Fall River, dit Beaugrand. Une période heureuse...

Un ange passa. Leahy attendit un peu avant de reprendre:

– Il vous offrait à boire, disiez-vous?

La question fit sourciller Langlois.

– Du cognac ou du vin, selon nos goûts. Il avait toujours deux bouteilles pour la circonstance. Lui-même ne prenait que du cognac, mais je ne l'ai jamais vu ivre, si c'est là votre inquiétude!

— Était-il frileux?

— Quelle drôle de question! Mais vous avez raison... Nous le plaisantions parfois pour son amour du feu. Il en faisait un dès qu'il jugeait la soirée un peu fraîche, même en plein été! Il répondait que c'était normal, pour un rouge...

Il eut un sourire, le premier depuis que Leahy l'avait rencontré.

— Mais il devait quand même y avoir des tensions, de temps en temps?

— Des tensions? Langlois eut un rire désabusé. Bien entendu, il y a des tensions, chez nous comme ailleurs! Pas de dissensions sur l'essentiel, évidemment; seulement sur les moyens d'action. Cela ne veut pas dire que nous n'accueillons pas, même dans notre loge, quelques fieffés hypocrites. Lorsque j'en surprends un, je le mets dehors à coups de pied au...

— Vous dites qu'il avait des amis à Montréal, mais à Québec?

— Des amis à Québec même? À part Pacaud et Fournier, je ne vois pas, mais on ne sait jamais. Pas de femmes non plus, il ne les fréquentait pas. Un misogyne endurci...

— Oui et non, corrigea Beaugrand. Lorsque nous étions ensemble, à Fall River, il a aimé une brave fille. Elle est morte dans l'incendie de l'atelier qui l'employait. Il n'a plus jamais cherché à s'attacher. C'était resté pour lui comme une blessure ouverte.

— Durant vos années en Nouvelle-Angleterre, aurait-il pu se faire des ennemis? Vous dites qu'il était parfois excessif...

— Oui... excessif, mais chaleureux. Entier, mais généreux.

— Un peu comme vous?

Beaugrand sourit.

— Sans doute, mais il était plus fougueux. Cependant, je ne vois pas qui, à Fall River, aurait pu lui en vouloir au point de venir l'assassiner à Québec vingt ans plus tard. Voyez-vous, je suis arrivé à Fall River en… Il hésita. En 1873, oui. J'ai eu le temps de créer mon premier journal, *L'Écho du Canada*, de le vendre et de quitter Fall River pour quelque temps, avant d'y retourner en 1875. Là, j'ai fondé *La République*. Laflamme était arrivé sur ces entrefaites, après la mort de sa mère. Je pourrais presque dire que nous avons fondé *La République* ensemble. Nous avons étroitement collaboré dès le début, et pendant les trois années que cela a duré. C'est là qu'il a acquis sa première expérience de journaliste. Puis nous sommes rentrés, lui à Québec, moi à Ottawa. Les choses étaient en train de changer, le Parti libéral avait remporté ses premières victoires, notre place était ici.

— Justement, quelles sont vos relations avec les autres libéraux? Ceux qui n'ont pas, comme vous, choisi la contestation radicale, l'opposition ouverte à l'Église? Certains, plusieurs même, sont des catholiques sincères.

— À qui le dites-vous! L'an dernier, ils ont même imposé Henri Bourassa à la tête de *La Patrie*, à la place de Langlois! Un bien gentil garçon, ce Bourassa, mais il est parti au bout de quelques jours. *La Patrie* était la voix par excellence de notre contestation et de nos revendications.

— Qui sont ces « Ils »?

— Laurier et son ministre, Tarte, répondit Langlois, sans réussir à dissimuler une certaine rancœur.

— Savez-vous que Bourassa est appelé le « castor rouge »? demanda Beaugrand.

– Je l'ai entendu dire.

– Vous comprendrez, dans ces conditions, qu'il ait fait long feu à *La Patrie*... Sa situation était ambiguë. On ne peut pas espérer contenter tout le monde et son père! Il faut savoir dire franchement, ouvertement, ce qu'on croit être la vérité.

Il poussa un grand soupir et leva les bras en signe d'impuissance. On savait qu'Honoré Beaugrand était malade, que la fatigue l'avait forcé, petit à petit, à se retirer de la vie politique et sociale. À son retour au Canada, encore dans la force de l'âge, il avait fondé quelques journaux à Ottawa, et enfin *La Patrie* à Montréal. Il avait été maire de la ville durant plusieurs années. De l'avis de tous, un excellent maire. Ensuite, progressivement, il avait renoncé à la vie publique. On l'invitait encore à honorer de sa présence tel ou tel événement, tel ou tel conseil d'administration. Mais ce n'était plus le lutteur qu'on avait connu. Aujourd'hui, Leahy avait devant lui un homme usé par les combats, mais à l'esprit toujours vif et au cœur généreux, un homme que le détective ne pouvait pas s'empêcher de trouver attachant. Un homme qui avait, par exemple, c'était de notoriété publique, continué à subvenir seul aux besoins du fils de Louis Riel après l'exécution du rebelle, et à payer ses études malgré la défection des nombreux amis qui l'avaient d'abord soutenu.

– Permettez-moi, reprit Beaugrand après un moment, de vous citer quelques lignes écrites il y a déjà plusieurs années, par Buies. Vous connaissez?

– Pas vraiment.

– Arthur Buies, un autre vieil ami. Une intelligence pleine de verve, parfois féroce. Il avait lancé un hebdo-

madaire satirique, *La Lanterne*. On y trouvait une critique souvent drôle, toujours mordante, de l'abêtissement du peuple par le clergé.

— J'en ai entendu parler, mais ça n'a pas duré longtemps?

— Moins d'un an. Vingt-sept numéros. Il a porté cela tout seul, envers et contre tous. C'était trop lourd, il a dû arrêter. Cela remonte à 1868, mais c'est, hélas, toujours d'actualité. Laissez-moi vous en citer un passage qui nous concerne de plus près. Je vous le dis de mémoire, mais c'est à peu près ça: « Je veux prévenir les vrais libéraux du danger qu'il y a à recevoir des recrues suspectes et des auxiliaires perfides. Jamais position ne sera conquise, jamais victoire ne sera remportée, si, pour chaque pas qu'ils font en avant, ils ont des alliés qui leur font faire trois pas en arrière. »

Leahy ne savait trop quelle contenance adopter. Ce qu'il venait d'entendre témoignait bien d'un état d'esprit, d'une volonté tendue vers un idéal, mais il était trop général, trop flou. Qu'est-ce que Beaugrand essayait de lui faire comprendre?

— Vous pensez à Henri Bourassa? Ce serait lui, l'allié suspect?

— Bourassa est sincère, et il a un talent immense. Qui sait, peut-être que les idées libérales finiront par triompher grâce à des hommes comme lui. Moi, je crois que nous avons besoin d'une vraie révolution des idées, pas de quelques simples aménagements. Mais ce n'est pas à lui que je pense, non. Je pense à d'autres, à des opportunistes qui se sont découvert une vocation libérale à la suite des dernières victoires du parti, et qui l'abandonneront aux premières épreuves. Qui ne recherchent

que leur propre intérêt, et qui sont prêts à utiliser tous les moyens pour y arriver.

— Il y en a beaucoup?

— Il y en a partout.

Leahy essayait désespérément de deviner où son interlocuteur voulait l'amener, mais Beaugrand avait lâché les bras du fauteuil et s'était abandonné contre le dossier, les yeux fermés. Il était fatigué. Il reprit d'une voix lente.

— Vous êtes un jeune homme brillant. Je souhaite que votre enquête aboutisse, mais…

L'entretien se terminait donc, au moment même où son intérêt aurait pu rebondir.

— … je dois être prudent?

— C'est cela. Soyez très prudent!

13

Leahy martyrise un caillou qui ne lui a rien fait – Rioux et Moreau lui
parlent de vin – Il leur parle d'une taverne

Devant l'hôtel Blanchard, face à l'église Notre-Dame des
Victoires, Leahy se demandait ce qu'il devait retenir de
l'entretien qu'il venait d'avoir.

Arthur Laflamme ne buvait pas de vin, mais il en
avait toujours chez lui. Voilà un point que Rioux et Moreau seraient contents d'apprendre. Second point : les
« amis » montréalais de Laflamme, certains d'entre eux
du moins, se trouvaient ensemble à Montréal la veille du
meurtre. Cela aurait-il pu empêcher l'un d'eux de prendre le train pour Québec le dimanche matin, de venir
commettre le crime et de repartir par le premier train de
lundi ? C'était concevable, mais très improbable. Il y avait
aussi la pierre d'achoppement du mobile : à en croire Beaugrand et Langlois, l'Émancipation n'avait rien à reprocher au journaliste !

Le détective n'avait pas aimé la menace à peine voilée
de Langlois. Si l'Émancipation découvrait le meurtrier
avant la police, elle se chargerait de régler son sort…
Simple fanfaronnade ? Il fallait l'espérer.

Pourquoi Laflamme avait-il renoncé à retrouver ses amis, samedi? À cause des articles qu'il préparait? Peut-être, mais il les avait sans doute déjà écrits, il n'était pas homme à remettre au dernier moment une tâche qu'il jugeait essentielle. Un accès de lassitude? Ce ne semblait pas être dans sa manière. Alors, l'annonce d'une visite trop importante à ses yeux pour être remise à plus tard? Mais une visite attendue le dimanche soir à Québec l'aurait-elle empêché de se trouver le samedi précédent à Montréal? Les trains étant ce qu'ils étaient – le voyage entre les deux villes prenait sept heures au moins lorsqu'il n'y avait pas d'imprévu, et il y en avait toujours – n'importe qui aurait reculé devant l'épreuve.

Plus il y réfléchissait, plus il en était persuadé : il fallait savoir ce qui, au milieu des préoccupations d'Arthur Laflamme, en dépit de ses engagements, l'avait conduit à changer ses plans et à attendre chez lui le visiteur qui devait le tuer. La conversation de la veille lui revint en mémoire. Que lui avait dit Moreau? Ou était-ce Rioux? «Une visite spéciale…»

Il y avait aussi cette allusion aux faux libéraux, hypocrites ou opportunistes. Beaugrand pensait-il que le meurtre pouvait avoir été commis par l'un d'eux? Dans ce cas, en tenant compte de la moitié de la société déjà dénoncée par Langlois, c'est la société tout entière qui devenait suspecte. Excepté les francs-maçons, évidemment!

Exaspéré, Leahy passa sa hargne sur un caillou qu'il poursuivit à grands coups de pied avant de se résoudre à rentrer au poste où l'attendaient ses deux assistants.

La récolte des constables avait été maigre, ou trop abondante, selon le point de vue. Toutes les pharmacies vendaient du bromure de lithium. Depuis la fin des années 1860, le produit était couramment prescrit pour calmer douleurs, malaises et insomnies. Il suffisait d'en parler à son médecin.

Seule précision à ce sujet, apportée par Rioux : Arthur Laflamme n'avait apparemment jamais mis les pieds dans une pharmacie. On le connaissait bien, on le voyait passer devant les officines, mais il n'y entrait pas. Jamais malade, aurait-on dit.

En revanche, Rioux avait trouvé son fournisseur de cognac. Une grande épicerie, Turcotte, rue Saint-Joseph. L'épicier connaissait Laflamme, un client régulier qui lui achetait une bouteille de vin une fois par mois, au moins, et une bouteille de cognac tous les deux mois.

Moreau, pour sa part, avait découvert que l'épicerie Moisan, rue Saint-Jean, vendait aussi le même vin, mais lorsqu'il avait essayé de savoir qui s'en était procuré récemment, on l'avait regardé avec une certaine commisération : ils ne gardaient pas de listes des clients et vendaient à qui voulait bien acheter, sans poser de questions. Un client répondant au signalement d'Arthur Laflamme ? De quarante à soixante ans, tous les clients répondent au même signalement, alors vous comprenez... En revanche, les ecclésiastiques, oui, on les reconnaissait facilement : ils portaient la soutane, n'avaient pas de moustache, et ils aimaient bien le vin, allez savoir pourquoi.

Constatant la vanité de ses questions, Moreau avait eu l'idée d'en poser d'autres. Dans les pharmacies, on lui avait appris que le laudanum avait aussi des propriétés soporifiques, qu'il était en vente libre et très populaire

auprès du public. Peut-être parce qu'il était alcoolisé...
La valériane également était très demandée, surtout par
les gens âgés. En outre, on lui avait confirmé, à l'épicerie, que le vin une fois ouvert finissait par perdre son
goût ou par devenir acide.

Leahy comprit qu'il avait ratissé trop large. Il lui
faudrait agir autrement. D'abord identifier des suspects.
Et ensuite seulement vérifier s'ils aimaient le vin ou s'ils
souffraient d'insomnies...

Rioux toussota.

– Pardon ? Vous disiez, Rioux ?

– On a parlé, Alfred et moi. À propos de ce qu'on
disait hier...

– Oui. J'y ai repensé, moi aussi. Vous avez du nouveau ?

– Peut-être. Nous nous sommes dit, de deux choses
l'une : ou bien le visiteur a apporté la bouteille de vin, ou
bien c'est Laflamme qui l'a achetée. On est tous les deux
d'accord sur ce point.

– Moi aussi, fit Leahy, résigné.

– Si c'est le visiteur, ça veut dire qu'il avait l'habitude d'arriver avec son vin.

– Pourquoi cela ?

– Parce que, expliqua Moreau, sinon il n'aurait eu
aucune raison de le faire. Ça n'aurait pas eu de sens.

– Tandis qu'en arrivant avec sa bouteille, l'autre ne
se doutait de rien, ajouta Rioux pour s'assurer que Leahy
avait bien compris.

– Intéressant. Donc, si c'est le visiteur qui a apporté
le vin, c'est qu'il en avait l'habitude. On pourra chercher
dans cette direction. Mais si c'est Laflamme qui a acheté
la bouteille, c'est que...

— … la visite était spéciale, comme on disait hier.

— Excellent. Mais j'ai appris tout à l'heure qu'il avait toujours une bouteille chez lui, pour en offrir à ses amis. Comme leurs réunions se faisaient parfois à Montréal et parfois ici, cela veut dire une rencontre à Québec toutes les quatre semaines. Ça correspond à ce que disait l'épicier de Rioux.

L'information mit quelques secondes à mûrir. Rioux réagit le premier.

— Ça n'empêche pas! Même s'il n'a pas acheté la bouteille pour l'occasion, il l'a quand même ouverte, pour une seule personne. Donc, c'était bien une visite spéciale!

Le raisonnement de ses assistants n'était pas sans défaut, mais ils avaient eu le mérite, à partir d'un détail anodin, de suivre leur intuition avec logique et bon sens, et d'en tirer une hypothèse vraisemblable. Il s'en voulait de les avoir mal jugés.

— Du beau travail. Vous avez bien fait d'insister pour qu'on en reparle.

— Vous pensez que ça peut servir?

— J'en suis sûr. Ça va m'aider à voir les choses autrement.

Les deux hommes se lancèrent un regard heureux.

— Et maintenant, qu'est-ce qu'on peut faire? demanda Moreau.

— Rioux, j'ai quelque chose pour vous. Une enquête auprès des voisins et des connaissances d'André Fournier. Il faudrait savoir si, par hasard, quelqu'un l'aurait vu dans la rue dimanche soir. Alfred, vous allez profiter de ce que Fournier ne vous connaît pas. Vous allez le suivre discrètement à sa sortie du journal, jusqu'à ce qu'il

rentre chez lui. Je veux connaître son trajet, les gens qu'il rencontre, les commerçants qu'il fréquente, etc.

– Compris. Et vous, de votre côté?

Leahy leur montra le crucifix et le couteau.

– Ça vous rappelle quelque chose, Rioux?

– C'est sûr.

Rioux précisa à l'adresse de Moreau:

– Le crucifix était sur un fauteuil dans le vestibule, et ça, c'est le couteau qui lui a tranché la gorge.

– C'est cela. Ces deux objets ont été laissés par l'assassin. Je veux retrouver leur propriétaire.

– Vous avez une idée?

– Vague. Vous voyez ces gravures, sur le couteau? C'est du travail irlandais, et c'est le genre de couteau que les marins utilisent. Alors, j'ai pensé que son propriétaire était irlandais, ou marin, ou les deux…

– Et ce serait intéressant de lui poser délicatement quelques questions, fit Moreau.

– Vous m'avez compris.

– Et le crucifix?

– Je ne sais pas. Le même homme, peut-être.

– Et comment comptez-vous faire pour trouver cet Irlandais? demanda Rioux. Il y en a beaucoup, à Québec.

– Oui, répliqua Moreau, mais ils se connaissent tous, et le soir ils se rencontrent à la taverne.

– Je compte y aller demain. C'est samedi, il y aura du monde.

– À quelle taverne? demanda Rioux.

– Celle où vont les Irlandais, dit Moreau, le *Chat Roux*.

– C'est ça, approuva Leahy, le *Red Cat*.

– Si vous préférez, grommela Moreau.

Samedi 1er octobre 1898

14

Leahy fait la connaissance d'un ancien zouave et mauvaise impression
à sa fille

Ce matin-là, Leahy jugea que le moment était venu de rendre visite à Elzéar Berthelot.

Il sortit de chez lui, gagna la rue Sainte-Famille, passa devant la basilique et l'Hôtel de Ville, remonta la rue des Jardins jusqu'à la rue Saint-Louis et s'arrêta un moment pour admirer le Château Frontenac, ce majestueux hôtel qu'on avait érigé cinq ans plus tôt sur la terrasse Dufferin. On y projetait, avait-il lu, la construction de nouvelles ailes, et surtout d'une tour imposante, en plein centre, qui dominerait la ville et le fleuve. Même sans cela, l'ensemble avait déjà fière allure. Une importante rencontre s'y tenait en ce moment même entre politiciens et experts du Canada et des États-Unis pour tenter de régler quelques différends commerciaux entre les deux pays. Le député de Québec, Charles Fitzpatrick, qui était aussi solliciteur général du Canada, participait aux travaux en compagnie d'Henri Bourassa, ce jeune et bouillant député qui se plaisait à ruer dans les brancards de son parti.

L'avant-veille s'était tenu, dans tout le pays, un référendum sur la prohibition de l'alcool. Fitzpatrick et

Bourassa, deux ténors libéraux, avaient profité de leur séjour à Québec pour y haranguer les foules, soutenus à l'occasion par Wilfrid Laurier lui-même : il fallait voter contre la prohibition ! Les Canadiens français ne s'étaient pas fait prier. Dans le reste du pays, c'était une autre affaire. Les résultats seraient connus bientôt, et Leahy était optimiste. Un peu inquiet quand même : il imaginait difficilement sa vieille maman privée de son petit verre dominical en rentrant de la messe.

Le détective se dirigea vers la Grande Allée. Il aimait Québec, qui savait si bien se transformer tout en gardant son visage à la fois charmant et grave. Il franchit la porte Saint-Louis, toute récente, et contempla avec plaisir l'équilibre harmonieux de l'immense édifice du Parlement. Il se rappela en souriant le commentaire d'un enthousiasme un peu naïf qu'un lecteur amoureux de sa ville avait tout récemment adressé au *Soleil*, suivi d'un inventaire des embellissements et des nouveautés dont elle avait profité depuis vingt-cinq ans : la terrasse Dufferin, la statue de Champlain, le Château Frontenac, le palais de justice, l'Hôtel de Ville, le Parlement, les nouvelles portes Kent, Saint-Louis et Saint-Jean, le marché Montcalm, de nouvelles églises, le bassin Louise du port, l'asphalte des rues Saint-Louis et Saint-Joseph, les lignes de chemin de fer, l'éclairage électrique, les « chars » électriques, le téléphone... Leahy n'oubliait pas non plus l'émerveillement qu'il avait lui-même ressenti devant l'immense palais de glace qu'on avait érigé là, juste en face du Parlement, pour le carnaval de 1896. Les festivités qui s'y étaient déroulées avaient marqué les esprits, mais on n'avait pas renouvelé la chose. Plus tard, un jour, qui sait...

Il n'avait qu'une réticence. L'arrivée de l'électricité et du téléphone, si évidemment utiles, s'était accompagnée, un peu partout dans les rues, de l'apparition de poteaux de bois tout à fait disgracieux. Les innombrables câbles noirs qu'ils soutenaient parcouraient l'air dans tous les sens, réduisant fâcheusement le plaisir d'admirer les façades, les arbres et le ciel. Certes, on s'y était accoutumé, mais ils étaient là. Le gaz n'avait pas cet inconvénient : ses conduites étaient soigneusement enfouies dans le sol. Leahy espérait qu'on enfouirait un jour les câbles, eux aussi. Plus tard, qui sait…

Il ne tarda pas à trouver l'adresse qu'il cherchait. Numéro 18 de la Grande Allée. Une belle maison de pierre grise, un peu prétentieuse peut-être avec son portique grec soutenu par deux colonnes. Il faut dire que ses voisines avaient toutes plus ou moins adopté le même style. La Grande Allée était le symbole d'une bourgeoisie qui avait su bénéficier de la nouvelle prospérité de la ville. Spacieuse, agréablement bordée d'arbres, passage obligé de tous les défilés officiels, elle était devenue un lieu de promenade très apprécié. Leahy se rappela le cortège solennel qui avait remonté l'avenue, neuf ans plus tôt, lors des funérailles des victimes de l'éboulement de la rue Champlain. De pauvres gens, beaucoup d'Irlandais… Il monta les quelques marches qui menaient à la porte et sonna.

Sans vouloir se l'avouer, il était intimidé par l'atmosphère cossue du quartier. Lui qui avait grandi tout près du port, non loin de la rue Champlain justement, dans un logement exigu et sans soleil, lui qui avait joué, enfant, dans des ruelles mal entretenues et juste assez larges pour laisser passer une charrette, se sentait comme étranger ici.

Il s'attendait à être accueilli par un vieux domestique au visage austère, guindé dans son habit noir, mais la silhouette gracieuse qui lui ouvrit la porte n'avait rien de guindé, et le charmant visage qui le fixait n'avait vraiment rien d'austère. Surpris, il observa un moment la jeune personne qui lui faisait face, s'arrêta sur ses grands yeux noisette, suivit la ligne de ses cheveux noirs joliment noués sur la nuque, admira le teint ambré de sa peau, fut tenté de se perdre parmi les roses blanches de sa robe. Une voix le sortit de sa rêverie naissante.

— Bonjour, monsieur. Puis-je vous aider?

Un ton réservé, mais une voix douce qui contrastait avec l'accueil revêche auquel ses missions précédentes l'avaient habitué. Il pensa à soulever son chapeau.

— Pardon, mademoiselle. Je me suis peut-être trompé. Je suis bien chez M. Elzéar Berthelot?

Elle eut un sourire.

— Vous ne vous êtes pas trompé. C'est mon père. Vous désirez le voir?

— S'il vous plaît.

— Je vais le prévenir. Vous êtes monsieur?

— Leahy. Francis Leahy. Détective à la police de Québec. J'aimerais le rencontrer quelques minutes, si c'est possible.

Elle eut l'air étonnée, sembla vouloir poser une question mais se retint. Son visage se ferma et son sourire disparut.

— Entrez, monsieur.

Le salon était confortable et meublé avec élégance. Leahy remarqua d'abord le piano en bois de rose contre le mur opposé à une grande fenêtre drapée par d'épais

rideaux. Un canapé de cuir occupait le mur du fond. Près du canapé, dans un coin, se trouvait un fauteuil, de cuir également. À gauche du fauteuil, une petite table au bois joliment ouvragé, sur laquelle était posée une lampe à mèche dont la fine cheminée et le réservoir de faïence bleue reposaient sur un socle au cuivre ajouré. Un livre était ouvert sur la table. Un tapis oriental et une table marquetée, au centre de la pièce, contribuaient à l'atmosphère de tranquille aisance qui se dégageait de l'ensemble. Un crucifix était suspendu au-dessus de l'entrée. Une horloge, qu'il avait aperçue dans le vestibule, ponctuait le silence de son battement régulier. Le piano était fermé, mais des partitions posées sur son tabouret indiquaient qu'on en jouait parfois. Quelques lampes émergeaient des murs, et leur bec, abrité par une petite coupole de verre opalisé, terminait une applique de cuivre savamment torsadée qui dissimulait habilement l'arrivée du gaz.

Plusieurs tableaux, des natures mortes ou des paysages, agrémentaient le décor. Leahy reconnut, au-dessus du canapé, une représentation de la basilique et de la place Saint-Pierre, à Rome. Une photographie suspendue en évidence au-dessus du piano attira son attention. On y voyait un jeune couple et une enfant. La mère, assise dans un fauteuil, paraissait bien pâle et regardait l'objectif sans sourire. Sur ses genoux, la fillette, la tête appuyée contre la poitrine de sa mère, regardait elle aussi devant elle, mais ses yeux brillaient de malice, et un léger flou autour des jambes montrait qu'il avait été difficile de la maintenir immobile. Le père, debout, très digne, entourait de son bras les épaules de sa femme. Une autre photo encadrée, posée sur le piano, montrait le même homme,

un peu plus jeune, en uniforme de zouave pontifical, la moustache fière, le poing gauche sur la hanche, le coude droit nonchalamment appuyé sur une commode. De la main droite, il tenait son fusil par le canon, la crosse posée au sol. Tout près, un vrai fusil était accroché au mur, identique à celui de la photo; une arme ancienne, mais qui paraissait bien entretenue.

– C'est un chassepot. Un vieux modèle, mais un excellent fusil!

Leahy se retourna. Elzéar Berthelot venait d'entrer, suivi de sa fille. Les deux hommes s'observèrent. Berthelot paraissait en pleine possession de ses moyens. La cinquantaine avancée, mais bien bâti, la voix forte et la physionomie avenante. Le léger embonpoint de l'âge n'empêchait pas de reconnaître en lui le jeune homme des deux photos. Il regardait en souriant le jeune policier.

– Un chasse-pot? demanda Leahy sans comprendre.

– C'est le nom de son inventeur. Un Français. Il nous a rendu de grands services, en Italie. Il n'est pas chargé, bien entendu, mais en parfait état. Ma fille peut le démonter, le nettoyer et le remonter en trois minutes!

Il se tourna vers elle.

– C'est bien, ma Lucille, retourne à tes occupations. Je t'appellerai.

La jeune femme resta immobile un moment, le visage grave, les yeux tournés tour à tour vers le visiteur et vers son père, puis elle esquissa une révérence et sortit.

– Excusez-moi de vous avoir fait attendre, monsieur. Asseyez-vous, je vous prie, fit Berthelot désignant le canapé.

– Depuis le décès de mon épouse, poursuivit-il tout en prenant place dans le fauteuil, ma fille et moi vivons

tout seuls ici, et elle veille sur moi comme sur une vieille plante chétive. Je ne suis pourtant ni vieux, ni chétif!

— J'en suis convaincu.

— Je vous remercie. Lucille m'a dit que vous étiez détective?

— J'enquête sur un meurtre, et j'ai pensé que vous pouviez m'aider. Me permettez-vous de vous poser quelques questions?

L'homme baissa les yeux et laissa échapper un soupir.

— Un meurtre... Celui d'Arthur Laflamme? Cela devait arriver, tôt ou tard.

— Le meurtre?

— Votre visite. Vous avez fait vite, monsieur.

— Il suffisait de lire les journaux et de poser quelques questions.

— Sans doute, sans doute. Que voulez-vous savoir?

— Quelles relations aviez-vous avec la victime?

— Des relations? Avec cet homme? Aucune! Tout nous séparait, au contraire! Nos convictions politiques, nos convictions religieuses, et surtout sa méchante façon de concevoir son métier de journaliste!

— Vous agissez bien comme intermédiaire entre la Montmorency Electric Power et l'Archevêché?

— C'est exact. Il eut un sourire amer. Je suis le zouave de service.

— Arthur Laflamme laissait entendre que vos tractations n'étaient pas très... morales.

— Oui. Il prétendait aussi que je ne connaissais rien au domaine de l'électricité. Il aurait pu se renseigner! Voilà plus de cinq ans que je travaille pour la même compagnie, même un âne aurait fini par y apprendre quelque

chose! Quant à ses leçons de morale, il n'était pas très bien placé pour en donner! Ce qu'il nous reprochait est non seulement parfaitement légal, mais en accord avec tous les principes d'une pratique commerciale saine. Pensez-vous sérieusement que l'archevêque de Québec aurait accepté de tremper dans des manœuvres douteuses?

— Les cadeaux qui ont été faits…

— Cela fait partie des négociations. Les libéraux font la même chose, tous les chefs d'entreprise qui espèrent un nouveau contrat font la même chose! Ce qui serait malhonnête, ce serait que ces cadeaux causent une injustice ou soient le résultat d'un vol. Mais s'ils sont payés à même les caisses de l'entreprise et que leur objectif est d'assurer la bonne santé d'une société sérieuse et efficace, où est le mal?

— Avez-vous pensé à écrire au *Soleil* pour protester, pour mettre les choses au point?

— Mes amis m'y ont incité, ma fille elle-même voulait que je le fasse, mais il n'en était pas question. On n'essaie pas de raisonner un chien qui aboie!

La comparaison n'était pas empreinte de charité, mais Leahy supposa que cette violence verbale servait à soulager la rancœur accumulée par le zouave sous les attaques répétées du journaliste.

— Qui vous donne les instructions nécessaires à la conduite des pourparlers?

— Le conseil d'administration de la Montmorency Electric Power, à Montréal. Elles me sont transmises par M. Sharples. John Sharples, l'un des administrateurs. Vous devez en avoir entendu parler, il a été maire de Sillery.

— N'y a-t-il pas aussi un député, parmi les administrateurs?

— Vous faites sans doute allusion à Télesphore-Eusèbe Normand, de Trois-Rivières? C'est vrai, mais on ne le voit pour ainsi dire jamais, même lorsqu'il vient à Québec participer aux sessions parlementaires. En toute confidence, je crois qu'il ne comprend rien aux aspects techniques de l'affaire. Tout ce qui l'intéresse, c'est le côté financier!

— D'un autre côté, ces cadeaux rappelaient aussi que vous, je veux dire l'entreprise que vous représentez, étiez de fidèles sujets de l'Église…

— … alors que les libéraux de la Canadian Electric Light sont de méchants mécréants? C'est un peu simpliste, ne pensez-vous pas? Il est entendu que nous espérons beaucoup de la sympathie que le clergé éprouve pour les bleus et de la méfiance que lui inspirent les rouges, mais de là à y voir un complot satanique… Je crois que le seul objectif de ce journaliste était simplement de salir notre réputation, de manière justement à décourager les autorités ecclésiastiques de nous accorder ce contrat.

— Et ce serait une raison suffisante pour l'éliminer?

Elzéar Berthelot observa un long silence.

— Vous nous soupçonnez de l'avoir tué?

— Vous comprendrez que cela fasse partie de nos hypothèses.

— On ne tue pas pour ça, monsieur! Pour qui nous prenez-vous?

Berthelot semblait sincèrement indigné.

— Pardonnez-moi d'insister. Un crime a été commis, un homme est mort, vous devez avoir souci, comme moi, que justice soit faite. Arthur Laflamme avait promis des révélations fracassantes. Or, tout indique que le

meurtrier a fait disparaître les articles compromettants qu'il avait l'intention de publier.

Leahy observait avec attention le visage de son interlocuteur. Ce qu'il venait de lui annoncer, Berthelot ne pouvait le savoir que s'il était coupable. L'ancien zouave ne sourcilla pas. Après quelques instants, il demanda d'une voix égale :

— La disparition des articles confirme vos soupçons, c'est cela ?

— C'est un peu cela.

L'espace d'un éclair, le policier crut voir passer une lueur malicieuse dans les yeux de Berthelot.

— Il ne vous est pas venu à l'idée, jeune homme, que vous faisiez fausse route ?

Cette remarque décontenança un peu Leahy mais il passa outre.

— J'aurais encore quelques questions à vous poser.

— Je vous écoute.

— Vous êtes un ancien militaire.

— Un zouave pontifical. J'ai servi deux ans en Italie, il y a presque trente ans… Après quoi, je suis rentré terminer ma formation d'avocat.

— Ce couteau vous dit-il quelque chose ?

Il sortit de sa poche le couteau orné de l'étoile et le tendit à son hôte. Celui-ci l'examina rapidement avant de le lui rendre.

— Ce n'est pas une arme de guerre, vous vous en doutez bien. Je n'ai jamais vu ce couteau auparavant. C'est lui qui a servi… ?

— C'est bien lui. Et ceci, l'avez-vous déjà vu ?

Il tendit, cette fois, le crucifix, et eut la satisfaction de voir pour la première fois Berthelot se troubler. Celui-

ci prit l'objet, le retourna plusieurs fois entre ses doigts et rougit violemment :

– Mais… c'est impossible ! Comment… Qui… Où l'avez-vous trouvé ?

– Il est à vous ?

– C'est celui de mon chapelet : un cadeau du pape, avant de quitter Rome. Où l'avez-vous trouvé ?

– Où l'avez-vous perdu ?

– Je ne sais pas ! Il y a quelques jours, j'ai sorti mon chapelet de ma poche, comme je le fais tous les soirs, et j'ai vu que son crucifix avait disparu. J'ai fouillé partout.

– Quel jour était-ce ?

– Quelle importance ? Oh ! Vous l'avez trouvé là-bas, c'est cela ? C'est terrible…

Il s'enfouit la tête dans les mains et se mit à soupirer profondément, comme s'il cherchait à reprendre son souffle. Il fut parcouru par un frisson et leva enfin les yeux. Ses mains tremblaient.

– Il y a une semaine.

– Le 24 septembre ?

– Le 24, oui… Ah ! non : le 24 était un samedi. C'était le 23.

– Êtes-vous sorti ce jour-là ?

– Oui, bien sûr. Je suis allé à l'Archevêché, comme tous les vendredis.

– Comment expliquez-vous cette perte ? Si votre chapelet est toujours dans votre poche, le crucifix ne peut pas en sortir !

– Je ne sais pas. J'ai tellement de choses dans les poches ! Je les rentre, je les sors, je les pose là où je peux, j'essaie de ne pas les oublier en repartant. J'ai sans doute

posé le chapelet sur une table, avec d'autres objets. En le reprenant, je n'ai pas remarqué que le crucifix s'était détaché…

— Saviez-vous qu'Arthur Laflamme était franc-maçon?

— Évidemment! Tout le monde le savait.

— Tout le monde?

— Le clergé, bien sûr, les gens avec qui je travaille à la Montmorency Electric, les quelques amis, députés ou hommes d'affaires que j'ai l'occasion de fréquenter. On n'en faisait pas une maladie, mais on le savait!

— Monsieur Berthelot, que faisiez-vous dans la soirée du 25?

— Dans la soirée du 25 septembre? Vous voulez dire dimanche? J'étais chez moi, ici. Nous nous étions promenés un peu, Lucille et moi, dans l'après-midi, sur la Terrasse, comme tous les dimanches, mais nous avons soupé ici.

— Avec votre fille?

— Avec ma fille, évidemment!

— Et vous n'êtes pas sorti durant la nuit?

— Pour aller égorger un malheureux? Non, jeune homme.

— Bien entendu, votre fille peut confirmer vos déclarations.

— Bien entendu, ma fille ne peut pas confirmer mes déclarations. Elle se couche à neuf heures. Je pourrais assassiner la moitié de la ville durant la nuit, elle ne s'apercevrait de rien. Je saisis cette occasion pour vous dire, monsieur, que je n'ai rien de plus cher au monde que ma fille. Et pour la protéger, oui, je serais capable de tuer.

– N'importe qui?

– N'importe qui.

– Monsieur, puis-je vous demander de ne pas quitter Québec pendant quelques jours? Je pourrais avoir besoin de vous revoir.

– Pour m'arrêter?

– Je ne le souhaite pas, monsieur, mais votre aide pourrait m'être précieuse.

Berthelot fit une grimace.

– Vous ne pouvez pas me rendre le crucifix?

– Pas tout de suite, je le crains. Je risque d'en avoir besoin.

– Bon…

Il essaya de sourire.

– Dans ce cas, je vous laisse partir… Mais soyez prudent, jeune homme.

Quand Leahy fut dans la rue, il se retourna vers la maison. La porte était encore ouverte, et l'homme qui le regardait s'éloigner, debout dans l'embrasure, ressemblait maintenant bien plus à un vieillard fatigué qu'à un fringant militaire. À l'étage supérieur, quelque chose sembla bouger. Le détective leva les yeux et ne vit, derrière la fenêtre, qu'un rideau rabattu.

Samedi 1ᵉʳ octobre 1898

15

Leahy retourne dans le quartier qui l'a vu naître, revoit sa vieille maman et entend parler très, mais vraiment très indirectement, de l'encyclique *Rerum Novarum* (Presses du Vatican, 1891. En vente dans les bonnes librairies)

Leahy avait quelques heures devant lui : les tavernes ne deviennent vraiment intéressantes qu'au coucher du soleil. Il décida donc de rendre une visite qu'il appréhendait un peu, comme toujours, mais qu'il ne pouvait décemment pas remettre à plus tard. Il rentra d'abord chez lui après avoir acheté une bouteille de whisky chez un détaillant de la rue de la Fabrique. Dans sa chambre, il troqua son complet pour un vieux pantalon et une chemise de gros coton. Puis, serrant soigneusement sa bouteille sous le bras, il descendit la rue Saint-Flavien vers la rue des Remparts, d'où il prit la rue Dambourgès qui menait tout naturellement à la rue Sous-le-Cap.

Coincée au pied de la falaise, cachée derrière la rue Saint-Paul comme on cache une honte, la rue Sous-le-Cap était peut-être la plus pauvre de toute la ville. On l'appelait aussi la petite rue du Sault-au-Matelot, du nom de sa proche voisine, ou encore, pour une raison mal connue, la ruelle des Chiens. Étroite, bordée de

vieilles maisons de bois qui menaçaient ruine, mal pavée, mal entretenue, on avait le sentiment en y pénétrant de changer brutalement de pays. Elle était traversée de cordes à linge, et les vêtements y séchaient dans un air chargé de poussières qui voyait rarement le soleil. De temps en temps, surplombant la ruelle, une passerelle – en général couverte – avait été lancée d'une maison à l'autre au niveau de l'étage supérieur et semblait suspendue comme une menace au-dessus de la tête des passants. L'étranger qui s'aventurait ici comprenait vite, sous le regard soupçonneux des femmes et devant le visage sans sourire des enfants, qu'il n'était pas le bienvenu. Et même si, par fierté, il ne faisait pas immédiatement demi-tour, il pressait le pas et se dépêchait de regagner la rue Saint-Paul.

Durant le jour, les hommes travaillaient au port ou bien, trop souvent, cherchaient – dans le port ou sur un des chantiers de la ville – un travail devenu rare. La rue devenait alors le domaine des femmes. Celles-ci partaient le matin faire quelques achats au marché Champlain, puis s'occupaient de la cuisine, du ménage, des enfants. Elles se connaissaient toutes et, soit au hasard de leurs rencontres, soit d'une fenêtre à l'autre tout en étendant leur lessive, elles engageaient des conversations animées mais graves, chargées de préoccupations communes. Les enfants, pâles, mal habillés, jouaient parfois entre eux, ou bien restaient assis sur le seuil des maisons, avec pour seule distraction le va-et-vient de leurs mères et de leurs sœurs, et le passage de quelques hommes désœuvrés ou de rares colporteurs.

Dès que le soir tombait, la rue devenait déserte. C'était l'heure où les hommes, après avoir soupé, se retrouvaient à la taverne. C'était surtout l'heure où, à

peine éclairée par la triste lumière qui tombait des fenêtres, la rue se chargeait de dangers. Les histoires abondaient d'hommes battus et détroussés, de filles violentées. Ne s'y engageait donc que celui qui était familier de ses moindres recoins et qui se sentait assez fort pour repousser l'attaque d'un voyou. Il valait d'ailleurs mieux être plusieurs : un homme qui revient de la taverne n'est pas forcément en possession de tous ses moyens…

La ruelle des Chiens appartenait aux Irlandais. Tous les Irlandais de Québec n'y vivaient pas, bien entendu. Beaucoup avaient réussi et demeuraient dans des quartiers plus salubres, et plus chers. Certains même, médecins ou avocats, s'étaient installés dans la haute ville. Les autres étaient restés là, à deux pas du fleuve qui les avait amenés trente, cinquante ou soixante-dix ans plus tôt. Leur nombre les avait conduits à s'installer plus loin, et on en retrouvait beaucoup rue du Sault-au-Matelot et du côté de la rue Champlain.

Francis Leahy se retrouva plongé dans l'atmosphère qui avait baigné son enfance, une atmosphère qu'il aimait et redoutait tout à la fois, qu'il désirait oublier mais qui faisait désormais partie de lui-même. Son père et sa mère, mais ce n'étaient alors que des enfants, étaient arrivés en 1849 avec leurs parents et beaucoup d'autres, chassés d'Irlande par la Grande Famine. Leahy connaissait, pour l'avoir maintes fois entendue de son père, la douloureuse aventure de leur émigration, la longue traversée de l'océan, leur arrivée. Lorsqu'ils croyaient toucher enfin au terme de leurs épreuves, alors qu'ils étaient presque en vue de Québec, on avait immobilisé leur navire, on les avait débarqués sur la Grosse-Île, au milieu du Saint-Laurent, et on les avait mis en quarantaine.

Beaucoup d'entre eux étaient tombés malades durant le voyage, c'est vrai. Comment ne pas être malades lorsqu'on voyage dans des conditions pareilles, entassés comme des bêtes, mal nourris, mal protégés du froid? Sur la Grosse-Île, on les avait traités comme des pestiférés. Beaucoup y étaient morts. Les orphelins avaient été pris en charge par les survivants, et plusieurs, après leur arrivée à Québec, avaient été adoptés par des familles canadiennes-françaises.

Francis, lui, était né seize ans plus tard. À la maison et dans sa rue, il n'avait toujours parlé que l'anglais. Il avait découvert l'existence du français à l'âge de quatre ou cinq ans, à l'occasion d'une promenade avec son père qui s'était arrêté pour bavarder avec des compagnons de travail. Intelligent et curieux, il avait voulu en savoir davantage et avait recherché les occasions de rencontrer des *french boys*. Il avait dix ans lorsque la chute d'une grue de levage, au port, avait tué son père. Eux qui avaient vécu jusque-là dans une pauvreté digne, sans jamais manquer de l'essentiel, s'étaient vus tout à coup menacés par la misère, mais le courage de sa mère et la solidarité irlandaise leur avaient permis d'éviter la déchéance. Le jeune Francis avait même réussi à continuer à fréquenter la petite école de la communauté, et gagnait un peu d'argent en vendant des journaux rue Saint-Pierre et sur les quais du port. La lecture des journaux français avait été pour lui une fabuleuse source de découvertes. Elle lui avait non seulement permis de se familiariser avec la langue, mais elle l'avait également initié à l'histoire d'une société où il était destiné à vivre et qui débordait largement, il en était rapidement devenu conscient, le cadre strictement irlandais dans lequel ses parents s'étaient maintenus.

Il frappa à une porte pareille à toutes les autres. L'après-midi touchait à sa fin et la rue était calme. Des pas se firent entendre à l'intérieur, le bruit d'une chaise ou d'une table que l'on déplace, mais personne ne vint ouvrir. Il attendit un peu, puis frappa encore, et entendit enfin la voix qu'il espérait. « *Who are you?* » Toujours aussi méfiante, pensa Leahy, mais si elle changeait, je ne la reconnaîtrais plus…

— *It's me, mother. Francis. Please open?*

❖❖

La porte s'ouvrit lentement. Dans la pénombre de l'appartement, Leahy devina la silhouette qui se tenait là, toute petite, tassée par l'âge, mais bien droite, fière et vive.

— On se rappelle qu'on a une mère? Qu'est-ce qui se passe? Tu es malade?

— Je ne suis pas malade, maman. Je viens te voir. Je peux entrer?

— Tu as même le temps d'entrer! On me l'a changé…

— Tu exagères, maman. Je passe régulièrement.

— Tu es trop bon. Allez, viens.

La mère referma soigneusement la porte et poussa le verrou. Ils traversèrent le petit vestibule sombre et allèrent s'asseoir à la table de la cuisine. Une lampe à alcool, suspendue au plafond, brûlait en veilleuse, éclairant faiblement la pièce. Leahy regarda sa mère. Il la voyait mieux, à présent. Les cheveux gris tenus par son éternel peigne en écaille, le petit visage énergique, et ces grands yeux qui, fixés sur les siens, lui donnaient toujours l'impression de pénétrer dans des régions in-

158

connues de lui-même. Il lui tendit timidement la bouteille.

– Tiens, c'est pour toi.

– Et tu crois m'acheter avec du whisky ? Ce n'est pas du scotch, au moins ?

– Ne t'inquiète pas. De l'irlandais authentique.

– Il n'y a plus d'Irlandais authentiques. Tous des pourris !

– Je parle de la bouteille.

– Je sais bien que tu parles de la bouteille, je ne suis pas sénile ! Moi, je te parle des Irlandais.

– Pourquoi tu dis ça ?

– Ils ne sont plus comme avant. Tu ne vis plus ici, tu ne te rends pas compte. À peine s'ils me saluent dans la rue, personne ne me parle, comme si je n'existais pas. Je pourrais mourir, ils ne s'en apercevraient même pas !

– Tu exagères encore. C'est vrai que les vieux amis ne sont plus là, mais il y a toujours la communauté ! Ça, ça ne change pas ! Tu vas à la messe, les dimanches ?

– Bien entendu. Je ne suis pas à l'article de la mort ! Mais pas à St. Patrick, c'est trop loin. Toujours à la petite chapelle, celle de la rue Champlain.

– Il faudra que j'y retourne un jour. Cela fait bien longtemps… Mais, à la chapelle, tu rencontres sûrement des gens ? Le prêtre, comment est-il ?

– Un jeune, un moderne. Il nous casse les oreilles avec Léon XIII, l'esprit nouveau de l'Église et toutes ces sottises.

Leahy sourit intérieurement. Il avait souvent observé, chez les gens âgés, une surprenante liberté de ton à l'égard du clergé : l'Église était leur mère, sans doute, mais ses enfants n'étaient pas obligés de se contempler béatement !

— Ah! Et l'esprit nouveau, c'est quoi?

— Les hommes sont tous des frères, il faut s'aimer, travailler ensemble à bâtir une société plus juste, et bla bla bla.

— Et ce n'est pas vrai?

— Des mots! Les Anglais, je ne les aimerai jamais, pape ou pas. Les Irlandais traîtres, s'il n'en tient qu'à moi, je te les étrangle un par un, et je te les balance dans le fleuve! Les Canadiens français ne sont pas méchants, mais ils ont un défaut majeur.

— Lequel?

Mais il connaissait déjà la réponse.

— Ils ne pourraient pas parler l'anglais, comme tout le monde? Et puis, ils ne nous aiment pas.

— Ils ne demandent pas mieux que de nous aimer, mais nous sommes un peu responsables nous-mêmes, tu ne crois pas? Nous arrivons chez eux…

— Nous aurions bien mieux préféré rester chez nous! Et puis, ils ne sont chez eux que parce qu'ils sont arrivés un peu avant nous, c'est tout!

— Nous leur prenons leur travail…

— Ah! Je l'ai déjà entendue, celle-là. Elle est bien bonne! Nous prenons le travail qu'il y a, celui qu'on veut bien nous donner. Ce n'est pas nous qui le fabriquons, le travail!

— C'est vrai, mais eux aussi ils prennent ce qu'il y a, et nous leur faisons une concurrence très rude. On nous préfère souvent parce que nous parlons mieux l'anglais…

— Voilà! C'est ce que je disais! Ces gens-là doivent apprendre l'anglais.

Leahy éclata de rire.

— Maman, tu es de mauvaise foi.

— Tu connais beaucoup d'Irlandais de bonne foi?

— Ton petit curé, déjà!

— Lui? C'est un perdu! Il passe son temps à la taverne sous prétexte d'évangélisation! Il s'évangélise le gosier, oui! Tu prends un peu de whisky?

Elle alla chercher deux verres pendant que son fils débouchait la bouteille. Il servit à chacun un doigt du précieux liquide qu'ils laissèrent respirer quelques minutes avant d'y goûter. Leahy était habitué à ces conversations. Il s'y prêtait de bonne grâce, tout au plaisir de retrouver sa mère telle qu'il l'avait toujours connue, fière et intransigeante, mais aussi — malgré certaines apparences — chaleureuse et profondément affectueuse. Pourtant, ce qu'il venait d'entendre était nouveau, et fort intéressant.

— La taverne du *Chat Roux*?

— Comment tu veux que je sache? Celle où tout le monde va. Ce n'est pas celle où allait ton père, en tout cas. L'autre était respectable. Le *Neptune's Inn*. Celle-là, je connais son nom.

— Oui, mais elle a disparu depuis longtemps… Comment sais-tu ce que ton petit prêtre fait de ses soirées? Tu l'espionnes?

— Tout le monde en parle, et lui ne s'en cache pas! Il paraît même que sa compagnie est bien appréciée. C'est Léon XIII qui doit être content…

— Je serais bien curieux de le connaître. Pas le pape, le père irlandais.

— J'avais compris. Tu as le choix entre la messe et la taverne.

— La taverne, peut-être, tout à l'heure.

– Ça m'aurait étonnée. Vous n'avez rien à faire, à la police, qu'à traîner dans les tripots?

– Un meurtre a été commis. Je suis chargé de l'enquête.

– Tu cherches l'assassin ici?

– Je ne sais pas. C'est une possibilité. Tu n'en parles à personne, bien entendu.

– Je ne suis pas sotte. Qui on a tué?

– Un journaliste.

– Irlandais?

– Non. Canadien-français.

– Un de ces lascars qui nous calomnient en prétendant que nous semons le désordre?

– Pas du tout. Il n'a jamais dit du mal de nous, du moins pas dans ses articles.

– Alors tu te trompes. Nous n'utilisons la violence que pour nous défendre, tu le sais bien.

– Je ne pense pas à une vengeance. Plutôt à quelqu'un qu'on aurait payé.

– Dans ce cas, il faut chercher qui a payé.

– Tu as raison. Mais si je trouve le meurtrier, je pourrai peut-être remonter au véritable assassin…

– Et tu n'as aucune idée du motif?

– J'en ai trop, au contraire. C'est encore confus dans mon esprit.

– Sois prudent. Si on a tué un journaliste, on peut aussi bien tuer un inspecteur!

– Un sergent, maman. Je ne suis pas inspecteur.

– À plus forte raison.

Ils avaient presque terminé leur verre. Elle se leva pour allonger un peu la mèche de la lampe.

— Tu manges avec moi ? J'allais réchauffer un peu de ragoût.

— Je ne peux pas résister à ton ragoût.

— Je sais. Sinon, je t'aurais proposé de la morue.

— Je déteste la morue.

— Je sais.

16

Leahy ment et chante sous le regard réprobateur d'un disciple de Léon XIII, perd ses esprits et son couteau sous l'œil vigilant de son ange gardien, et prend une tasse de thé

Des éternels fauteurs de troubles (traduit du Quebec Morning Chronicle, *1er octobre)*
[...] La nomination du détective Leahy donne à penser que l'enquête pourrait s'orienter vers certains milieux irlandais connus pour leur agitation.

⁂

La taverne du *Chat Roux* était située rue Sous-le-Fort, à quatre pas. En sortant de chez sa mère, moitié par prudence et moitié parce qu'il désirait revoir un quartier où il ne passait plus très souvent, Francis Leahy rejoignit d'abord la rue Saint-Pierre, plus large que la rue du Sault-au-Matelot et surtout mieux famée. Bien éclairée, bien tenue, bien desservie – au début par une ligne de voitures à chevaux, à présent par le tramway électrique –, c'est là que battait le cœur économique de Québec. La rue Saint-Pierre abritait en effet les principales banques de la ville. De jour comme de nuit, elle dégageait cette atmos-

phère de sévérité hautaine dans laquelle semblent se complaire tous les financiers du monde. Elle n'avait, certes, ni le charme de la terrasse Dufferin, ni la plaisante animation de la rue Saint-Joseph ou de la rue Saint-Jean, ni l'élégance de la Grande Allée. Une fois la nuit tombée, elle oubliait l'agitation fébrile de la journée et retombait dans un calme total : aucun bruit ne sortait de ses édifices, aucune lumière ne filtrait des hautes fenêtres. Mais on pouvait s'y promener sans crainte, même aux heures les plus tardives, grâce à une surveillance policière constante.

De toute évidence, le *Chat Roux* ne s'était pas laissé contaminer par l'austérité de ses vertueux voisins. Il avait d'ailleurs pris soin, comme pour éviter toute mauvaise influence, de ne pas se placer trop près d'eux. Pour y arriver, il fallait en effet remonter la rue Sous-le-Fort presque jusqu'au pied de l'escalier Champlain, que pour d'excellentes raisons tout le monde appelait l'escalier casse-cou. C'est là qu'il avait établi son domaine, et personne apparemment ne songeait à le lui disputer. Si la rue elle-même était mal éclairée, la taverne par contre répandait généreusement sa lumière sur la chaussée à travers ses fenêtres ouvertes. Une rumeur constante s'en échappait, ponctuée de cris, de rires, de chants ou, parfois, de bruits de bagarres. Les patrons savaient cependant ce que coûtait le désordre et tentaient d'intervenir aux premières manifestations d'agressivité.

La principale source de tension y était la présence simultanée, quotidienne, de Canadiens français et d'Irlandais. Les deux groupes ne se mêlaient pas, chacun dévisageant l'autre avec méfiance, ou encore faisant comme s'il n'était pas là, ce qui ne contribuait pas forcément à

préserver l'harmonie. Par le passé, des affrontements épiques avaient éclaté, et les uns comme les autres s'étaient fait semoncer par les patrons – ce qui ne les avait pas beaucoup impressionnés – mais également par la police, dont les sermons musclés s'étaient montrés plus convaincants. Aussi les batailles étaient-elles devenues rares.

Leahy entra et parcourut la grande salle du regard. Elle était pleine de monde. La fumée était si dense qu'il apercevait à peine les tables du fond. Des serveurs allaient et venaient, les bras chargés de chopes. Il y avait quelques grandes tables autour desquelles on discutait avec animation, et d'autres, plus petites, dont les occupants semblaient perdus dans leurs rêveries, les yeux fixés sur leur verre. Le détective se demanda comment reconnaître le jeune prêtre dans cette masse. Il fit confiance à son instinct et se dirigea vers un petit groupe qui paraissait engagé dans une conversation vive mais sans agitation ni cris. Les hommes étaient tous dans la trentaine, estima Leahy, et l'anglais qu'ils parlaient était, de toute évidence, importé d'Irlande.

– Je peux m'asseoir avec vous? demanda-t-il, sans s'adresser à personne en particulier.

Quelques-uns lui lancèrent un regard hostile, d'autres le fixèrent avec curiosité. Il jugea qu'il valait mieux se présenter.

– Francis Leahy. Il n'y a pas beaucoup de places libres, ce soir...

– Asseyez-vous, Leahy. Moi, c'est Flannagan. Mark Flannagan.

Un des hommes se mit à rire.

– Il est encore temps de fuir, Leahy. Vous êtes en train de tomber dans un piège!

— Un piège ? demanda Leahy en souriant, tout en se creusant, tant bien que mal, une petite place sur le banc encombré.

— Il ne s'appelle pas Flannagan, mais *Father* Flannagan. Si on tombe sous sa patte, on est perdu : il vous transforme en enfant de chœur le temps de dire amen !

À première vue, rien ne distinguait le père Flannagan de ses voisins. Jeune comme eux, le regard clair, les cheveux peut-être un peu plus soigneusement coiffés ; mais sous l'immense veste kaki qu'il portait comme beaucoup d'autres, on devinait la soutane. Il fit à Leahy une impression favorable.

— Ne faites pas attention, fit Flannagan. Des enfants de chœur comme lui, aucun curé n'en voudrait. Vous êtes de Québec ?

— Oui. Rue Sous-le-Cap.

— Je connais bien. Vous êtes le fils de…

— Margaret Leahy.

— Oui ! Oui ! Bien sûr ! Une dame charmante. D'une franchise à toute épreuve.

— C'est bien elle.

— Mais alors, vous êtes…

Leahy avait prévu le coup. Il haussa les sourcils et fit une légère moue en regardant fixement le prêtre dans les yeux. Celui-ci comprit immédiatement :

— … son fils unique, et sa consolation. Elle vous aime beaucoup !

— C'est vrai. Moi aussi, je l'aime beaucoup. C'est ma seule mère.

La réplique était facile, mais elle fit rire tout le monde. Leahy se reprocha de recourir à de tels procédés, mais il avait au moins réussi sa première approche : il

s'était fait accepter. Seulement voilà : il n'avait aucune idée de la suite. Il ne pouvait tout de même pas demander à ses compagnons de table si, par hasard, l'un d'eux n'avait pas récemment ouvert la gorge d'un journaliste après lui avoir fracassé le crâne…

Il essaya de rester naturel et leva un doigt vers le serveur qui passait par là. Celui-ci hocha la tête et revint avec une chope. La discussion interrompue avait repris. Il en profita pour sortir négligemment de sa poche le couteau de marin et se mit à tracer des figures géométriques sur le bois de la table, comme un homme qui pense à autre chose.

— Qu'est-ce que vous faites dans la vie, Leahy ?
— Moi ? Euh… je travaille dans un journal. *Le Soleil.*

La question l'avait surpris. Il aurait pourtant dû s'y attendre, et il avait répondu sous le coup d'une impulsion. Une impulsion géniale ou totalement imbécile ? Il aurait été bien en peine de le dire. Plusieurs têtes s'étaient tournées vers lui, et certains regardaient avec curiosité le couteau qu'il manipulait.

— Vous avez un beau couteau, fit remarquer l'un des jeunes gens.

— Il n'est pas vraiment à moi. Je l'ai trouvé par terre, près d'ici, en venant. Il ne serait pas à l'un de vous ?

Seul le père Flannagan répondit :
— Vous pouvez me le confier, Francis, je trouverai son propriétaire.

— Merci, *Father.* Laissez-moi encore un peu l'illusion qu'il m'appartient.

Flannagan esquissa un sourire, et Leahy crut lire dans son regard comme une inquiétude. Mais le couteau, apparemment, n'intéressait pas tout le monde.

– Vous devez bien connaître le français, pour être journaliste ?

– Non. Enfin, je parle la langue, mais je ne suis que secrétaire, vous savez, pas vraiment journaliste...

– Comment ils traitent les Irlandais, chez vous ?

– Je ne peux pas me plaindre.

Les questions se succédaient et le détective ne pouvait pas s'y dérober. Il s'était engagé dans une fuite en avant qui le mettait mal à l'aise, obligé d'improviser chaque fois une réponse sans vraiment y réfléchir.

– Ce journal, *Le Soleil*, il a des opinions, ou il raconte n'importe quoi ?

– Il est libéral.

– C'est quand même moins grave que d'être conservateur. On vous pardonne, Leahy.

On rit, et Leahy remercia en riant. Le père Flannagan sembla juger le moment favorable pour intervenir :

– De toute façon, irlandais ou canadiens-français, libéraux ou conservateurs, nous sommes tous des enfants de Dieu, n'est-ce pas, Francis ?

– Sans aucun doute, *Father*.

– Caïn et Abel étaient des enfants de Dieu, fit remarquer l'un des autres. Abel a pourtant mal fini...

– Mais le plus malheureux, c'était sûrement Caïn, dit le prêtre.

– C'est vrai : il ne pouvait même pas se confesser au père Flannagan !

Celui-ci prit un visage grave :

– J'en connais qui pourraient, et qui ne le font pas... Ceux-là aussi sont malheureux.

– Allons, allons, *Father* ! On ne va pas venir vous voir pour des sottises sans importance !

– Il y a des sottises qui ont beaucoup d'importance, vous le savez bien.

Un silence se fit à la table. Cela permit à Leahy de remarquer que l'atmosphère de la taverne semblait au contraire s'échauffer. On parlait plus fort, on s'interpellait d'un bout à l'autre de la salle ; plusieurs clients circulaient d'une table à l'autre en s'arrêtant régulièrement, comme pour passer un message.

– On dirait qu'il se prépare quelque chose, remarqua le détective.

– Oui, fit un autre. J'ai l'impression que nous allons chanter.

– Oh mon Dieu, non! gémit le père Flannagan.

Mais personne ne fit mine de le consoler et, dès que les premiers accents s'élevèrent, tous se joignirent au chœur.

> *I'll take you home again, Kathleen*
> *Across the ocean wild and wide*
> *To where your heart has ever been*
> *Since first you were my bonny bride.*
> *The roses all have left your cheek…*

Leahy connaissait bien cette chanson pleine de douceur nostalgique, et il commençait à mêler sa voix à celle des autres lorsque, soudainement, d'un coin qui était resté silencieux, surgit une tout autre mélodie.

> *À la claire fontaine, m'en allant promener,*
> *J'ai trouvé l'eau si belle que je m'y suis baigné.*
> *Il y a longtemps que je t'aime, jamais je ne t'oublierai.*

– C'est donc ça, pensa Leahy. Un affrontement. Tant qu'il reste vocal…

L'affrontement restait vocal, en effet, pour le moment.

And when the fields are fresh and green,
I'll take you to your home, Kathleen.
To that dear home beyond the sea
My Kathleen shall again return

… toi, qui as le cœur gai,
Tu as le cœur à rire, moi, je l'ai à pleurer,
Il y a longtemps que je t'aime…

Le détective et le prêtre échangèrent un regard et semblèrent d'accord pour patienter jusqu'à la fin des deux chansons. Mais *À la claire fontaine* dura plus longtemps que *I'll take you home, Kathleen*. Les Irlandais, aussitôt terminée leur mélodie, entonnèrent un nouveau chant.

Come back to Erin, mavourneen, mavourneen
Come back, aroon, to the land of my birth…

Les Canadiens français ne pouvaient décemment pas laisser faire.

Un Canadien errant
Banni de ses foyers…

On chantait de plus en plus fort. Après un bref signe de tête, Leahy et le père Flannagan se levèrent et allèrent s'asseoir à l'une des petites tables du fond, abandonnée par ses occupants.

– Vous faites une enquête, c'est cela?
– Oui. Le meurtre d'un journaliste.
– J'ai lu la nouvelle.

Il leur fallait presque crier pour s'entendre. Mais personne ne semblait s'intéresser à eux.

Over the green sea mavourneen, mavourneen
Long shone the white sail…

… Va, dis à mes amis
Que je me souviens d'eux

– Soyez prudent. Ce sont de braves gens – le prêtre désigna d'un geste large l'ensemble de la salle – mais certains ont perdu leurs repères.
– Vous savez quelque chose? demanda le jeune policier, sans grand espoir.
– Rien que je puisse vous dire!
– Donc, vous savez.
– Je ne suis pas policier, Francis…

Cette fois, les Canadiens finirent les premiers. Ils profitèrent de leur avantage pour porter le coup décisif.

Ô Canada, terre de nos aïeux,
Ton front est ceint de fleurons glorieux.
Car ton bras sait porter l'épée,
Il sait porter la croix.

Un moment désemparés, les fils d'Erin se décidèrent à utiliser leur botte secrète.

The Queen's Own Regiment was their name
From fair Toronto town they came

To put the Irish all to shame
The Queen's and Colonel Boker!

– Là, ça va mal.
– Qu'est-ce que c'est?
– Le chant des Fenians.
– Les Fenians? Je croyais que c'était du passé!
– Oui, mais un passé qui n'est pas enterré pour tous…
– Alors?
– Préparons-nous à sortir.

Le Canada grandit en espérant.
Il est né d'une race fière…

They flung their red rag to the wind
« Hurrah, my boys! » said Boker.

Tous, à présent, s'étaient levés. Les adversaires se faisaient face. Les deux hommes se faufilèrent jusqu'à la porte.

… Et répétons, comme nos pères,
Le cri vainqueur : Pour le Christ et le Roi!

… See how they run from their Irish foe
The Queen's and Colonel Boker!

La fin des chants fut le signal de la bagarre.

— Vous habitez loin ? demanda le père Flannagan une fois qu'ils se trouvèrent à bonne distance de la taverne.

Ils avaient pris l'escalier casse-cou et remontaient à présent la côte Lamontagne. Au *Chat Roux*, la bataille faisait rage. La police ne tarderait pas.

— Pas loin de l'université, rue Saint-Flavien.

— Mais c'est presque chez moi ! Vous venez à St. Patrick, parfois ?

— Euh, pas très souvent, je l'avoue.

— Il faudra faire un effort. Vous savez, on en apprend presque autant dans une église que dans une taverne…

— Comptez sur moi.

Au bout d'un moment, Leahy reprit, pensif :

— Les Irlandais et les Canadiens français ne s'entendent vraiment pas… Toujours ce climat de méfiance !

— Laissez faire le temps, Francis. Plus ils apprendront à se connaître, plus ils s'apprécieront.

— Et ces Fenians, que viennent-ils faire ici ?

— Vous n'en avez jamais entendu parler ?

— Si, bien sûr, dans ma rue, par les autres garçons. Nous jouions à nous battre, Fenians contre Canadiens. C'étaient des Irlandais, évidemment ? Des sortes de justiciers, des guerriers masqués…

— Un mouvement armé qui s'était formé aux États-Unis. Avec des complicités au Canada, cela va sans dire. Ils voulaient occuper le Canada et l'échanger à l'Angleterre contre l'indépendance de l'Irlande.

— C'est de la folie ! Comment ont-ils pu espérer…

— Ils ont essayé à plusieurs reprises. Ils avaient réussi à créer un climat de crainte permanente dans tout le pays. Partout, on avait formé des milices pour leur tenir tête, mais leur dernière attaque remonte à 1871. Le mou-

vement est mort, je crois bien. C'est la nostalgie de certains qui est toujours vivante!

Ils atteignirent la basilique et se serrèrent la main avant de se quitter. Le prêtre sembla hésiter un moment:
— Vous préférez garder le couteau?
— Vous savez à qui il appartient?
— Francis, soyez prudent. Méfiez-vous.
— De qui?
— Des sectaires de tous bords. On se prend facilement pour le soldat d'une cause sacrée. Le danger immédiat vient du soldat, mais son capitaine porte une responsabilité plus grande.
— J'y penserai. Merci.
Leahy s'engagea dans la rue Sainte-Famille tandis que le père Flannagan prenait la côte de la Fabrique. Les rues étaient désertes. Le détective, perdu dans ses pensées, était fâché contre lui-même. Il avait perdu un temps précieux, à cause d'un vague espoir que rien n'était venu justifier. Si le père Flannagan savait quelque chose, il ne lui dirait rien, c'était évident. Même son dernier conseil n'avait rien de consistant. Tout le monde lui conseillait la prudence!
Il bifurqua rue Couillard, reçut un violent coup sur la tête et s'écroula sur le pavé, assommé.

Lorsqu'il reprit connaissance, il était dans son lit, le cerveau traversé par une douleur lancinante. Seule une faible bougie, sur la table, éclairait la chambre. Il se releva péniblement, passa la main dans ses cheveux: une

énorme bosse prolongeait son crâne. Hébété, il tâta ses poches. Le couteau avait disparu. Une nausée le saisit et il se laissa retomber sur son matelas. Son cœur se mit à battre violemment dans ses oreilles. Mais ce n'était pas son cœur. C'était le sol qui tremblait, des pas lourds qui s'approchaient de la chambre. Il tourna les yeux vers la porte, vaincu.

— On l'a échappé belle, vous ne trouvez pas ?

Il aurait voulu bouger, mais savait qu'il en était incapable. Il connaissait cette voix. L'homme qui venait d'apparaître dans l'embrasure était grand, carré, vêtu d'une vareuse mal coupée et d'un pantalon fripé, coiffé d'un bonnet sans forme qui lui descendait jusqu'aux yeux. Il tenait quelque chose à la main, que Leahy ne distinguait pas dans la demi-obscurité de la pièce.

— Qui êtes-vous ?

— On ne reconnaît plus ses amis, inspecteur ?

Il avança et retira son bonnet de sa main libre. C'était Moreau, évidemment. Un Moreau réjoui, qui apportait une grande tasse de thé brûlant. Leahy ressentit un immense soulagement. Il ferma les yeux, détendu, presque heureux. Le constable déposa la tasse sur un guéridon avant de l'approcher du détective.

— Vous allez boire ça, ça va vous remettre ! Je n'ai pas de bromure, excusez-moi… Ça doit vous faire mal, là-haut ?

Il aida Leahy à se soulever.

— Alfred ! Qu'est-ce que tu fais là ?

— Je suis votre ange gardien, inspecteur. Vous ne le saviez pas ?

— C'est toi qui m'as porté ici ?

— C'est sûr. Sinon qui ?

— Comment es-tu entré? Avec ma clé?

— Elle ne sert à rien, votre clé. J'ai poussé gentiment. Ne parlez pas trop. Buvez d'abord.

Quand il eut terminé, le constable insista pour qu'il s'étende, la tête et les épaules bien calées sur l'oreiller. Puis il lui expliqua tout.

Lorsque le détective leur avait annoncé, la veille, son intention d'aller au *Chat Roux*, les deux constables avaient jugé d'un commun accord qu'il ne serait pas très prudent de le laisser seul avec tous ces Irlandais. Ils avaient donc décidé d'y aller, eux aussi.

— Vous y étiez tous les deux?

— Ben oui! On vous a vu arriver. On vous a observé, et quand on a vu que vous sortiez, je suis sorti avant vous. Je vous ai suivi, mais comme à l'envers : c'est vous qui étiez derrière moi.

— Et Rioux?

— Il devait se lever seulement si quelqu'un sortait derrière vous.

— C'est ce qui s'est produit?

— Faut croire… Moi, quand vous avez tourné sur Couillard, je me suis caché un peu plus loin. Puis j'ai entendu Joseph qui criait. Je suis sorti, et j'ai vu quelqu'un qui s'enfuyait. Seulement, il n'avait pas de chance : il s'enfuyait dans ma direction! Alors je l'ai accueilli gentiment.

— Gentiment?

— Une caresse au menton. Ça l'a convaincu.

— Où est-il?

— Joseph l'a emmené au poste. Vous pourrez le voir quand vous voudrez.

— Il m'a pris le couteau…

— Oui. Mais je lui ai demandé gentiment de me le rendre.

Moreau sortit l'objet de sa vareuse.

— Tu le connais, cet homme?

— Moi, non. Mais vous, oui. Il était à votre table.

17

Leahy fait mine de se promener nonchalamment sur la terrasse Dufferin – Il voit son hypocrisie démasquée, et apprend sans le demander ce qu'il avait toujours voulu savoir sur les zouaves pontificaux

C'était une journée radieuse comme en connaît souvent Québec au début du mois d'octobre, et comme savent en jouir ses habitants avant que les bourrasques d'automne ne viennent balayer la ville. Une de ces après-midi ensoleillées qui voient la terrasse Dufferin, du Château Frontenac jusqu'aux abords de la Citadelle, envahie par d'élégants promeneurs au pas tranquille et par des enfants qui s'amusent sous le regard complaisant de leurs parents. De nombreux bancs permettent d'interrompre un moment la marche pour échanger quelques mots ou, tout simplement, pour admirer le fleuve en silence. Un temps hors du temps, où l'on oublie pour quelques heures ses préoccupations et ses inquiétudes.

Leahy, pour sa part, debout au pied de la statue de Champlain, ne voulait rien oublier. Et même s'il l'avait voulu, le souvenir du coup reçu la veille lui aurait douloureusement rappelé les événements. Il avait réussi à dormir un peu ; mais au matin, dans son lit que Moreau lui avait bien recommandé de ne pas quitter, il avait

passé et repassé en revue les événements de la semaine. Il y avait tellement de questions en suspens! Son assaillant était en lieu sûr. Il le laisserait mijoter jusqu'au lendemain, et il espérait bien en tirer un ou deux renseignements dignes d'intérêt. La présence de Moreau et de Rioux à la taverne avait été providentielle. Il en parlerait à Pennée, bien entendu. Ces deux-là méritaient au moins des félicitations. Il avait repensé aux analyses, au vin, au papier brûlé, à sa conversation avec Beaugrand, à Berthelot. Une évidence lui était apparue brusquement : il fallait qu'il aille se promener sur la Terrasse, pour reprendre une conversation qui l'avait laissé insatisfait.

Il les aperçut de loin. Ils lui tournaient le dos et marchaient lentement en se tenant par le bras, lui dans un complet de flanelle grise, elle dans une robe blanche, les épaules couvertes d'une collerette qui flottait au vent léger. Parfois, ils penchaient la tête l'un vers l'autre, comme un vieux couple qui se confie un secret ou se dit un mot d'affection. Elle n'avait pas ouvert son ombrelle. Lui, de sa main libre, maniait dignement sa canne sans s'y appuyer. Il soulevait de temps en temps son chapeau de feutre pour rendre un salut, puis se retournait vers sa compagne. Un bref instant, Leahy se demanda s'il ne s'était pas trompé, mais la carrure de l'homme, la démarche légère de la jeune femme, les longs cheveux noirs qui dépassaient de sa petite coiffure fleurie ne laissaient guère de doute. Il observa un long moment le père et sa fille, sans savoir comment les aborder.

Des enfants se poursuivaient en riant, tantôt en ligne droite lorsque le champ était libre, tantôt en contournant les promeneurs qui devaient parfois s'arrêter pour ne pas les heurter. Un jeune garçon passa devant

l'homme, qui ne réussit pas à l'éviter. Le garçon trébucha, mais retrouva l'équilibre après quelques pas et continua sa course. L'homme, lui, vacilla et tenta de se rétablir à l'aide de sa canne. Mais la canne glissa sur le sol et il menaça de tomber en entraînant sa compagne dans sa chute. Celle-ci réagit immédiatement. Sans retirer son bras, elle pivota face à son père, s'appuya contre lui et réussit à l'arrêter. Puis, poursuivant son effort, elle l'aida doucement à se redresser. Tout s'était passé très vite, et personne autour d'eux n'avait eu le temps d'intervenir. Ils se dirigeaient à présent, à pas mesurés, vers un banc. Leahy courut.

– Vous ne vous êtes pas fait mal, monsieur?

Berthelot, tout occupé à s'asseoir, n'écoutait pas.

– C'est le sergent Leahy, papa. Le policier qui est venu l'autre jour.

La jeune femme n'avait pas l'air enchantée de le revoir.

– Ah, oui, bien sûr! Excusez-moi, jeune homme, je suis encore un peu étourdi, et le soleil m'éblouit. Vous avez vu ce qui s'est passé? Non, je vous remercie. Je n'ai rien. Grâce à toi, ma Lucille!

– Ce que vous avez fait est remarquable, mademoiselle. Peu d'hommes auraient su en faire autant.

– Il suffit de savoir s'y prendre, ce n'est pas bien difficile, répondit-elle en regardant ailleurs.

Elle s'assit à la gauche de son père.

– Avez-vous le temps de rester un moment? demanda Berthelot. Si ce n'est pas trop compromettant pour vous!

Leahy inclina légèrement la tête pour remercier et se plaça à la droite de Berthelot.

— Je suis content de vous revoir, jeune homme. Je ne devrais pas, je suppose, après notre dernier… entretien, mais je suis content. J'ai beaucoup pensé à ce que vous m'avez dit. Enfin, à ce que nous nous sommes dit.

— Moi aussi, monsieur.

— Et à quelle conclusion êtes-vous arrivé?

— Aucune. Je me pose encore des questions.

— Des questions? C'est bien. Tant qu'on se pose des questions, on ne risque pas de commettre des erreurs.

— Sans doute, mais il faudra bien que j'y réponde un jour.

Le silence retomba. Leahy laissa son regard errer, tout en bas, sur l'incessant va-et-vient des embarcations qui glissaient sur les eaux scintillantes du fleuve, escortées par des nuées de mouettes. Quoi faire à présent? Et surtout, quoi dire? Il aurait aimé que Berthelot prenne l'initiative de la conversation, qu'il se livre un peu plus, qu'il donne des détails qui permettraient de mieux le connaître. Son chef avait raison. On peut avoir de fort bonnes raisons de soupçonner quelqu'un, mais les raisons ne remplacent pas les preuves. Il y avait ce crucifix, mais il y avait aussi ce couteau qu'on avait bien failli lui reprendre. L'agression de la veille semblait mettre l'ancien zouave hors de cause. Berthelot n'était pas du genre à fréquenter les tavernes. À moins que… À moins que quoi? Lucille se leva.

— Je vais marcher un peu pendant que tu te reposes. Je ne tarderai pas.

Elle avait dit cela en regardant son père, ignorant ostensiblement la présence du détective.

— Toute seule? Ce ne serait pas convenable, mon enfant. Jeune homme, voulez-vous l'accompagner? Je vous attends.

– Je n'ai pas besoin de compagnie. Je veux être un peu seule, c'est tout!

– Tu es trop souvent seule, chez nous. Ici, je ne veux pas.

Leahy était déjà debout, un peu surpris par la proposition du père et perplexe devant la réaction de la fille. Il se prépara à expliquer qu'il n'était venu sur la Terrasse que pour un moment, que ses obligations l'appelaient à...

– Très bien. Comme tu voudras.

La jeune femme, à contrecœur, choisissait d'obéir. Elle s'éloigna sans jeter un regard à Leahy, qui fut bien obligé de la suivre. Ils marchèrent côte à côte un instant, sans se parler. Il se décida à faire une tentative.

– Je regrette de vous indisposer, mademoiselle.

– Vous venez souvent vous promener ici?

La question était posée sans aménité.

– Oui. Enfin, à l'occasion, quand je peux.

– Je ne crois pas que vous vous trouviez là par hasard, monsieur.

Leahy rougit jusqu'aux oreilles. Fort heureusement, elle ne le regardait pas. Il avait le choix: maintenir l'ambiguïté ou dire la vérité. Cette occasion qui se présentait de s'entretenir seul avec la fille de Berthelot était inespérée. Il n'hésita pas longtemps.

– Vous avez raison. Je voulais revoir votre père.

– Pour le torturer encore, comme hier?

– Je ne cherche pas à torturer votre père. Je cherche la vérité.

– Vous cherchez un assassin, et vous soupçonnez mon père!

– Il vous a tout raconté?

– Oui.

– Il vous a parlé du crucifix ?

– Oui.

– Vous savez que la victime attaquait la réputation de votre père ?

– Je détestais cet homme de toutes mes forces, mais vous ne faites pas mieux que lui !

– Votre père est donc innocent ?

– Cela ne fait pas le moindre doute, monsieur !

– Vous l'aimez, vous êtes sa fille.

– Mes sentiments ne vous regardent pas. Mon père est innocent parce qu'il aurait été physiquement incapable de commettre ce crime.

– Pardonnez-moi, mais je ne vois pas pourquoi ? C'est un homme vigoureux, en bonne santé…

Elle s'arrêta et, pour la première fois, regarda le détective dans les yeux.

– Même vigoureux, un homme qui dort dans son lit ne peut pas se trouver à l'autre bout de la ville en train d'en tuer un autre.

Leahy était fasciné par ce regard. Immense, noir, brûlant. Vertigineux. Un élancement douloureux de son crâne le rappela à ses devoirs. Que venait-elle de lui dire ?

– Comment savez-vous qu'il dormait ? Vous dormiez aussi !

– Je sais qu'il dormait parce qu'il prend tous les soirs une potion pour cela. Sur la prescription de son médecin. Il faut revenir, maintenant. Il va s'inquiéter.

Ils firent demi-tour et reprirent leur marche.

– Qui est son médecin ?

– Le docteur Chassé. Eugène Chassé, rue Claire-Fontaine.

— À quelle heure prend-il sa potion?

— Cela dépend. Entre huit et neuf heures.

— Merci.

— Vous ne parlerez pas de tout cela à mon père, s'il vous plaît, monsieur.

Leahy se dit qu'elle avait dû se faire violence pour maîtriser sa colère et pour se résoudre à commettre ce qu'elle voyait sûrement comme une indiscrétion. Il voulut lui offrir quelque chose en échange.

— Votre père vous a aussi parlé du couteau?

— Oui.

— On a tenté de me le voler, hier soir. On m'a assommé.

— Hier soir? Mais alors...

— Alors, rien. Je continue à chercher.

— Vous avez une bosse?

— Énorme. Mais je la cache.

Berthelot fut tout étonné de voir sa fille arriver d'excellente humeur. Elle l'embrassa sur les deux joues avant de s'asseoir près de lui, et se blottit contre son épaule comme une enfant.

— Tu te sens bien, ma Lucille?

— Oui, papa. Très bien!

— Tu es sûre? insista-t-il en lançant un regard inquiet à Leahy, qui était resté debout près du banc.

— Tout à fait sûre.

· Elle se serra un peu plus contre lui. Il lui prit la main et la regarda longuement. Puis, il tourna les yeux vers le fleuve et Leahy le vit pousser un profond soupir. Le policier attendait sans bouger. On ne semblait plus s'intéresser à lui, il sentait que sa place n'était plus ici, mais il ne voulait pas partir. La voix de la jeune femme

résonnait encore à ses oreilles, il revoyait son visage, ses yeux… Ils avaient marché côte à côte, apparemment pareils à tant de couples heureux, baignés d'air et de lumière, mais c'était fini, elle était retournée près de son père. À quoi pensait-elle à cet instant précis? Le silence se prolongeait.

— Vous êtes là, jeune homme? demanda Berthelot, le regard toujours fixé sur le fleuve.

— Oui, monsieur.

— Vous n'êtes donc pas de service?

— Non, monsieur. Pas aujourd'hui. Mais je vais devoir…

Berthelot se tourna vers lui.

— Voulez-vous prendre le thé avec nous? C'est tout près, nous irons au Château.

L'invitation laissa Leahy interdit. Elle était tout à fait surprenante, mais il y avait plus que cela. Il avait nettement perçu, dans l'attitude pourtant naturelle de l'homme, dans le ton apparemment normal de sa voix, comme un appel. Ce n'était pas là une politesse de façade. On lui demandait, bien au contraire, la faveur d'accepter.

Lucille s'était redressée et regardait droit devant elle. Il se décida vite.

— Volontiers, monsieur. Vous êtes bien aimable.

— C'est moi qui vous remercie. Voyez-vous, hormis quelques vieux amis avec lesquels nous échangeons toujours les mêmes vieux souvenirs, je n'ai presque jamais l'occasion d'une rencontre neuve, d'un entretien qui échappe aux banalités courantes. Je sais que Lucille est de mon avis. N'est-ce pas, ma Lucille?

Elle se leva sans répondre et lança à Leahy un regard chargé de reproche: « *Vous exagérez vraiment!* » Celui-ci

souleva imperceptiblement les sourcils : «*Mais je n'y suis pour rien !*» Si Berthelot surprit cet échange muet, il n'en laissa rien paraître. Il se leva à son tour, saisit sa canne et donna gaiement le signal du départ.

— Puisque tout le monde est d'accord, allons-y !

***

Ils étaient à présent assis au salon de thé du Château Frontenac, autour d'une table à la nappe immaculée, devant des tasses en porcelaine étincelantes, des cuillers en argent, une énorme théière fumante décorée de petites fleurs roses, une assiette pleine de scones et un bol rempli de confiture de fraises. Le salon donnait sur la Terrasse que l'on pouvait apercevoir à travers les multiples fenêtres voilées de tulle. Les boiseries des murs et les rideaux de velours pourpre qui encadraient les fenêtres atténuaient le murmure incessant qui provenait des autres tables, et l'épais tapis étouffait le va-et-vient des serveurs qui s'affairaient dignement auprès des nombreux clients de ce dimanche après-midi.

Leahy n'était jamais entré dans un endroit aussi luxueux. Il lui était bien arrivé, au cours de ses missions, de traverser le grand hall de l'hôtel. Il avait senti l'atmosphère feutrée qui y régnait, croisé la clientèle huppée qui le fréquentait, entrevu des salons aux immenses fauteuils où des messieurs importants, le cigare aux lèvres, s'entretenaient avec de belles dames qui agitaient frénétiquement leur éventail pour tenter de chasser la fumée, subi le regard soupçonneux des employés qui voyaient d'un mauvais œil un petit policier venir troubler l'harmonie du palace. Il n'avait cependant jamais imaginé qu'il ferait

un jour partie de cette société, même provisoirement, même accidentellement comme c'était le cas en ce moment. Il regrettait déjà d'être là, et se demandait si Berthelot ne l'avait pas invité dans le seul but de l'intimider, de l'humilier peut-être. Il se rendit soudain compte que le père et la fille étaient silencieux. Il leva les yeux : tous deux le regardaient, Berthelot avec attention, Lucille avec inquiétude.

— Ne faites pas attention : tout ça, c'est du toc! Buvez donc votre thé, lui au moins c'est du vrai. Vous n'aimez pas les scones? Donne donc l'exemple, ma Lucille!

— Du toc? Je ne comprends pas…

— Du toc, du tape-à-l'œil, de la frime! La plupart de ces gens, autour de nous, croient qu'ils ont réussi leur vie parce qu'ils sont riches. Et la plupart ne sont devenus riches qu'à force d'intrigues, de malhonnêteté ou d'injustice, en trompant leurs clients ou en exploitant les pauvres gens qui travaillent pour eux. Ils croient bâtir leur bonheur sur le malheur des autres. Quelle aberration! Toute cette ostentation n'est qu'un cache-misère. Nous ne venons ici, Lucille et moi, et encore, pas très souvent, que pour y apprécier ce qu'il y a de vrai.

— Et qu'y a-t-il de vrai?

— Je vous l'ai dit : le thé. Les scones aussi, d'ailleurs. De véritables scones anglais. Excellents. Vous n'aimez pas les scones?

— Tu as déjà posé la question, papa.

— J'en raffole, fit Leahy, déjà moins gêné. Ma mère en préparait parfois, il y a longtemps. Elle appelait ça des scones irlandais. Il ne faudrait pas lui servir de scones anglais, elle les jetterait par la fenêtre.

— Quelle est la différence? demanda Lucille, étonnée.

Leahy croqua dans l'un des petits pains en prenant un air pénétré.

— Toute la différence du monde, mais la texture et le goût sont les mêmes.

— Mais alors?

— Alors, ceux-ci sont anglais et ma mère est irlandaise.

Il avait réussi à provoquer un sourire, et se sentait beaucoup mieux. Berthelot, de toute évidence, n'avait aucune intention de le traiter en ennemi. En l'invitant, il avait voulu signer une trêve. D'accord pour la trêve. Leahy termina son scone et goûta au thé. C'était autre chose que le breuvage âcre que lui avait servi Moreau. En pensant à Moreau, il pensa à sa bosse qui n'était plus dissimulée par son chapeau. Il passa rapidement la main dans ses cheveux, tout en regardant Lucille. Celle-ci secoua légèrement la tête d'un air rassurant: on ne voyait rien…

— Un jour, vous verrez, vous inviterez votre mère ici, fit Berthelot.

— Sûrement pas. En voyant ce luxe, elle se mettrait en fureur et risquerait de tout casser.

Lucille eut un rire frais. Détendue, elle s'attaqua à son tour aux pâtisseries. Berthelot vida sa tasse et se resservit.

— Il ne faut pas le laisser refroidir. Vous faites un joli métier, savez-vous?

— Il n'est pas joli tous les jours…

— Quand j'étais jeune, j'ai rêvé d'être policier.

— Moi, je rêvais de devenir journaliste. Petit garçon, je vendais des journaux dans la rue, et je lisais ensuite

ceux que je n'avais pas vendus. Ça m'a donné l'envie d'apprendre, et je me suis mis ensuite à lire tout ce qui me tombait sous la main. Mais je vous ai interrompu...

— Pas du tout. Finalement, vous n'êtes pas devenu journaliste?

— Je n'ai jamais essayé. J'ai exercé quelques petits métiers, garçon de courses dans une banque, aide-comptable dans une épicerie, en fait, je comptais les sous et je faisais les additions à la fin de la journée, puis j'ai été homme à tout faire dans un hôpital...

— Dans quel hôpital? coupa Lucille.

Elle rougit.

— Excusez-moi. Continuez, s'il vous plaît!

Berthelot intervint.

— Lucille vous a posé cette question parce qu'elle-même se rend régulièrement à l'Hôtel-Dieu.

— Vraiment? Vous êtes infirmière?

— Non, répondit timidement la jeune femme. J'aide un peu les sœurs augustines à s'occuper des malades, c'est tout.

— Pas seulement! protesta son père. Tu vas aussi dans les familles, tu leur apportes de la nourriture, des vêtements, tu t'occupes des orphelins, tu...

— Papa!

— Elle joue merveilleusement du piano...

— Papa, s'il vous plaît!

Ce «s'il vous plaît» avait une telle allure de supplication qu'il aurait fallu un cœur de pierre pour lui résister. Mais Berthelot, impitoyable, fit comme s'il n'avait rien entendu, tout en enveloppant sa fille d'un regard plein d'affection.

— ... et elle a fait du théâtre, le saviez-vous?

— Papa, par pitié!

— Du théâtre? Vous faisiez partie d'une troupe?

— Pas du tout, fit Lucille, résignée à parler sous l'attaque conjuguée des deux hommes. C'était à l'école, nous préparions des pièces pour les fins d'année, alors j'y jouais parfois.

— Pas parfois : chaque année! Elle a fait *Le Cid*, *Le Bourgeois gentilhomme*…

Berthelot fit un grand geste pour bien montrer que la liste ne s'arrêtait pas là.

— Et quels rôles y teniez-vous, mademoiselle?

— Un peu de tout…

— Les premiers rôles, jeune homme! Il fallait la voir dans *Le Cid*, en fier capitaine vengeant l'honneur de son père!

— C'est un rôle écrit pour elle, fit Leahy en regardant la jeune femme avec un demi-sourire.

— Et je suis bien prête à le jouer encore, monsieur.

Voilà qui ressemblait fort à un avertissement.

— Par contre, je ne serai jamais Chimène!

— Dites-moi pourquoi? demanda Leahy, qui n'avait jamais lu la pièce et essayait de ne pas trop le montrer.

— C'est une petite sotte. On vient de tuer son père, et elle se pâme devant le meurtrier!

— Et le meurtrier, c'est…

— Le Cid, bien sûr!

— Bien sûr…

Leahy se tut un moment. Les réponses de Lucille ne l'éclairaient qu'à moitié, mais l'essentiel était ailleurs.

— Vous avez raison, mademoiselle. Moi aussi, mon héros, c'était mon père, et j'aurais bien voulu pouvoir le protéger…

Il y eut un long silence. Lucille était écarlate.

— Nous avons tous nos blessures secrètes, intervint doucement Berthelot. Vous disiez donc que vous avez travaillé dans un hôpital ?

Les deux jeunes gens parurent soulagés de changer de sujet. Leahy reprit du thé. Lucille l'imita en évitant de le regarder.

— Je n'étais pas à l'Hôtel-Dieu, mais au Saint Bridget's. Vous connaissez ?

— Bien entendu ! fit Berthelot. C'est tout près de chez nous. Un hospice irlandais pour les vieillards, n'est-ce pas ?

— Pas seulement. C'est un vrai petit hôpital, avec une bonne atmosphère, mais je n'y suis pas resté longtemps. Je cherchais un emploi stable, la police recrutait, je répondais à toutes les conditions, ils m'ont engagé.

— Ils ont bien fait. À leur place, j'aurais fait la même chose. Moi, j'ai finalement décidé d'être avocat. Et puis il y a eu cette aventure, en Italie. Vous connaissez l'histoire des zouaves pontificaux ?

Lucille soupira. C'est une histoire qu'elle devait avoir entendue cent fois.

— Très mal, je le crains.

— Laissez-moi vous la raconter en quelques mots. Lucille me corrigera si je me trompe, ajouta-t-il en faisant un clin d'œil à sa fille.

Mais la jeune femme ne réagit pas, les yeux rivés sur sa tasse. Leahy, qui lorgnait sur les scones, voulut en reprendre avant que Berthelot ne commence. Lucille, sans le voir, fit le même geste et leurs mains se touchèrent. Elle retira la sienne en rougissant. Leahy s'excusa. À bien y penser, ce thé au Château était fort agréable.

– Voyez-vous, commença Berthelot, au milieu du siècle, il y avait trois forces politiques en Italie. Le royaume du Piémont au nord, avec le roi Victor-Emmanuel, les États pontificaux dans le centre avec le pape Pie IX, et les forces du sud, dirigées par Garibaldi, dont vous avez peut-être entendu parler.

– Un peu. Ses soldats, on les appelait les Chemises rouges ?

– Des soldats, ça ? Des bandits, oui ! Mais passons. Je ne parle pas de tous les petits États qui existaient aussi. L'Italie était morcelée en petits États, mais ceux du nord avaient été mangés par le Piémont, et ceux du sud par Garibaldi. Garibaldi et le roi du Piémont voulaient unifier l'Italie.

– Ils étaient alliés, ou chacun voulait unifier l'Italie pour son compte ?

– Alliés, en général. Garibaldi voulait lui aussi que Victor-Emmanuel devienne roi de toute l'Italie. Il y a eu parfois des désaccords entre eux, et ils se sont même battus l'un contre l'autre en quelques occasions. Tous les deux voulaient donc occuper les États pontificaux, mais le pape, lui, ne voulait pas.

– Comment se fait-il que le pape ait eu des États à lui ?

– Ça remonte au VIIIᵉ siècle. Le roi des Francs, à ce moment, c'était Pépin le Bref, le père de Charlemagne. Il avait fait don au pape de ses possessions en Italie. C'était un grand territoire, qui occupait en gros le milieu du pays et qui allait d'une mer à l'autre. La capitale était Rome.

Berthelot faisait de grands gestes tout en parlant. De sa main droite il parcourait l'Italie du nord au sud,

tandis que la gauche balayait tour à tour les régions du nord, du sud et du centre.

– Le pape exerçait donc un pouvoir politique ?

– Ça vous étonne, n'est-ce pas ? Notez qu'il est toujours chef d'État, même aujourd'hui. Mais c'est un État minuscule, comme vous le savez. À l'époque dont je parle, autour de 1860 – ce n'est pas très vieux ! – cela n'étonnait pas vraiment. Les États du pape, c'était une garantie de son indépendance face aux autres puissances.

– Et c'est à ce moment que vous êtes parti en Italie ?

– Parce que l'indépendance du pape était menacée. Mais pas seulement moi, et pas seulement des Canadiens ! Il en est venu de tous les pays, même de Chine !

– Pourtant, si le pape avait des États, il devait aussi avoir une armée ?

– Une triste armée, mal équipée, mal entraînée. Le ministre des armées du pape a décidé de prendre les choses en main, et il a fait appel à des volontaires de partout dans le monde.

– Combien étiez-vous ?

– Des Canadiens, environ cinq cents, mais des milliers d'autres, surtout des Hollandais, des Français, des Belges…

– Et on vous a appelés les zouaves ?

– C'est une drôle d'histoire. Nous avons été placés sous les ordres d'un général français, le général de la Moricière, qui avait déjà combattu en Afrique. Or, en Afrique, à côté des soldats français, il y avait aussi des soldats arabes au service de la France, qui avaient leur propre bataillon et leur propre uniforme. C'étaient les zouaves. Un mot arabe, je suppose. Toujours est-il que notre

général a choisi de nous appeler zouaves, nous aussi. Il nous a même donné un uniforme spécial qui ressemblait à celui des zouaves arabes.

— Nous avons encore celui de papa à la maison, précisa Lucille qui avait décidé de ne plus se morfondre. Il y tient, comme à son fusil...

— Ce sont des souvenirs! D'une époque où nous étions jeunes, pleins d'idéal, un peu fous aussi sans doute...

— Raconte ce que les cardinaux de Rome pensaient de votre uniforme.

Berthelot eut un petit rire.

— Oui... Ils trouvaient ce général de la Moricière un peu trop original. Il y en a un qui a dit : « Il fallait vraiment un Français pour habiller les soldats du pape en musulmans ! »

La remarque amusa Leahy.

— Mais comment tout cela s'est-il terminé?

— Mal. Mal pour nous et pour le pape, bien pour le roi du Piémont. Il a occupé progressivement tous les États pontificaux, et il a finalement pris Rome en septembre 1870. Il est devenu le premier roi d'Italie.

— Vous y étiez, à la bataille de Rome?

— J'y étais.

— Elle a dû être sanglante?

— Non, heureusement. Le pape estimait qu'il y avait déjà eu trop de sang versé, et dès le début de la bataille il a donné l'ordre de cesser le combat. Le lendemain, sur la place Saint-Pierre, nous étions tous rassemblés; il nous a donné sa bénédiction. Beaucoup pleuraient. Et puis nous sommes rentrés chez nous...

— On vous a permis de garder votre uniforme et votre arme?

— Pas du tout! Nous avions ordre de les remettre.

— Je ne comprends pas…

— Mon jeune ami, s'il fallait toujours obéir aux ordres, où irions-nous?

— C'est très bien, papa! Je m'en souviendrai!

— Ah? Mais il faut toujours obéir à son papa!

— Oui, papa.

⁂

Lorsqu'il se coucha, ce soir-là, les sentiments du policier étaient partagés. Comment réagirait Pennée s'il apprenait ce qui s'était passé? Il avait cru pouvoir se soustraire impunément, pendant quelques heures, à ses obligations. Il avait savouré la compagnie d'un homme agréable et d'une étonnante jeune femme. Il avait pris le thé avec eux, goûté au plaisir de leur conversation, s'était confié comme il le faisait rarement. À première vue, il n'y avait pas de mal à ça, mais l'homme était peut-être un meurtrier et c'était lui, Leahy, qui menait l'enquête. Il s'était compromis, il s'était laissé enjôler par les manières de Berthelot et par le charme de sa fille. Il avait agi sans discernement, au mépris de toute prudence. Le jeune homme se retournait dans son lit, hanté par une pensée qui refusait de le quitter : un zouave nostalgique n'aurait-il pas trouvé tout naturel de continuer à servir le pape à sa façon, en éliminant un franc-maçon?

Mais Leahy se rappelait aussi le contact de deux mains. Il ne regrettait rien.

18

Le mystérieux agresseur parle d'un mystérieux acheteur – Un médecin, fervent lecteur d'Alphonse Daudet, apprend à Leahy que son patient dort mal ou bien, selon le cas

Sa bosse avait témoigné, au cours de la nuit, d'une bonne volonté digne de louanges. Elle avait tranquillement commencé à se résorber, mais enfin elle était toujours là et lui rappelait cruellement sa présence à chaque mouvement brusque de la tête. Il se trouvait en ce moment en présence de l'homme qui la lui avait infligée. En entrant en compagnie de Moreau dans la cellule du poste central de police, le détective avait tout de suite reconnu l'un des jeunes gens rencontrés à la taverne. Un garçon qui ne s'était pas fait remarquer ce soir-là, qui avait parlé et ri avec les autres, qui avait chanté comme les autres, et qui n'avait certes pas trahi l'intérêt qu'il avait porté au couteau manipulé par le policier.

— Tu t'appelles ?
— Johnny O'Hara.
— Il est à toi, ce couteau ?
— Oui.
— Raconte-moi ça.

Le prisonnier n'était pas fier de lui. Il n'avait pas dû dormir beaucoup, pendant les deux nuits qu'il venait de

passer en prison. Son regard fatigué fuyait celui de Leahy, mais celui-ci, curieusement, n'éprouvait à son égard ni rancune ni animosité. Il voulait seulement savoir. Savoir qui, où, quand, comment, pourquoi. Les cinq obsessions de l'enquêteur…

— Au *Chat Roux*, il y a dix jours. Un homme s'est assis près de moi. Il a vu mon couteau, il m'a offert un bon prix, j'ai accepté.

— C'est banal. Tu avais besoin d'argent ?

— J'ai toujours besoin d'argent.

— Pourquoi tu n'en as pas parlé, samedi ?

— Je lis les journaux, j'ai compris qui vous étiez. Vous avez menti en disant que vous travailliez au *Soleil*. Donc j'ai compris aussi que ça risquait de mal tourner pour moi…

— Si je n'avais pas menti, tu m'aurais dit la vérité ?

— Je ne sais pas. Peut-être.

— Et peut-être que non. Comment il était, ton client ? Tu pourrais le reconnaître ?

— Non. Je ne crois pas.

— Pourquoi ? Tu ne l'as pas regardé ?

— Un peu. Je ne l'ai pas dévisagé. Il avait un grand chapeau de pêcheur enfoncé sur sa tête.

— Jeune, vieux ?

— Je dirais plutôt jeune. Pas gros. Mais il portait aussi une grande veste, il avait remonté le col.

— Alors, pourquoi tu dis qu'il était jeune ?

— Sa voix. Il parlait vite, comme s'il était nerveux.

— Sa voix, comment elle était ?

— Enrouée. Il toussait souvent.

— Il t'a parlé en quelle langue ?

— En anglais. Mais avec l'accent des gens d'ici. Difficile à cacher…

– Il parlait bien, ou avec des fautes ?

– Je n'ai pas remarqué ses fautes. Il n'a pas beaucoup parlé. Juste du couteau et du prix.

– Combien ?

– Cinq.

– Cinq dollars pour un couteau ? Tu sais combien a coûté mon revolver ? Trois dollars cinquante !

Le jeune homme haussa les épaules.

– C'est un beau couteau, et puis s'il payait trop cher c'était son problème, pas le mien !

– Tu n'as rien remarqué d'autre ?

– Il était sale. Et il caressait souvent sa moustache.

– Quelle couleur, la moustache ?

– Noire. Luisante. Crasseuse…

– Ses mains ?

– Il portait des gants.

– Des gants ? Et une grosse veste, et un chapeau ? Ça non plus, ça ne t'a pas étonné ?

– Il y a toutes sortes de gens bizarres, à la taverne, vous savez ! On ne pose pas de questions. J'ai cessé de m'étonner quand j'ai eu mon argent.

– Il faisait froid, ce jour-là ?

– Attendez… Je ne crois pas, non. Mais il pleuvait dehors.

– C'était quel jour ? Vendredi ?

– Vendredi ? Non… La veille, je crois.

– Les gants, quel genre de gants ?

– En cuir. Noirs.

– Luisants ?

– Peut-être. Le cuir est toujours luisant, non ?

– Ses mains, petites ou grandes ?

— Grandes. Ah, et ses doigts étaient déformés. J'ai remarqué ça aussi !

— Il t'a payé comment ? En pièces ou en billets ?

— En billets.

— Tu as tout dépensé ?

— Il m'en reste. Mais vos policiers m'ont tout pris…

— C'est normal. Ils vont tout te rendre, ne t'inquiète pas. Il y a autre chose ? Un détail qui t'a frappé ?

Le jeune Irlandais ferma les yeux pour réfléchir.

— Oui. Il a commandé un verre, mais il n'a rien bu. Dès qu'il a eu le couteau, il est parti.

— Et le verre, c'est toi qui l'as bu ?

— Évidemment.

— *Father* Flannagan, il était au courant, pour le couteau ?

— C'est-à-dire ? demanda le jeune homme, incertain.

— Lorsqu'il l'a vu, samedi à la taverne, il savait que c'était le tien ?

— C'est sûr ! Tout le monde savait.

— Tout le monde savait, et personne n'a rien dit.

— Flannagan n'a rien dit, alors personne n'a rien dit. On lui fait confiance.

— Ça va lui réchauffer le cœur d'apprendre ça !

— Vous allez lui raconter… ?

— C'est toi qui vas lui raconter. Aujourd'hui même, dès que tu seras sorti d'ici.

— Vous me laissez partir ?

— À cause de lui. Et de Léon XIII. Et de ma vieille maman. Tu en as, de la chance !

Une demi-heure plus tard, O'Hara signait sa déposition. Avant de lui rendre les objets qu'on lui avait confisqués à son arrestation, Leahy les examina. Deux billets

de banque retinrent son attention. Il fouilla dans ses poches et en sortit deux autres qu'il remit au jeune homme.

— Les tiens, je les garde. Ils m'intéressent. Et je garde le couteau, bien entendu. Après tout, il n'est plus à toi.

⚜

— Qu'est-ce qu'ils ont de spécial, ces billets ? demanda Moreau une fois qu'ils furent seuls.

— Regarde bien, Alfred.

— Ils sont sales.

— Ce n'est pas de la saleté, Alfred. La saleté n'est pas noire.

— Alors, c'est du goudron.

— Du goudron, ou du cirage. Ou de l'encre.

— Et alors ?

— Et alors, la moustache n'était pas vraiment noire. À sa place, moi non plus je n'aurais pas bu ma bière !

— Je comprends. Donc il faut chercher quelqu'un qui n'a pas de moustache noire.

— Ou pas de moustache du tout.

— Mais…

— Cet homme caressait souvent sa moustache. Comment caresses-tu ta moustache, Alfred ?

— Ça ne m'arrive pas souvent, mais je fais comme ça.

Le constable posa son pouce et son index sous son nez, et promena lentement les deux doigts le long de sa lèvre supérieure, jusqu'aux commissures.

— Voilà. Et tu appuies un peu, forcément ?

— Forcément.

— Comme si tu voulais éviter qu'elle se décolle.

— Il n'y a pas de risque!

— Pour toi, non. Mais si c'était une fausse moustache?

— Alors, on ne peut rien dire pour la moustache?

— Rien.

Moreau réfléchit un moment.

— Ce n'était pas une fausse moustache. Sinon, pourquoi la noircir? Une précaution inutile! S'il l'a noircie, c'est qu'il ne voulait pas qu'on reconnaisse sa vraie moustache!

— Bien raisonné. Va pour la moustache. Encore que...

— Et puis, des hommes sans moustache, il n'y en a pas beaucoup!

— Il y en a, Alfred, il y en a!

— Je n'en connais aucun.

— Le curé de ta paroisse, il a une moustache?

— Vous pensez à un prêtre?

Moreau avait posé cette question sur un ton de reproche.

— Je ne pense à personne en particulier. Je pense seulement que ça pourrait être n'importe qui!

— On peut dire aussi qu'il avait de gros doigts.

— Personne n'a vu ses doigts.

— Comment ça? Il vient de dire que...

— Il a vu des gants. Si je mets des gants deux fois trop grands, et que je les bourre de tissu, de quoi mes doigts auront-ils l'air?

— Il s'était bien préparé... Avec son chapeau enfoncé, sa fausse moustache, ses faux doigts... Mais on sait au moins qu'il avait la voix enrouée!

— C'est la voix la plus facile à imiter. Et n'importe qui peut faire semblant de tousser.

– On sait qu'il était jeune et mince!

Moreau était désemparé.

– On ne sait rien du tout. La jeunesse d'une voix enrouée est très subjective. Quant à la corpulence, je ne vois pas comment ce garçon pouvait en juger dans les circonstances. Tout ce qu'on peut supposer, c'est qu'il n'était pas obèse.

– Il reste l'accent.

– Il reste l'accent. Ça réduit le nombre de suspects à combien? Dix ou vingt mille? Je ne compte pas les femmes, les enfants, les vieillards et les gros...

⁂

Le Dr Chassé avait tout d'abord refusé de répondre aux questions du détective, mais il avait fini par céder à ses arguments. Il y avait eu mort d'homme, et le secret professionnel passait après. Ils étaient assis dans un grand salon qui était aussi à ses heures, supposa Leahy, la salle d'attente du cabinet médical. Les réticences du médecin disparues, son naturel jovial reprenait le dessus et il devenait difficile de l'arrêter.

– Elzéar n'est pas seulement mon patient. C'est un ami. Bon comme le pain, franc comme l'or. Vous avez lu *Le curé de Cucugnan*?

Leahy n'avait pas lu.

– Ce n'est pas grave. Je veux simplement dire que c'est le meilleur homme du monde. J'ai toujours un immense plaisir à passer une soirée chez lui. Nous prenons un petit verre de vin, et nous parlons de notre jeunesse pendant que sa fille joue du piano. Je vous offre un porto? Non? Comme vous voudrez. Je le rencontre

203

demain soir, tenez. Nous allons voir une opérette, avec une visite spéciale de Montréal.

Tiens donc, se dit Leahy, une autre visite spéciale… Il demanda, mine de rien :

— Ah oui ? Un ami à vous ?

— À Elzéar. Je ne crois pas que ce soit vraiment un ami, soit dit entre nous. Un administrateur, si j'ai bien compris. Elzéar avait l'air plutôt ennuyé. Il n'a pas très envie de le recevoir chez lui, alors il le sort… Et puis, ça nous distraira, Mme Chassé et moi. De quoi je parlais ? Ah oui ! Sa fille. Il a bien du mérite de l'avoir élevée tout seul. Il aurait pu simplement la confier à un couvent, vous savez, après la mort de sa femme. Un coup terrible. Vous l'avez rencontrée ?

— Sa femme ?

— Sa fille, Lucille.

— Oui. Deux fois.

— Remarquable, non ? Si toutes les jeunes femmes étaient comme ça…

— Si nous parlions plutôt du père ?

— Comme vous voudrez. C'est pour cela que vous êtes ici, mais il est difficile de parler de l'un sans parler de l'autre. La santé d'Elzéar vous préoccupe, je ne vois pas pourquoi, mais bon. En un mot comme en cent, il est atteint de rhumatisme articulaire. Et comme il refuse de vieillir, il s'obstine à mener une vie normale.

— C'est-à-dire ?

— C'est-à-dire qu'il va, il vient, il veut tout faire comme avant, lorsqu'il était plus jeune. Sa sortie du dimanche, par exemple, avec sa fille. Il n'y renoncerait pour rien au monde.

— Je veux dire, un rhumatisme articulaire, ça se manifeste comment ?

– Mais comme tous les rhumatismes articulaires! Des douleurs fréquentes aux articulations, aux genoux en particulier. Il marche difficilement, vous avez remarqué?

– Il a failli tomber, hier. Sa fille l'a soutenu.

– Voilà. On ne parle pas de l'un sans parler de l'autre.

– Ces douleurs, elles sont permanentes, ou juste fréquentes?

– La douleur est toujours latente. Puis, brusquement, elle se manifeste au moment où on ne l'attend plus. Et elle empêche de dormir, latente ou non.

– Par contre, sa fille a un sommeil profond.

– Qui vous a dit ça?

– Lui-même.

– Lui? Mais il n'en sait rien! Il dort comme une souche!

– Pourtant, vous venez de me dire…

– C'est que je m'en occupe. Je le fais dormir.

– Un soporifique?

– Plutôt un sédatif à effet hypnotique. Du bromure de lithium, si vous voulez tout savoir. Facile à préparer. Lucille lui en fait boire tous les soirs. Dans un verre d'eau, ou une infusion, ou même un verre de vin, pour ne pas trop sentir le goût… Quant à elle, elle a une excellente santé mais son sommeil est léger: elle s'inquiète pour son père. Il a dû vous dire ça par fierté.

– C'est la seconde fois en quelques jours que j'entends parler de bromure. Pour dormir, je connaissais plutôt la valériane?

– Ou le laudanum. Ce sont des produits très courants, en effet. Mais les bromures sont plus efficaces contre la douleur.

— À part vous, qui est au courant, pour le sédatif de M. Berthelot?

— Ses amis, je suppose.

— Il a beaucoup d'amis?

— Quelques-uns. De vieux camarades, comme moi, ou d'anciens zouaves. Ou les abbés de l'Archevêché.

— Pas d'autres ennuis de santé?

— Aucun. Son cœur est robuste, il a un excellent appétit, il est fort comme un cheval. Pour tout vous dire, je suis un peu préoccupé par ce bromure. On commence à penser qu'il finit par provoquer des effets secondaires indésirables. Il faudra que je trouve autre chose… Mais il peut vivre encore trente ans avec ses rhumatismes! De moins en moins bien, évidemment. Ça l'inquiète, à cause de sa fille. Il ne veut pas devenir un poids pour elle. On ne peut pas parler de l'un sans parler de l'autre, voyez-vous…

— Une fois qu'on a pris du bromure, on peut sortir de chez soi, pour se promener par exemple?

— Vous n'y pensez pas! On perd très vite la notion des choses, le cerveau devient confus, on ne pense qu'à se coucher et à dormir.

— Et inversement, si on ne prend pas de bromure, est-ce que la douleur pourrait être assez forte pour paralyser toute activité?

— Vous ne connaissez pas Elzéar. Il a une volonté hors du commun, et aucune douleur ne l'empêchera de faire ce qu'il a décidé. Sa fille est aussi têtue que lui, d'ailleurs.

— Lorsqu'on parle de l'un, il faut parler de l'autre…

— J'allais le dire!

Lundi 3 octobre 1898

19

Leahy se fait enguirlander par son chef qui trouve qu'il a une chance insolente – Il regrette de ne pas avoir choisi l'alpinisme et se plonge dans les auteurs classiques

Pennée fixait le détective d'un œil sévère.

— Vous vous rendez compte, Leahy, de la chance que vous avez ?

— Pas vraiment, monsieur. J'ai l'impression, au contraire...

— Leahy, vous m'agacez !

— Oui, monsieur.

— Vous cherchez le propriétaire du crucifix, et vous le trouvez immédiatement. Vous cherchez le propriétaire du couteau, et vous le trouvez sans difficulté. Je n'ai pas dit sans douleur, notez bien. Vous reconnaissez vous-même que ces deux découvertes restreignent singulièrement le champ des suspects : si le coupable n'est pas Berthelot, c'est quelqu'un qui le côtoie, qui vit probablement ici, à Québec, et, bien entendu, qui a un mobile suffisant. Croyez-moi, vous avez une veine insolente. Alors, cessez de geindre et continuez votre travail !

— Bien, monsieur.

— Le papier brûlé, vous vous en êtes servi ?

– Pas encore, monsieur, mais…

– Vous avez rencontré ce Routhier?

– Ça ne va pas tarder, monsieur.

– Vous avez fouillé dans le passé de Fournier?

– Je n'en ai pas eu le temps…

– Vous avez définitivement éliminé les francs-maçons de vos suspects?

– À vrai dire, je…

– Leahy, vous n'en êtes qu'au début de votre enquête! Si je vous entends vous lamenter une seule fois encore, je la confie à un autre. C'est clair?

– C'est clair, monsieur.

– Rompez, Leahy!

⁂

En milieu d'après-midi, les constables vinrent lui faire part des résultats de leur dernière mission. Moreau avait suivi Fournier, vendredi, à sa sortie du journal. Le journaliste avait pris l'Électrique, était descendu au coin de la rue du Pont, et s'était brièvement arrêté chez un épicier avant de rentrer chez lui, rue Sainte-Marguerite. Rien à dire. Aucun comportement anormal. Fournier n'avait pas remarqué qu'il était suivi, Moreau en était sûr.

– Et de votre côté, Rioux?

Le constable, qui était resté silencieux pendant le compte rendu de son collègue, se racla la gorge.

– Je devais rencontrer les voisins, monsieur.

– Oui. Et alors?

– J'ai appris quelque chose, à propos de Fournier. Ça pourrait vous intéresser.

– Dites.

— Aucun de ses voisins ne l'a vu le soir du crime. On ne l'a pas non plus entendu sortir ou rentrer. On ne l'a pas du tout entendu, en fait.

— C'est passionnant.

Mais Rioux voulait ménager ses effets.

— Ce n'est pas tout, monsieur.

— Tant mieux, fit Leahy. Je vous écoute.

Rioux prit un air de componction.

— Il rend visite aux femmes.

— Les femmes? Quelles femmes?

— Les *femmes*, inspecteur, expliqua Moreau qui avait tout de suite compris.

— … Ah! Je vois.

— C'est ça, monsieur.

Rioux, soulagé, attendait la réaction du détective.

— C'est bien, fit Leahy.

La révélation l'avait complètement pris au dépourvu.

— Vous avez raison de ne pas jeter la première pierre, monsieur. Mais de là à dire que c'est bien…

— Non, corrigea le détective. Je veux dire que j'en prends note. Et, dites-moi, il va chez elles, ou elles viennent chez lui?

— Il ne reçoit pas chez lui.

— C'est un voisin qui vous a appris tout ça?

— Oui.

— Un voisin aussi complaisant, on n'en voit pas tous les jours. Ce voisin va aussi… rendre visite?

— J'ai cru le comprendre.

— Eh bien, la prochaine fois, ils iront ensemble!

Cette histoire l'agaçait. Avait-il vraiment besoin de se mêler de la vie intime des autres? Mais il devina soudain où Rioux voulait en venir.

– Il est donc possible que le dimanche du crime, Fournier se soit trouvé… là-bas?

– Tout à fait possible, monsieur.

– Vous savez ce qui vous reste à faire?

– C'est fait, monsieur.

– Résultat?

– Il y était.

– Fournier? La nuit de dimanche? Vous en êtes sûr?

– J'ai rencontré la… dame. Elle a tout de suite vu de qui je parlais, elle me l'a décrit de façon très convaincante. Il a passé la nuit chez elle.

Leahy était ébahi.

– Rioux, vous vous rendez compte? C'est une immense nouvelle, ça!

– Oui, monsieur.

– Vous avez vérifié les heures?

– Il est arrivé peu après onze heures. Elle l'attendait, ils avaient pris rendez-vous. Ils se connaissaient déjà, si j'ai bien compris.

– Où habite-t-elle, cette dame?

– Dans le même quartier, rue de la Reine. Pas très loin de chez lui.

– Alors, ce n'est pas une si grande nouvelle, fit Leahy, déçu. Ce n'est pas très loin de chez Laflamme non plus. Laflamme a été tué entre dix heures et minuit. Fournier aurait pu la retrouver tout de suite après son crime!

– Oui, monsieur. J'y ai pensé. Il y a une objection à cette hypothèse, si vous me permettez…

– Je vous permets, Rioux.

– Une question de temps.

— Mais la rue de la Reine est à deux pas de la rue Saint-François! insista Leahy. À cinq minutes à peine!

— Oui, monsieur. Mais pensez-y. Selon le témoignage de sa voisine, Laflamme a reçu son assassin après dix heures. Fournier arrive chez… son amie à onze heures ou à peu près. En moins d'une heure, il aurait fallu que lui et Laflamme s'assoient pour se parler, qu'ils prennent un verre, que Fournier trouve le moment propice pour mettre la drogue dans le cognac, que la drogue ait le temps d'agir – il faut combien, une vingtaine de minutes pour que le bromure fasse effet? –, que Fournier le tue et lui tranche la gorge, ramasse tous ses papiers, choisisse ceux qu'il voulait emporter, et se rende à son rendez-vous.

— Et qu'il prenne le temps de vérifier, avant de partir, qu'il n'avait rien oublié. C'est court, en effet. Mais il a pu la payer pour qu'elle raconte cette histoire.

— Je lui ai fait raconter la soirée plusieurs fois, en lui posant différentes questions. Elle n'a jamais hésité. Et puis, s'il l'avait payée, il lui aurait demandé de dire qu'il était arrivé chez elle plus tôt, à dix heures, par exemple. L'alibi aurait été parfait!

— Pourquoi m'a-t-il menti, lorsque je lui ai demandé son emploi du temps? Il m'a dit qu'il n'avait rien fait, ce soir-là. Qu'il était resté chez lui!

— Ça se comprend, monsieur. Il ne voulait pas qu'on le sache. C'est un mensonge qui joue plutôt en sa faveur.

— Il faut donc rayer Fournier de la liste de nos suspects, soupira le détective, résigné.

— Pourquoi? demanda Moreau.

— Mais à cause de ce qu'on vient de dire! répliqua Rioux avec impatience. En une heure, même pas, il

aurait tout juste eu le temps de commettre son crime. Tout le reste, surtout les manuscrits, a dû prendre une autre heure, au moins!

— Et alors? Il est revenu après, durant la nuit, et il a eu tout le temps de finir ce qu'il avait commencé!

Cela ressemblait fort à une évidence. Rioux réfléchit un instant, puis réagit:

— Mais il n'était pas tout seul! Si elle l'avait vu sortir, elle me l'aurait dit.

— Sauf si elle dormait, fit remarquer Moreau.

— À quelle heure est-il reparti? s'enquit Leahy.

— Le lendemain matin, monsieur, répondit Rioux. C'est elle qui l'a réveillé. Il était passé neuf heures. Ils s'étaient couchés très tard. Vers deux ou trois heures.

— Et ils se sont fait des gentillesses pendant tout ce temps? Je comprends qu'il ait eu les yeux cernés, le lendemain, quand je suis allé l'interroger…

— Fournier avait apporté des pâtisseries et du gin. La dame a trouvé que la soirée avait été très agréable.

Leahy fronça les sourcils.

— Fournier, agréable? Ce n'est pas comme ça que je l'aurais décrit…

— Il ne vous a jamais apporté de gâteaux, fit remarquer Moreau qui écoutait avec intérêt.

— Merci, Alfred, c'est sûrement ça.

— Vous le connaissez mieux que nous, mais je comprends ce que vous voulez dire, reprit Rioux. Elle m'a raconté que lorsqu'il venait la voir, il arrivait toujours triste ou de mauvaise humeur. Une fois avec elle, il changeait totalement.

— Ça va ensemble, les gâteaux et le gin? demanda Moreau qui n'avait aucune expérience de ce genre de choses.

– Ça doit dépendre des circonstances, répondit Rioux, indifférent.

– Et elle, elle n'a pas dormi du tout? demanda Moreau.

– Si, bien entendu.

– Eh bien, tu vois! Pendant qu'elle dormait, il est ressorti pour terminer son travail, et il est revenu chez la dame sans qu'elle s'aperçoive de rien!

– Elle aurait pu se réveiller à n'importe quel moment, rétorqua Rioux. Il ne pouvait pas prendre ce risque.

– Sauf si… intervint Leahy, méditatif.

– Si quoi? fit Rioux.

– Si c'est lui l'assassin, il devait lui rester du bromure dans ses poches! Il en a mis dans le gin de sa dame, et le tour était joué. Elle ne risquait pas de se réveiller de sitôt… Alfred, vous êtes génial!

– Vous croyez, inspecteur? Ça doit m'arriver de temps à autre, mais je ne m'en rends pas vraiment compte.

– Dites-moi, Rioux, qui s'est endormi le premier?

– Lui, monsieur.

– Ça ne prouve rien, remarqua Moreau. Il a pu faire semblant.

– Vous avez raison, Alfred, approuva Leahy. Il a pu faire semblant. En se réveillant le lendemain, et en le voyant dormir encore, son amie a cru qu'il avait dormi d'une seule traite.

– Il y a une autre possibilité, fit Rioux. Un complice. Fournier aurait vraiment dormi, comme je le pense, et c'est un autre qui aurait terminé le travail pour lui.

– Et cet autre, ce serait… ?

– Routhier, évidemment, l'ingénieur! C'est son ami. Vous l'avez rencontré, monsieur?

— Pas encore. Mais c'est bien vrai que l'alibi de Fournier ne vaut plus rien…

— Il n'a jamais cherché à l'invoquer, rappela Rioux.

— La dame, comment est-elle?

— Elle est drôle, monsieur.

— Drôle? Bizarre?

— Non. Drôle. Elle rit tout le temps.

— Son apparence?

— Pas grosse, pas maigre, brune, des petits yeux bleus qui donnent l'impression de se moquer de vous. Elle s'habille en rouge et elle adore les chats.

— Elle vous a séduit, Rioux!

— Oh, monsieur!

— Son nom?

Rioux hésita avant de murmurer:

— Nuit d'Arabie, monsieur.

— Pardon?

— C'est comme ça qu'elle aime se faire appeler, fit le constable avec un geste d'excuse. Sinon, c'est Louise Ladouceur. Vous voulez la rencontrer?

— Plus tard, Rioux. Plus tard. Peut-être.

Cet échange avait rendu Leahy maussade. Il n'aimait pas les eaux troubles. Si ses propres faiblesses le désolaient, celles des autres le déprimaient et son premier mouvement, instinctif, était de refuser d'y croire. Fournier pouvait bien faire de ses nuits ce qu'il voulait! Les mœurs de Fournier, ou d'un autre, ne le regardaient pas. Qui était-il pour juger? Il n'avait pas pour rôle de pénétrer les âmes: seuls les faits devaient le retenir. Mais il savait que ce n'était pas possible. L'être humain est un tout, sans cloisons. Et le policier n'est pas un alpiniste

dégagé des contingences terrestres, seul dans le soleil et dans le vent, sans autre adversaire que lui-même et la montagne. C'est un égoutier, forcé de patauger en sous-sol dans la boue des misères humaines...

En quittant le poste il visita un libraire, rue Buade, qui essaya de lui vendre les œuvres complètes de Pierre Corneille, mais il tint bon et passa le reste de la soirée dans son fauteuil avec une petite édition commentée du *Cid*.

C'était quand même bien, cette façon qu'ils avaient au XVIIe siècle de s'entre-tuer noblement en récitant des vers, sans se salir les mains...

20

Leahy essaie de faire parler des vestiges d'écriture tout en réglant un
problème d'épicerie

— Inspecteur, vous êtes libre ? Il y a un homme qui veut
déposer une plainte, et les autres sont occupés. Ça paraît
urgent.

— Une plainte pour quoi ?

— Un vol important dans son épicerie. Deux cents
dollars.

La journée venait de commencer et Leahy aurait
préféré se consacrer à son meurtre, mais il ne pouvait
décemment pas jouer les grands seigneurs et abandon-
ner à ses collègues les affaires secondaires. D'autre part,
la somme volée était belle, et le cas risquait d'être intéressant. Ça lui changerait les idées.

— Amène-le. Entre aussi, Alfred.

L'épicier qui accompagnait Moreau avait l'air abattu.
Il expliqua qu'il avait déposé dans sa caisse, la veille au
soir, une enveloppe contenant la somme, une dette qu'il
devait rembourser aujourd'hui. Il avait bien fermé la
grille de son magasin avant de rentrer chez lui. Ce matin,
il avait constaté que la grille avait été forcée et que le
tiroir de sa caisse était vide. Il était désespéré, parce que

son créancier devait passer dans l'après-midi. Deux cents dollars, une fortune…

– Qui savait, à part vous, qu'il y avait cette somme dans la caisse ?

– Personne. Je ne l'ai dit à personne, et personne ne m'a vu la déposer.

– Vous aviez dit à votre créancier que vous le rembourseriez aujourd'hui ?

– Oui. Hier, je lui ai dit que j'aurais l'argent dans la soirée, mais que comme je ne savais pas à quelle heure exactement, il ferait mieux de repasser le lendemain.

– Et ce matin, plus rien ?

– Plus rien…

– Vous ne soupçonnez personne ?

– Personne ou tout le monde, c'est pareil ! Un voyou, certainement.

– Vous avez souvent la visite de voyous ?

L'épicier hésita.

– Parfois, mais ils passent en plein jour. Ils choisissent un moment où il n'y a pas de client et ils vident ma caisse. Elle n'est jamais bien pleine…

– Cette fois-ci, par contre, le voyou est passé en pleine nuit et la caisse était pleine. Vous avez fait preuve d'imprévoyance !

– Vous avez raison, inspecteur, mais…

– Sergent.

– Vous avez raison, sergent, mais qu'est-ce que je vais raconter à mon créancier ?

– La vérité, bien entendu. Vous voulez que la police fasse une enquête ?

– C'est évident ! Je veux qu'on retrouve ce voleur, et surtout qu'on retrouve mon argent !

— Vous êtes marié ?

— Excusez-moi ? Oui, je suis marié, mais ma femme est au-dessus de tout soupçon, je vous le jure !

— Je n'en doute pas. Elle vous aide à l'épicerie ?

— Jamais. Elle est perdue dès qu'on parle de chiffres. Alors j'aime autant qu'elle reste à la maison !

— Pas d'employé ?

— Non. Je m'occupe tout seul de mes affaires.

— Bon. Nous allons remplir une déposition que vous signerez.

— Et vous me donnerez un papier pour mon créancier ?

— Si vous y tenez.

L'épicier signa la déclaration et Leahy lui remit une attestation de plainte.

— Retournez à votre épicerie. Je vous envoie un constable pour faire les constatations.

Une fois l'homme parti, Leahy soupira.

— Ce genre de choses arrive constamment. Comment espère-t-il qu'on pourra retrouver le voleur ? Nous ne sommes pas magiciens !

Moreau gardait le silence. Peut-être réfléchissait-il.

— Tu ne dis rien, Alfred ?

— Je dis, sergent, qu'il faudrait soupçonner le créancier. Il a peut-être trouvé le moyen de récupérer son argent et d'empocher deux cents dollars de plus en exigeant que ce pauvre épicier lui paie sa dette.

— Alfred !

— Sergent ?

— Tu me donnes une idée.

— Mais c'était bien mon intention !

— Tu vas te rendre au domicile de l'épicier. Sa femme va te recevoir, tu lui diras que son mari a besoin d'un outil pour réparer sa grille. Tu l'accompagnes dans sa recherche. Puis tu…

Trois minutes plus tard, les instructions du détective bien assimilées, Moreau partait et Leahy pouvait enfin retourner à ses réflexions. Il posa devant lui le rapport d'analyse du papier brûlé, et se mit à le scruter tel un kabbaliste penché sur un texte antique et mystérieux.

Bo, Be, Ba, Ro, Re, Ra…

Le morceau de papier, estimait le rapport, provenait du bas d'une feuille. S'il s'agissait d'une lettre ou d'un message, la majuscule déchiffrée était forcément l'initiale d'une signature. Bouchard, Bellemare, Baillargé, Roberge, Rémillard, Ratté. La liste n'était évidemment pas exhaustive. N'importe qui aurait pu écrire à Arthur Laflamme, pour toutes sortes de raisons. Ce papier avait-il une importance particulière? Certainement, sinon pourquoi l'aurait-on brûlé? Qui, d'ailleurs, l'avait brûlé? La victime, ou l'assassin? On ne fait cela que si l'on cherche à cacher quelque chose. La cacher à qui? Laflamme était chez lui, il aurait pu simplement ranger le message dans un tiroir, ou le jeter dans sa corbeille à papier. Ce n'était donc pas lui.

La conséquence s'imposait comme une évidence limpide. Leahy sut qu'il venait de retrouver l'intuition qu'il avait eue le vendredi précédent, en revenant du cimetière. C'était le message qui annonçait à Laflamme la visite de son assassin! Un enfant l'aurait tout de suite compris… Voilà pourquoi Laflamme ne s'était pas rendu à Montréal où l'attendaient ses amis de l'Émancipation. Le meurtrier avait annoncé sa visite par une lettre, qu'il

avait bien entendu signée. Et il avait tout naturellement, après son crime, cherché à éliminer cette preuve de sa présence. Il avait, par contre, péché par imprudence en ne vérifiant pas que la feuille avait bien été réduite en cendres. Dans ces conditions, le champ des hypothèses se réduisait considérablement. Sous les trois syllabes, Leahy écrivit : Beaugrand, Berthelot, Routhier.

Il avait déjà examiné les cas de Berthelot et de Beaugrand. La balance penchait plutôt vers Berthelot, c'était évidemment le plus suspect des deux. Pour l'instant, du moins. Le cas de Routhier était moins clair. Rioux avait émis, la veille, l'hypothèse de sa complicité avec Fournier, mais il ne l'avait toujours pas rencontré et ne savait rien de lui, à part sa qualité d'expert représentant la Canadian Electric Light. Pourquoi aurait-il cherché à se débarrasser d'un allié ? Les renseignements que Laflamme obtenait, c'était Fournier qui les lui donnait, mais qui les donnait à Fournier ? Routhier, bien sûr ! Les attaques de Laflamme faisaient mouche, ses adversaires eux-mêmes en convenaient, même s'ils prétendaient ne pas se laisser influencer par elles. Dans ces conditions, pourquoi tuer ? Leahy avait convoqué l'expert et attendait sa visite d'un moment à l'autre.

Il relut sa liste de trois noms, et fut tenté d'ajouter Bégin. Il imagina le digne archevêque brandissant contre lui les foudres de l'excommunication, hésita une seconde, puis inscrivit : Bégin.

Mgr Bégin, se glissant subrepticement hors de l'Archevêché un dimanche soir, habillé comme tout le monde, pour aller rencontrer en secret un journaliste excommunié et le tuer. C'était curieux comme tout s'agençait. Le motif de la visite, la raison du secret, l'accueil de

Laflamme, l'absence d'éclats de voix… Mais si c'était Bégin, c'était fichu! Le détective ne pourrait jamais prouver sa culpabilité. Ou peut-être n'était-ce pas Bégin en personne: un simple prêtre chargé par son évêque d'une mission «spéciale». Un jeune abbé qui aurait acheté le couteau à la taverne avec sa fausse moustache, qui aurait subtilisé le crucifix de Berthelot, à l'Archevêché. L'archevêque aurait quand même averti Laflamme de la visite de son émissaire. Quoi qu'il en soit, la solidarité des clercs est sans faille et aucun des deux ne risquait de dénoncer l'autre! Leahy imagina la réaction de son capitaine: «Votre hypothèse me gêne un peu, je l'avoue…» Il faut dire qu'elle gênait aussi Leahy. Il s'abîma dans ses réflexions.

Une heure après son départ, Moreau était de retour, tenant par le cou l'épicier effondré.

– Tout est réglé, inspecteur.

– Explique-moi ça! fit Leahy en rangeant ses papiers.

Le constable assit de force son captif sur une chaise et raconta ce qui s'était passé. La femme de l'épicier l'avait très bien reçu. Elle l'avait conduit à la réserve d'outils et s'était rendu compte qu'il manquait le pied-de-biche, qui avait pourtant toujours été là. Elle l'avait même vu, la veille au soir, dans les mains de son mari. Moreau s'était ensuite rendu à l'épicerie, et il avait trouvé l'outil dans l'arrière-boutique. Le policier avait donc délicatement, selon son expression, persuadé l'épicier de lui dire la vérité.

Celui-ci signa des aveux complets. L'argent n'avait jamais existé, et c'est lui-même, en pleine nuit, qui était allé forcer la grille de son épicerie. Il avait crocheté le tiroir de la caisse, mis un peu de désordre pour faire plus vrai, puis il avait laissé le pied-de-biche dans le magasin

avant de rentrer chez lui. Il ne voulait pas que sa femme, peut-être réveillée et inquiète, le voie arriver avec l'instrument…

— Mais qu'est-ce qu'il espérait, ce filou ? demanda Moreau une fois l'épicier écroué. Même si son argent avait vraiment disparu, il avait toujours une dette de deux cents dollars !

— Tu n'as pas tout compris, Alfred. Son créancier était le seul à savoir l'existence de cet argent. Donc, c'était le seul suspect raisonnable, tu l'as toi-même soupçonné tout à l'heure ! Nous l'aurions interrogé, peut-être inculpé, et l'épicier était libéré de sa dette ! C'est bien vrai que deux têtes valent mieux qu'une. Sans toi…

— Ça prouve seulement, monsieur, qu'il ne faut pas se fier aux apparences. C'est quand même vous qui avez vu la vérité le premier.

— Entrevu, Alfred. Entrevu ! Grâce à ta remarque…

On frappa à la porte. C'était Routhier, l'ingénieur.

21

Leahy fait une escapade en tapis volant, visite une centrale hydroélectrique
et médite sur l'émouvante fragilité des espérances humaines

Accoudés au bastingage du traversier qui les menait à Lévis, les deux hommes admiraient la silhouette du Château Frontenac qui s'éloignait lentement, perchée sur son rocher. Leahy s'était très vite pris de sympathie pour le jeune ingénieur. Sensiblement de son âge, le sourire engageant, le regard limpide, à peine moins grand que le détective mais l'allure sportive et le geste souple, Horace Routhier représentait ce que Leahy aurait tellement aimé être lui-même : un vrai fils de ce pays, enraciné dans ses traditions, intégré dans un filet familial et social sans déchirure, évoluant à son aise dans un réseau d'amitiés et de relations où on l'appréciait et au sein duquel il pouvait s'épanouir tout naturellement, sans appréhension et sans contrainte.

– Horace ? s'était étonné Leahy lorsqu'il s'était présenté.

– Mon père a fait des études classiques… s'était excusé le jeune homme en souriant.

Il avait proposé au détective de visiter les installations de l'entreprise qui l'employait, aux chutes de la rivière Chaudière.

— C'est quand même loin, avait protesté le policier.

— Pas autant que vous le pensez! J'ai un tapis volant, vous verrez. Nous serons de retour dans trois heures tout au plus.

Intrigué, Leahy avait accepté. Ces trois heures ne seraient pas perdues. Il était temps qu'il voie enfin de ses yeux cette réalité nouvelle qui mobilisait tellement d'énergie et qui soulevait tant de passions… Et puis, il avait quelques questions à poser.

À présent, sur le bateau, Routhier exposait en quelques mots l'histoire de la Canadian Electric Light Company. Fondée par un homme d'affaires de Montréal, Ernest Chanteloup, elle avait récemment acquis les droits d'exploitation des chutes de la rivière Chaudière et possédait déjà le contrat d'éclairage des rues de Lévis. Comme la puissance de la nouvelle centrale dépassait les besoins de la petite ville, on avait vite cherché à s'étendre du côté de Québec.

— Comment ferez-vous pour transporter l'électricité à Québec? C'est de l'autre côté du fleuve!

— Par le prochain pont, tout simplement. La construction est décidée, les plans sont adoptés, ce n'est plus qu'une question de temps.

— Justement, ça peut prendre du temps…

— Aucun problème! Nous utiliserons un câble sousmarin. Comme le transatlantique, mais en plus court, précisa Routhier en riant.

— Vous êtes de Trois-Rivières, vous aussi?

— Né à Montréal, mais j'ai surtout vécu à Trois-Rivières, après mes études. Ma fiancée m'attend làbas…

— C'est là que vous avez connu André Fournier?

– Oui, bien entendu. Nous avons travaillé ensemble plusieurs mois. Une histoire bien décevante. C'est pour cela que nous nous retrouvons à Québec, lui et moi.

– Une histoire décevante ?

– Je vous raconterai tout ça, mais nous arrivons. Vous allez voir mon tapis volant.

À deux pas de la petite station maritime de Lévis, Routhier pénétra par une porte cochère dans la cour d'un édifice récent. C'est là que Leahy comprit. Trônant au beau milieu de la cour se tenait, pimpante et fière, une voiture sans cheval. Avec ses grandes roues, sa banquette de cuir, son capot relevé, elle avait tout à fait l'allure d'un cabriolet auquel il ne manquait plus que l'attelage. Leahy avait déjà vu des photos d'automobiles dans *Le Monde illustré*, il en avait aperçu une ou deux dans les rues de Québec, mais jamais d'aussi près. Il repéra, devant le siège du cocher, la longue tige terminée par la manette qui servait à orienter les roues. Sous la banquette, un coffre énorme qu'il supposa abriter le moteur. De l'autre côté du coffre, une seconde banquette, tournée vers l'arrière, permettait facilement d'accueillir trois passagers supplémentaires. Et lui, Leahy, allait voyager sur cette machine !

Il se tourna vers son compagnon.

– C'est une belle surprise ! Une voiture de Duryea, je suppose ?

– Vous n'y êtes pas ! Duryea ne fait que des voitures à essence. Elles empestent, elles sont bruyantes, il faut de

sacrés bras pour les faire démarrer à la manivelle, et en plus elles sont compliquées à conduire, à cause de leurs engrenages. Non, monsieur! Ceci est une voiture électrique: silencieuse, inodore, sans mécanisme inutile, et qui démarre sans douleur! Fabriquée à Philadelphie. La même compagnie qui fournit les taxis de New York. On y va?

Routhier s'installa aux commandes. Il avait dit vrai: la machine s'était mise en branle sans effort apparent et répondait docilement aux manœuvres de son conducteur. Une fois sortie de l'agglomération, elle avait forcé l'allure et fonçait à présent à la vitesse d'un cheval au petit galop. Les seuls bruits étaient ceux du vent et de la carrosserie cahotant sur les irrégularités de la route. Leahy était ravi. Un peu inquiet, mais ravi.

— Elle a tout de même un petit ennui, que je ne vous ai pas dit: il faut recharger ses batteries à chaque trajet. Ou les changer. Mais nous sommes bien équipés pour cela! Vous voyez ces poteaux?

Leahy avait remarqué, sans y prêter attention, les pylônes plantés dans les champs et dont les câbles couraient parallèlement à la route.

— Les câbles viennent de la centrale et vont jusqu'à Lévis. Si vous les touchez, vous êtes mort. C'est pour cela qu'il faut les placer assez haut.

— Mais une fois à Lévis, il faut bien les baisser...

— Bien entendu. On les ramène alors à un voltage moins dangereux, avec des transformateurs. Ici, ils ont plusieurs milliers de volts!

— Quel intérêt?

— Ça permet de diminuer le courant électrique, sinon ils chaufferaient énormément. Ce serait de l'énergie perdue pour rien!

Après un moment, Routhier reprit :

— Vous avez entendu parler de la centrale de la rivière Shawinigan ?

— Qui n'en a pas entendu parler ! Elle alimente toute la ville de Trois-Rivières…

— En effet… C'est une aventure qui nous a laissé un goût amer. Nous étions un petit groupe qui avait compris le potentiel des chutes qu'il y a là-bas. Nous avions réussi à convaincre deux hommes d'affaires de la ville. Uldéric Carignan et Navégius Mailhot, vous connaissez ?

— Pas vraiment, fit Leahy, tout en pensant que les Trifluviens avaient parfois de drôles de prénoms. Comment s'appelait donc le député de la ville ? Télesphore. Télesphore-Eusèbe.

— Ils ont fondé une compagnie et demandé au gouvernement l'octroi d'une concession. Tout allait à merveille, et nous étions absolument certains d'obtenir les droits d'exploitation des chutes.

— Qu'est-ce qui n'a pas marché ?

— Le gouvernement a changé les règles. Il a exigé beaucoup plus d'argent, et aussi des garanties que nous n'étions pas préparés à offrir. C'est une autre compagnie qui l'a emporté… Elle a fait du bon travail, je ne dis pas le contraire, mais du jour au lendemain nous nous sommes retrouvés sans rien. Tous les efforts que nous y avions mis ont été inutiles. Nos espoirs se sont évanouis, et chacun est parti de son côté chercher de quoi vivre.

— Vous êtes ingénieur, vous n'avez pas dû avoir de difficulté !

— C'est vrai. J'ai troqué la Shawinigan pour la Chaudière… Pour d'autres, c'était moins évident. André Fournier, par exemple, n'a pas de formation technique, mais

il apprend vite, il a la tête sur les épaules, il est excellent en relations publiques, et il a de la plume. Il nous servait à la fois de secrétaire, de négociateur, de trait d'union avec les patrons, il rédigeait nos rapports, il était précieux! Et puis, d'un coup, il s'est retrouvé sans rien. Il ne s'en est jamais remis.

— Ça remonte à quand?

— Un an. Un peu plus.

Un an… Il y avait un an, Leahy était promu sergent et Fournier, lui, perdait son travail. La vie est drôlement faite.

— C'est donc là qu'il s'est fait journaliste… C'est facile d'être journaliste?

— Oui et non. Facile d'être engagé: les journaux en ont besoin. Mais pas facile d'en faire une carrière. Les salaires sont misérables et beaucoup font ça faute de mieux, en attendant autre chose.

— Ça ressemble à ce qui se passe dans la police…

— Je l'avais entendu dire. C'est donc vrai? Toujours est-il que, dans la situation où il se trouve, André ne peut même pas envisager de se marier, et donc il se refuse à toute relation sérieuse.

Cela venait confirmer ce que Rioux lui avait appris la veille. Il n'était pas question d'en parler, évidemment. À moins que…

— Il a donc des relations… moins sérieuses?

L'ingénieur tourna brièvement la tête vers Leahy avant de reporter son attention sur la route.

— Il est seul à pouvoir répondre à cette question.

— Il s'entendait bien avec Arthur Laflamme?

— Laflamme lui a ouvert les portes du *Soleil* et l'a pris sous sa protection. André savait ce qu'il lui devait,

mais il aurait voulu être plus autonome. Laflamme l'utilisait surtout comme une source de renseignements. Il ne lui laissait pas prendre d'initiatives.

— Et Pacaud?

— Pacaud l'a toujours employé à des tâches secondaires. Il n'osait pas le soustraire à l'autorité de Laflamme.

— Il a essayé de s'expliquer?

— Plusieurs fois. Laflamme suivait son idée et n'écoutait personne. Pacaud de son côté pestait contre Laflamme, mais il ne jurait que par lui. Je vous répète ce que m'en a dit André.

— La mort de Laflamme va lui ouvrir de nouvelles perspectives.

— En quel sens?

— Il y a un vide qui s'est créé, au *Soleil*, et Fournier peut espérer le combler. Faire une vraie carrière.

— Vous n'y pensez pas! André n'a aucune intention de passer sa vie dans un journal. Tout ce qu'il espère, c'est ce contrat avec l'Archevêché. Quand ce sera fait, M. Chanteloup lui a promis de l'engager dans sa compagnie. Avant, à Trois-Rivières, il aimait rire, il parlait de l'avenir, des enfants qu'il aurait, de la grande maison où il allait vivre…

— Et maintenant, il est triste, nerveux, inquiet, oui, j'ai remarqué.

— Les choses ont paru changer lorsque M. Chanteloup lui a fait cette promesse. Il semblait avoir retrouvé son optimisme. Il se voyait travaillant de nouveau avec moi, il me demandait si l'atmosphère était agréable, si j'étais heureux…

— Il a donc lui aussi un intérêt matériel dans l'affaire… Je l'ignorais.

– Comme nous tous, sergent, comme nous tous! Contrairement à Laflamme, André ne se bat pas pour des idées. C'est un esprit pratique. Vivre d'abord, philosopher ensuite, comme disait mon père en latin. Et pour l'instant, il vit mal! Il m'est arrivé de craindre le pire.

– Le pire?

– J'avais peur qu'il ne fasse une bêtise, certains jours où je le voyais très abattu. Peur qu'il ne se punisse lui-même de son échec.

– Le meurtre de son collègue l'a fortement démoralisé, c'est évident.

– C'est un coup fatal. Il n'est plus lui-même… Mais avant cela, déjà, son humeur était redevenue instable. Il avait des périodes joyeuses et puis, brusquement, il avait l'impression que les négociations ne menaient à rien, et il s'enfermait de nouveau dans un pessimisme profond. Il s'emportait sans raison quand je lui parlais de mon travail ou du sien. À présent, il n'a même plus de périodes joyeuses! Je suis inquiet…

Ils se turent. Le soleil brillait, le vent était vivifiant. Leahy regardait défiler les arbres, les champs, les maisons au bord de la route, les fermes plantées en retrait, près des cultures et des pâturages. Quelques vaches broutaient, d'autres ruminaient paisiblement, allongées dans l'herbe. Cette promenade l'enchantait et les malheurs de Fournier lui paraissaient bien éloignés.

– Que lui répondiez-vous quand il vous posait la question? Êtes-vous heureux?

Les yeux fixés sur la route, Routhier ne sembla pas avoir entendu.

– Nous y sommes presque!

﹡❧❡﹡

Ils abordaient une courbe et le paysage soudain dégagé étalait à leurs yeux, assez loin sur la gauche, les eaux de la rivière dont le cours semblait brutalement s'interrompre avant d'avoir pu rejoindre le fleuve. Mais Leahy n'apercevait rien des installations spectaculaires auxquelles il s'attendait.

– Où est la centrale?

– Patience!

Ils continuèrent à rouler, franchirent le pont qui surplombait le lit bas de la rivière, et quittèrent ensuite presque aussitôt la route en s'engageant dans un chemin déboisé qui les conduisit jusqu'au bord des chutes. La rivière à cet endroit était large, et son courant étonnamment calme. Puis, soudainement, elle disparaissait dans le vide. De l'endroit où il se tenait, Leahy ne pouvait pas voir les chutes, et n'entendait que leur grondement assourdi. Diverses constructions avaient été aménagées sur la rive. De l'une d'elles surgissaient les câbles qui, suspendus au-dessus de la rivière, rejoignaient la rive opposée avant de se diriger vers la ville. Un homme sortit, et Routhier lui confia le soin de s'occuper des batteries.

– Cela prendra une petite demi-heure, dit-il au détective. Le temps d'une visite rapide.

– Pourquoi avez-vous choisi ce côté de la rivière? s'étonna Leahy. Vous vous êtes éloignés de Lévis!

– Nous avons profité du relief. Vous ne le voyez pas d'ici, mais nous sommes sur une presqu'île séparée de la terre ferme par une crevasse étroite, idéale pour y installer une centrale. En choisissant cet endroit, nous avons évité des travaux longs et coûteux.

— La centrale se trouve donc…

— Au bas de la crevasse, évidemment. Vous allez comprendre, mais regardez d'abord la rivière. Voyez-vous le barrage ?

— Je ne vois rien !

— Vous avez raison, fit Routhier en souriant. Mais il existe effectivement un petit barrage qui traverse la rivière. On ne le voit pas parce qu'il est constamment débordé. Il sert à élever le niveau de l'eau. C'est pour cette raison que la rivière semble si large ici.

— Quel intérêt ?

— Grâce à lui, nous sommes sûrs – enfin, raisonnablement sûrs – que nous aurons toujours suffisamment d'eau à cet endroit, même en cas de sécheresse passagère. Voyez-vous, pour alimenter une centrale, il faut beaucoup d'eau. Nous avons creusé un canal de dérivation qui dévie une partie du courant vers la crevasse. Si cette eau venait à manquer, la centrale serait en panne… Venez voir la crevasse, maintenant.

Ils tournèrent le dos aux chutes, s'engagèrent dans un sentier et se retrouvèrent assez vite au sommet d'un ravin. Deux conduits cylindriques, de plusieurs pieds de diamètre, émergeaient du sol et s'inclinaient abruptement pour se diriger jusqu'au bâtiment de la centrale qu'on devinait tout en bas.

— C'est par ici que passe l'eau qui a été déviée. Vous voyez cette installation, au-dessus des conduits ? C'est une vanne. Elle permet de régler le débit, selon le besoin.

Un petit escalier appuyé à la paroi rocheuse permit aux deux hommes d'accéder à la centrale. Celle-ci ressemblait à un immense hangar où étaient logées des turbines aux dimensions impressionnantes, et il y régnait un

vacarme assourdissant. Routhier expliqua en criant que l'eau, qui passait en trombe sous le bâtiment au terme de sa chute, faisait tourner des roues à aubes couplées aux turbines. L'électricité était produite par la rotation des turbines, selon une technique désormais classique : « Si vous donnez de l'électricité à un moteur, le moteur tourne. Si, à l'inverse, vous obligez un moteur à tourner – grâce à une chute d'eau, par exemple – le moteur devient une génératrice et fournit de l'électricité. C'est aussi simple que ça ! » Il fallait hurler pour couvrir le bruit conjugué de l'eau, des roues à aubes et des génératrices. Ils remontèrent.

– C'est cela qui est merveilleux, reprit Routhier quand ils se retrouvèrent près de la vanne. Une fois l'installation terminée, le reste est gratuit : l'énergie est offerte par la nature ! C'est elle qui fait tout le travail…

Le détective était perplexe. C'était donc ça, une centrale ? Quelques machines que l'eau fait tourner ?

– C'est une installation modeste pour le moment, poursuivit l'ingénieur. Bien plus petite que celle de la Shawinigan. Si tout va bien, elle va se développer. Nous pourrons desservir un territoire de plus en plus étendu. L'avenir est très prometteur !

– Et ça rapporte ?

– Beaucoup. Comme je vous l'ai dit, une fois que ça marche, ça marche tout seul, ou presque. Il faut surveiller, bien entendu. Entretenir, intervenir lorsqu'il y a une panne, réparer lorsqu'il y a un bris. Ça arrive. Mais sinon, nos efforts portent surtout sur le développement, sur l'expansion de l'entreprise.

– Vous avez bon espoir, avec l'Archevêché ?

– Difficile à dire. On devrait le savoir dans quelques jours.

– La campagne d'Arthur Laflamme, vous avez l'impression qu'elle était efficace?

– Je ne sais pas. Elle a dérouté nos concurrents, c'est certain.

– Vous pensez qu'ils sont responsables de son assassinat?

Routhier cessa un instant de sourire.

– C'est vous qui devriez me dire ça! Mais je ne serais pas surpris que nos interlocuteurs, Mgr Bégin et les autres, se posent la même question.

– Elzéar Berthelot me semble pourtant bien respectable pour un criminel.

– Certainement. Lorsque nous nous croisons, ce qui est rare puisqu'en général nous n'allons pas le même jour à l'Archevêché, nous échangeons un bref salut et c'est tout. Mais je ne sais pas comment j'aurais réagi moi-même, devant les attaques de Laflamme. Après tout, peut-être que le meurtre n'a rien à voir avec tout ça! Vous devez en savoir bien plus que moi.

Leahy ne répondit pas. Il n'était pas sûr d'en savoir autant que semblait le croire l'ingénieur.

❧

La voiture était prête et ils prirent le chemin du retour. Les premières minutes se passèrent en silence, puis Leahy revint à son sujet.

– J'aimerais savoir quelles étaient vos relations avec Arthur Laflamme.

La question ne surprit pas Routhier.

– À peu près nulles. Pas de contacts directs. André nous a présentés, il y a quelques mois, je savais donc qui il était, il savait qui j'étais, c'est tout.

– Mais Fournier lui rapportait probablement vos conversations. Vous n'aviez pas d'objection à ce qu'il les lui répète, sachant l'usage que Laflamme en faisait?

– Vous avez sûrement lu ses articles, vous savez ce qu'il y disait. Ça n'avait rien à voir avec ce que je pouvais raconter à André. Je lui donnais parfois quelques détails techniques, parfois mes impressions, bonnes ou mauvaises, sur le déroulement des négociations. Les interventions de Laflamme étaient d'un autre ordre! Je n'ai jamais commis d'indiscrétion, si c'est le sens de votre question.

– Ce que Laflamme apprenait, il le tenait donc de Fournier, et de lui seul?

– Sauf peut-être en ce qui concernait mon impression générale, qu'il pouvait interpréter à sa guise.

– Dans ce cas, qui pouvait renseigner Fournier? Sur les cadeaux faits par vos concurrents, par exemple?

– C'est un fin renard. Il observe, il écoute, il sait faire parler. Les gens ne se méfient pas forcément... Laflamme faisait le reste. Il comblait les vides. Ses articles nous surprenaient toujours. Nous nous demandions où il allait chercher tout ça.

– Vous n'avez jamais trouvé qu'il en faisait trop? Ses amis le pensaient.

Routhier ne répondit pas immédiatement.

– Si, parfois. C'est vrai. J'étais mal à l'aise, lorsque j'arrivais le jeudi aux négociations après avoir lu certains articles...

– Son meurtre ne vous a donc pas étonné?

– Il m'a fortement secoué. Je ne crois pas que j'aurais pu tuer moi-même, dans des circonstances analogues, mais je suppose qu'il y a des situations où on perd la

notion du bien et du mal, où on est prêt à n'importe quoi pour s'en sortir…

— Vous avez essayé de le mettre en garde?

— Je n'aurais jamais pensé qu'on pourrait en arriver là! J'ai quand même demandé à André de lui conseiller plus de modération.

— Ernest Pacaud lui a fait la même demande. Il paraît que Laflamme a réagi en riant.

— Oui, André me l'a raconté…

À quoi tient une destinée? pensa Leahy. À un conseil que l'on suit ou que l'on ne suit pas…

— Si Laflamme avait accepté d'écouter vos mises en garde, il serait encore vivant.

— Je le crois.

— Les révélations qu'il avait annoncées, c'était quoi?

— Aucune idée.

Une dernière question brûlait les lèvres du détective. Depuis le début de leur rencontre, il avait guetté l'occasion de la poser sans qu'elle paraisse brutale, mais il fallait bien oser, tôt ou tard.

— Le dimanche où Laflamme a été tué…

Routhier se mit à rire.

— Je me demandais à quel moment vous alliez enfin vous décider! J'étais dans le train, sergent. Je revenais de Trois-Rivières. Ma fiancée peut vous le confirmer.

Le reste du voyage se passa dans un silence parfois interrompu par un échange anodin sur le paysage ou sur l'avenir de l'automobile. La traversée du fleuve, de Lévis à Québec, n'apporta rien de nouveau. Leahy surprit un moment le regard de Routhier tourné vers la chute de Montmorency qu'on apercevait plus loin, vers l'est, et

devina qu'il pensait à l'autre centrale qui se trouvait là-bas, en train de tourner pour ses concurrents. Une fois à terre, l'ingénieur héla un fiacre et déposa son compagnon devant l'Hôtel de Ville.

– Oui, dit-il pendant qu'ils se séparaient sur une poignée de main. Je suis heureux.

Ce que Routhier lui avait appris était important, pensait Leahy en se préparant quelques sandwiches dans sa cuisine. Fournier avait tout intérêt à ce que le contrat soit remporté par l'entreprise d'Ernest Chanteloup. Son travail de journaliste, il le voyait donc uniquement comme un pis-aller, en attendant d'obtenir ce qu'il désirait par-dessus tout : retrouver à Lévis ce qu'il avait connu à Trois-Rivières. Des fonctions où il pourrait enfin redonner le meilleur de lui-même, où ses capacités seraient reconnues et appréciées par une équipe dynamique, dans une atmosphère de camaraderie, en compagnie d'un ami véritable. Le projet de la rivière Shawinigan lui avait laissé le goût amer de l'échec et la blessure de ses fiançailles rompues. Il désirait oublier l'amertume, refermer définitivement la blessure, regagner le bonheur perdu.

Mais pouvait-on vraiment vivre dans ces conditions, l'esprit ailleurs, constamment insatisfait, en cherchant l'oubli dans des amours de passage, en espérant un avenir sur lequel on n'avait aucune prise ? Fournier était jeune, il avait du talent. Laflamme l'avait compris et l'avait pris sous son aile, et maintenant, même si Laflamme avait disparu, Pacaud avait l'air content de lui. Il avait fait sa place au *Soleil*. Pourquoi, alors, poursuivre ce qui risquait

de n'être qu'une chimère? L'avenir ne ressemble jamais au passé.

— Je suis devenu bien timoré, se reprocha Leahy en mangeant distraitement. Si tout le monde raisonnait comme moi, il n'y aurait jamais de progrès, on reviendrait à une société figée. C'est Fournier qui a raison. La perte de son collègue a dû être un choc très rude.

D'autant plus, se dit le policier, que personne n'avait repris ni ne s'apprêtait à reprendre, selon toute apparence, le rôle de justicier qu'Arthur Laflamme avait assumé dans ses articles. La pression qu'il exerçait sur ses adversaires avait disparu avec lui. Le camp de Berthelot devait respirer plus librement, maintenant. Il était vraiment curieux de remarquer le détachement que tous affectaient, de quelque côté qu'ils soient. À les croire, le journaliste vivant ne les avait jamais vraiment inquiétés. Agacés, tout au plus, et son meurtre ne représentait une libération pour personne. Un soulagement, à la rigueur. En somme, il n'y avait jamais eu de raison sérieuse de le tuer.

Leahy se rappela Fournier, à l'écart dans le salon du *Soleil* après l'enterrement, maussade, désabusé. « Il y a des choses plus importantes que de parler politique », avait-il lancé. Il devait se sentir bien déçu, en effet, de voir son protecteur s'enfoncer dans l'oubli au milieu de l'indifférence générale.

D'un autre côté, Leahy devait-il croire à tout ce que lui avait dit Routhier? Le portrait qu'il avait fait de son ami semblait confirmé par ce que le détective lui-même avait observé. Mais l'alibi du train? Probablement impossible à vérifier. Si Routhier avait dit vrai, la fiancée confirmerait la vérité, et s'il avait menti elle confirmerait le mensonge...

Il regarda par la fenêtre. Le soleil était couché, il était plus de sept heures. Il finit de manger, cira ses chaussures, ôta ses vêtements pour enfiler son uniforme, ajusta sa casquette, n'oublia pas de mettre son pardessus des dimanches, et sortit. Il y avait eu, la veille, dans les confidences du Dr Chassé, quelques éléments dignes du plus haut intérêt. L'un d'entre eux devait l'occuper le soir même.

Mardi 4 octobre 1898

22

Leahy passe gratuitement une soirée divertissante et instructive

C'est quand même original, se disait Leahy dans l'Électrique qui se dirigeait vers la basse ville par la pente douce de la rue Saint-Charles. D'ordinaire, si un détective s'habille en civil, c'est pour passer inaperçu ; or je fais, moi, exactement l'inverse : je mets mon uniforme pour ne pas me faire remarquer !

Il n'avait pas d'idée claire de ce qui l'attendait et s'en remettait à l'inspiration qui ne l'avait pas si mal servi depuis quelques jours. Il descendit au coin de la rue de la Couronne. Là, brusquement, la relative tranquillité des artères qu'il avait traversées – il était presque huit heures, les grands magasins étaient fermés depuis longtemps – faisait place à une agitation bourdonnante. Un flot de lumière électrique inondait la chaussée, éclairant la foule qui se pressait aux abords du théâtre de la Gaieté. Un constable se promenait discrètement à l'écart, prêt à intervenir en cas de désordre. Des fiacres arrivaient de partout et s'arrêtaient où ils pouvaient. Les messieurs en sortaient les premiers pour aider ensuite les dames à descendre, leur offrant galamment le bras. On se saluait, on

se présentait, on attendait les amis qui devaient arriver, on profitait un moment de la douceur de la soirée avant le début du spectacle. En un mot, on se montrait.

Le théâtre proprement dit se trouvait à l'étage supérieur de l'édifice qui abritait le marché Jacques-Cartier. Ce dernier occupait, au rez-de-chaussée, une immense halle qui s'étendait de la rue Saint-Joseph à la rue Saint-François. La salle de spectacle aménagée au-dessus avait donc hérité des mêmes dimensions spacieuses, et pouvait, disait-on, accueillir deux mille spectateurs. Rue Saint-Joseph, tout près de la porte d'entrée, un panneau fixé au mur annonçait *La Mascotte*, opérette en trois actes d'Edmond Audran.

Un peu plus loin, dans la pénombre, appuyé aux grilles fermées du marché obscur, Leahy observait l'animation. Les hommes, il fallait s'y attendre, portaient presque tous la même tenue : souliers vernis, pardessus et complet noirs, veste au revers de soie noire, canne et haut-de-forme, gants blancs, chemise de soie blanche avec boutons de manchette, faux col et cravate, sans oublier l'épingle de cravate assortie aux boutons de manchette... Il n'aurait jamais pu s'offrir une telle panoplie, et nota avec soulagement la présence de quelques officiers militaires. Il avait bien fait de mettre son uniforme : s'il était obligé de se montrer, la vue d'une casquette et de quelques boutons dorés ne devraient pas trop attirer l'attention.

Mais c'était surtout les dames que les hommes regardaient, et les dames regardaient les autres dames... Et là, que de variété, que de raffinement, que d'élégance dans ces petits chapeaux fleuris ou décorés de rubans savamment noués, dans ces amples manteaux de fine laine qui,

entrouverts, permettaient d'admirer le satin, le taffetas, le brocart ou le velours des robes, dans ces corsages cintrés qui montaient jusqu'au cou en l'enserrant gracieusement de soie ou de crêpe, dans ces ceintures joliment découpées qui mettaient subtilement la taille en valeur, dans ces jupes chatoyantes dont les ondulations descendaient aux chevilles, laissant à peine dépasser la pointe des bottines. Et que de couleurs, que de nuances! Le noir y côtoyait l'anthracite, le blanc voisinait avec le beige, l'ocre avec le brun, le bleu avec le violet, le rose avec le bourgogne... C'était, dans un îlot de lumière au milieu d'une ville déjà presque endormie, la féerie de la fête, un espace magique de vie insouciante.

C'était forcément ici que le Dr Chassé devait venir avec Berthelot et son hôte montréalais. Lorsque Leahy, la veille, avait entendu le médecin parler d'une opérette, il avait cherché l'annonce du spectacle dans le journal: il n'y en avait pas d'autre. Québec ne possédait pas de troupe permanente; elle accueillait de temps en temps une compagnie étrangère, française ou américaine, qui faisait une tournée dans les grandes villes du pays et s'arrêtait quelques jours dans la vieille cité. Et la bonne société, friande de distractions, accourait pour applaudir ces artistes venus d'ailleurs.

Le visiteur de Montréal était un administrateur, avait dit le médecin. Donc, nécessairement, l'un des dirigeants de la Montmorency Electric Power. Leahy aurait bien aimé connaître au moins son nom. Pourquoi venait-il rencontrer personnellement, à Québec, le négociateur de la société? Pour donner de nouvelles directives à Berthelot? Ce n'était pas la manière de procéder habituelle. Berthelot, de ses propres dires, recevait normalement ses

instructions d'un monsieur Sharples qui vivait à Sillery, une banlieue huppée des environs. Si les gens de Montréal préféraient s'adresser à Berthelot sans passer par Sharples, ils pouvaient se servir du téléphone, du télégraphe, ou tout simplement du courrier. Qu'est-ce qui justifiait donc un tel déplacement, sinon le meurtre d'Arthur Laflamme? Cette soirée au théâtre représentait, pour Leahy, une occasion tout indiquée de découvrir la qualité des relations entre Berthelot et le siège de sa société. Si les deux hommes avaient des confidences à se faire, ils attendraient vraisemblablement les entractes pour se parler. Ils chercheraient à s'isoler, et Leahy tenterait d'en profiter. L'espoir était mince de pouvoir les écouter sans se faire voir, et le détective ne se faisait pas beaucoup d'illusions, mais qui ne risque rien n'a rien et on verrait cela le moment venu. Pour l'instant, ni Berthelot ni les autres n'étaient là. Étaient-ils arrivés avant lui et déjà montés?

— Je peux vous aider, sergent?

Leahy sursauta. Il n'avait pas vu venir le constable. Il se présenta rapidement, expliqua qu'il était en mission et qu'on ne devait sous aucun prétexte l'aborder au cours de la soirée.

— Ah! Sergent Leahy. Il s'agit de ce meurtre au *Soleil*, n'est-ce pas?

— Mais comment...

— Constable Ménard, monsieur. On est du même poste, Joseph Rioux et moi. Il vient souvent nous voir.

Leahy l'observa. Il était nettement plus âgé que Rioux, les joues ridées, la moustache presque blanche, mais il se tenait droit, sa voix était ferme, et l'air contrarié du détective ne semblait pas l'impressionner outre mesure.

– Si vous avez besoin de moi, n'hésitez pas, monsieur. Je suis là.

Il esquissa un salut et poursuivit sa ronde. Leahy chassa l'incident de son esprit et reporta son attention sur le théâtre. L'heure du spectacle approchait et la place commençait à se vider. Quelques fiacres continuaient à arriver par la rue de la Couronne, et leurs occupants se hâtaient vers le théâtre pour ne pas être en retard. Un gros monsieur sortit de l'une des voitures et donna le bras à une petite dame qui descendit précautionneusement. Aussitôt après, un autre homme, en qui le détective crut reconnaître le Dr Chassé, émergea à son tour et donna la main à une jeune personne que Leahy, dans un tressaillement, reconnut immédiatement. Elle descendit prestement et se retourna pour aider Berthelot à sortir enfin.

Lucille Berthelot était là! Il aurait dû le prévoir. Son père ne l'aurait jamais laissée seule pour aller au spectacle… Il en était à la fois contrarié et heureux. Contrarié, parce qu'elle ne lâcherait sûrement pas Berthelot d'une semelle et que lui, Leahy, ne pourrait pas s'en approcher sans risquer de se faire prendre. Et heureux? Pourquoi heureux? Il haussa les épaules. Parce qu'il était sot, voilà tout.

Une voix forte, déplaisante, résonna dans la rue déserte.

– Ça va commencer. Dépêchons!

Le gros monsieur faisait l'important. Leahy regarda le petit groupe s'approcher de la porte du théâtre et se colla un peu plus à la grille. Le Dr Chassé marchait devant, aux côtés de la petite dame – Mme Chassé, sans doute –, les autres suivaient. L'administrateur s'était placé d'autorité entre le père et la fille. Ignorant totalement Lucille, qui s'était ostensiblement écartée de lui, il s'adressait à

Berthelot en frappant fréquemment le sol de sa canne. Le détective n'entendait pas ce qu'il disait, mais Berthelot avait l'air soucieux. Mme Chassé se tourna vers Lucille en lui tendant la main. Celle-ci fit trois pas rapides et rejoignit le couple.

Leahy la voyait mieux, à présent. Elle était belle, comme toujours. Comme dimanche dernier, au Château ; comme samedi, lorsqu'elle lui avait ouvert la porte et qu'il l'avait vue pour la première fois. Dans sa longue robe de satin bleu et sa cape de velours gris perle, elle était la fée que tout le monde attendait pour que la joie soit complète. Pourtant, elle ne souriait pas. Le visage à moitié tourné, elle semblait écouter derrière elle. Ils pénétrèrent dans l'édifice.

Il ne restait plus à Leahy qu'à tuer le temps jusqu'à l'entracte. Il n'y avait plus personne, maintenant, rue de la Couronne, à part quelques fiacres qui s'étaient postés en file pour attendre l'heure de la sortie.

– Vous n'entrez pas, monsieur ?

C'était la voix du constable Ménard. Il n'y avait donc pas moyen de lui échapper ? Le détective quitta la grille et l'aperçut sur le trottoir, à sa droite, à plusieurs pas de lui, regardant ailleurs, comme s'il parlait tout seul : il respectait la consigne…

– Vous serez mieux dedans. C'est assez long, comme spectacle !

Cet homme était vraiment plein d'attentions.

– Je n'avais pas l'intention d'entrer. Je n'ai pas de billet, de toute façon.

– Mais ce n'est pas nécessaire, monsieur. Pas pour vous ! Vous leur dites que vous êtes en mission, et c'est tout.

Leahy n'avait pas pensé à ça.

— Vous croyez ? Vous en parlez comme si c'était une pratique courante !

Le vieux policier se tourna vers lui. Ses yeux souriaient :

— C'est ce que Rioux aime en vous, votre fraîcheur d'âme...

— Je peux faire ça ? Vous en êtes sûr ?

— Certain. Venez, je vous accompagne, ça fera plus sérieux. Pardon, monsieur. Je voulais dire...

— J'ai compris, ne vous inquiétez pas. Je vous suis.

⁂

Trois minutes plus tard, Leahy était assis tout au fond du théâtre, à l'extrémité de l'une des dernières rangées, dans l'un de ces sièges dont personne ne veut parce qu'on y voit mal. Cela lui convenait fort bien. Avant de s'asseoir, il avait repéré le Dr Chassé et les autres, installés plus au centre, vers le tiers de la salle. Lorsqu'il était entré, on avait déjà commencé à jouer l'ouverture, et son rythme alerte promettait une suite joyeuse. Mais alors que, les yeux fixés sur la scène, tous les spectateurs attendaient le lever du rideau, l'administrateur était occupé à chuchoter à l'oreille de Berthelot, qui manifestait son désaccord en secouant la tête. Lucille, placée près de son père, se tenait toute raide, sans toucher au dossier de son siège, et faisait mine de s'intéresser au plafond. Mme Chassé s'était penchée vers elle et avait posé la main sur son épaule. Le médecin s'épongeait le front et paraissait nerveux. Que se passe-t-il donc, se demanda Leahy.

Mais les lumières de la salle faiblirent, et le rideau se leva sur un décor champêtre. Il n'y avait plus rien à faire, jusqu'au premier entracte, qu'à suivre le déroulement de l'histoire en se laissant porter par la musique et par le chant. Leahy décida sagement de ne pas bouder son plaisir.

La vendange est terminée,
Buvons tous à petits coups,
Buvons le vin de l'année,
Si bon, si frais et si doux!

Dans la principauté de Piombino, les paysans sont heureux. Excepté Rocco, un fermier sur lequel s'acharne la guigne. Sa ferme a brûlé, ses moutons sont malades, il n'a plus rien à se mettre. Son frère Antonio, à qui tout réussit, accepte de l'aider et lui envoie Bettina... sa gardeuse de dindons. Une bouche de plus à nourrir? Mais on apprend que Bettina est une mascotte: elle porte bonheur là où elle demeure, pourvu qu'elle reste vierge. Les affaires de Rocco redeviennent prospères, et Pippo, le berger, est au comble de la félicité car son amour pour Bettina est payé de retour. Les deux chastes tourtereaux se chantent leur passion:

– J'aime bien mes dindons,
– J'aime bien mes moutons,
– Quand ils font leurs doux glou, glou, glou...
– Quand chacun d'eux fait bêêê...
– Mais j't'aime mieux qu'mes dindons
– J't'aime mieux qu'mes moutons...
...

— Si tu t'approches de moi soudain
Je tremble comme une petite poule.
— Quand ma main rencontre ta main,
Crac! C'est fini, je perds la boule...

Le duo fut applaudi à tout rompre. Ces deux-là vont sûrement se marier, ou je ne m'appelle plus Francis! se dit Leahy en se levant pour tenter de voir si Berthelot et Lucille partageaient l'enthousiasme collectif, mais il faisait trop sombre et il était trop loin. Il se rassit. Pourquoi Lucille était-elle toujours seule avec son père? Il ne l'avait vue que trois fois, mais jamais il n'avait été question de fiancé ni de prétendant. S'il avait existé, il aurait sûrement été là, à côté d'elle...

Sur scène, les choses se sont gâtées. Au cours d'une expédition de chasse, Laurent XVII, prince de Piombino, a décidé de faire halte chez Rocco en compagnie de Fiametta, sa fille, et du prince Fritellini, le fiancé de Fiametta. Et tout se complique, car Laurent XVII est depuis toujours poursuivi par la malchance: il perd toutes ses batailles et revient bredouille de ses chasses. Chez Rocco, il choisit pour s'asseoir la seule chaise bancale, et il tombe tête première dans la barrique de vin qu'il veut humer... Pis encore, Fiametta est séduite par les muscles du berger Pippo, et Fritellini est évidemment furieux. Or, ce dernier est justement le fils du roi voisin, ennemi traditionnel du pauvre Laurent XVII qui espérait bien obtenir la paix grâce au mariage de leurs enfants. Le hasard ayant permis à Laurent de découvrir à son tour que Bettina est une mascotte, il la nomme sur-le-champ comtesse de Panada et lui ordonne de venir vivre dans son palais. Les adieux de Pippo et Bettina sont déchirants, et Rocco est très, très embêté.

C'était l'entracte. On se levait un peu partout dans la salle. Berthelot, debout, se préparait à sortir en compagnie de son visiteur. Penché vers Lucille, une main sur la joue de la jeune fille, il semblait lui dire de l'attendre sans s'inquiéter. Leahy se hâta de rejoindre le foyer du théâtre, cherchant des yeux un endroit discret où les deux hommes voudraient sans doute se retrouver seuls. La foule qui émergeait menaçait cependant d'envahir les moindres recoins : il ne restait que la rue.

⁂

Lorsque Berthelot et le gros monsieur débouchèrent sur le trottoir, ils commencèrent par se diriger vers la rue de la Couronne, toujours bien éclairée. Mais le monsieur se ravisa et entraîna son compagnon dans la direction opposée, vers l'entrée sombre du marché. L'endroit semblait désert. Ils s'arrêtèrent.

— Nous serons bien ici. Finissons-en, voulez-vous ? dit Berthelot.

— Pas tout de suite. Regardez…

On devinait, couchée dans l'obscurité, blottie contre la grille, une forme entièrement enveloppée d'un gros paletot qu'elle tenait bien serré.

— C'est un robineux, fit Berthelot. Il dort. Nous n'avons pas peur d'un pauvre homme qui dort ?

Le monsieur hésitait.

— Il y a un problème ?

Un constable à la moustache blanche venait d'apparaître, sorti de nulle part.

— Il y a ça, fit le monsieur.

— Ça ? Ah, ça…

Le constable se baissa vers la forme recroquevillée, souleva légèrement le manteau, puis se redressa en haussant les épaules.

— Je le connais, c'est un habitué. Inoffensif. Trop de bière. Je pourrais lui crier dans l'oreille, il ne se réveillerait pas...

— Merci, constable, tout va bien, dit Berthelot.

— À votre disposition. Je ne suis jamais très loin.

Le policier s'éloigna.

— Comprenez-moi, dit l'administrateur. La situation est délicate.

— Et vous, vous ne comprenez donc pas qu'en me renvoyant vous risquez d'aggraver la situation?

— Nous ne vous renvoyons pas, je vous l'ai dit. Vous continuerez à recevoir vos honoraires habituels, et dès que tout sera réglé nous vous réintégrons.

— En attendant, tout le monde saura que vous me soupçonnez! Vous ruinez ma réput...

Un tramway passa dans un bruit de ferraille. Les deux hommes attendirent que le silence revienne.

— Mais nous ne vous soupçonnons pas, mon cher ami! Par contre, d'autres vous soupçonnent, à commencer par la police, et sans doute aussi du côté des clients...

— Certainement pas! Ils me connaissent.

— ... et les journaux risquent de vous mettre en cause, un jour ou l'autre. C'est un risque que nous ne voulons pas courir.

— Vous appelez probablement ça de la bonne gestion. Moi, j'appelle ça de la lâcheté! Je vous le redis: en croyant tout gagner, vous risquez de tout perdre.

— C'est une menace?

— Cessez de dire des sottises! Je connais le dossier mieux que personne, je sais comment ça marche, et je prévois la réaction de… nos clients, comme vous dites.

— Très bien. Je vais rapporter notre conversation à Montréal. Vous connaîtrez notre décision bientôt. Bonsoir, cher ami.

— Bonsoir, monsieur.

Le gros monsieur retourna vers la rue de la Couronne et prit un fiacre. Berthelot le regarda partir, puis s'éloigna lentement dans la direction opposée. Lorsqu'il revint sur ses pas, cinq minutes plus tard, il ne remarqua pas que le clochard avait disparu.

Leahy avait fait vite. Il s'était relevé, avait remis un peu d'ordre dans sa tenue, et remontait rapidement l'escalier du théâtre lorsqu'il s'arrêta net à la dernière marche. Pourquoi était-il revenu? Il n'avait plus de raison de se trouver ici, puisque le Montréalais était reparti. Sa présence était désormais inutile, et surtout imprudente. Il ne pouvait cependant pas faire marche arrière sans risquer de croiser Berthelot. Il pénétra dans le foyer avec l'intention de se fondre dans la foule, mais quelqu'un barrait le passage. Lucille se tenait là, devant lui.

— Quelle bonne surprise, sergent! Je suis sûre que vous êtes là par hasard!

Elle avait essayé de prendre un ton sarcastique, mais sa voix blanche trahissait son anxiété et elle tremblait. Fortement secoué, lui aussi, le détective saisit vivement le bras de la jeune femme, sans réfléchir. L'heure n'était pas aux longues explications.

— Si vous aimez votre père, ne lui dites pas que j'étais là, il a assez de soucis comme ça! Il va avoir besoin de vous, vous me comprenez?

— Mais que faites-vous ici ? demanda-t-elle, au bord des larmes.

— Je fais mon métier, mademoiselle. Je cherche la vérité, quoi que vous en pensiez.

Elle le regardait, désemparée.

— Cet homme affreux…

— Il est parti. Vous ne le verrez plus. Je m'en vais, moi aussi. Vous me raconterez la fin ?

Il lui sourit.

— La fin ?

— Pippo et Bettina…

Elle réussit à sourire et hocha la tête tout en essayant de retenir ses sanglots. Elle lui paraissait soudainement si fragile… Un violent désir le saisit de l'entourer de ses bras, de la rassurer, de la consoler, mais il se détourna brusquement et traversa le foyer, le visage fermé. Il se dissimula où il put et quitta le théâtre à l'annonce du deuxième acte, sans chercher à savoir comment s'était passé le retour de Berthelot.

— Tout va comme vous voulez, monsieur ?

— Tout va, Ménard, tout va. Grâce à vous…

— À votre service, monsieur.

Une surprise l'attendait chez lui : sa porte était ouverte. Une nouvelle serrure ne serait vraiment pas un luxe, il faudrait qu'il en parle à son propriétaire. Sa chambre, heureusement, ne semblait pas avoir été cambriolée. Saisi d'un doute, il vérifia le contenu de ses tiroirs, ouvrit son armoire. Rien ne manquait, mais il eut l'impression que ses affaires n'étaient plus tout à fait à leur place, si tant est que ses affaires avaient une place…

23

Leahy médite encore, cette fois-ci sur les relations entre un père et sa fille, assisté par l'immense culture biblique du constable Rioux – Leahy et Moreau acceptent d'être introduits à la logique moderne

Moreau ne devait plus tarder. Rioux, assis dans le bureau de Leahy, était silencieux, attendant que Leahy lui adresse la parole. Le détective ne disait rien non plus, tournant et retournant dans son esprit une question qui le préoccupait depuis la veille. Il avait très vite soupçonné Berthelot, dès les débuts de son enquête. Surtout depuis qu'il avait su que le crucifix trouvé chez la victime lui appartenait. Mais que le propre camp de Berthelot paraisse le soupçonner également, voilà qui était inattendu. Le soupçonner au point de l'écarter des négociations, au risque d'un scandale? Car Berthelot avait raison: il serait évident pour tous que ses propres alliés voyaient en lui un meurtrier possible, et qui sait alors comment réagirait l'Archevêché? En suspendant par exemple tout dialogue avec la Montmorency Electric Power, avec les conséquences que cela pourrait entraîner, jusqu'à la perte irrémédiable du contrat…

L'échange qu'il avait surpris, près du théâtre, semblait indiquer que la décision n'était pas définitive.

L'émissaire venu de Montréal allait d'abord faire son rapport. Oui, mais en quoi son rapport pourrait-il modifier quoi que ce soit ? Leahy eut subitement la certitude d'avoir compris. On n'avait pas fait le voyage pour informer Berthelot de sa disgrâce, mais pour l'éprouver, observer ses réactions, écouter ses explications, noter ses arguments. On était venu, en un mot, pour le passer en jugement avant de rendre le verdict. Or, Leahy en avait été témoin, Berthelot n'avait pas cherché à se défendre : il avait, au contraire, attaqué. Il n'avait pas supplié qu'on croie à son innocence : il était resté digne, sans concession. Les gens de Montréal allaient sans doute l'acquitter au bénéfice du doute. Aux yeux du détective, c'était la seule attitude raisonnable. En ce moment même, l'émissaire devait être dans le train. Le lendemain, jeudi, il rencontrerait les autres hauts responsables de l'entreprise. Ils prendraient leur décision et la communiqueraient sans tarder à Berthelot, par téléphone ou par télégramme : les négociations avaient lieu le vendredi…

La visite de l'administrateur avait au moins démontré une chose, qui était importante. Si Berthelot était vraiment l'assassin, il n'avait pas agi sur des ordres venus « d'en haut ». Sinon, il aurait réagi autrement, et aurait sans doute menacé de dénoncer ses supérieurs. S'il était coupable, il était donc seul coupable. Son mobile, les dirigeants de la société l'avaient facilement deviné : il avait été la cible privilégiée des attaques d'Arthur Laflamme, et il avait eu toutes les raisons de le faire taire.

Il revit le visage en larmes de Lucille, au foyer du théâtre. Connaissait-elle la vérité ? Que savait-elle vraiment de son père ?

– Point numéro un, Rioux, suivez-moi bien. La victime a été droguée. Point numéro deux, mon suspect utilise la même drogue, tous les soirs, pour dormir. Point numéro trois, la victime ne se servait pas de cette drogue, elle n'en avait pas chez elle et ne s'en était jamais procuré. Conclusion?

– Vous voulez me faire dire, monsieur, que le suspect devient encore plus suspect.

– Vous êtes donc d'accord.

– Ce n'est pas sûr, monsieur. Si la drogue en question peut s'obtenir chez n'importe quel pharmacien, n'importe qui aurait pu s'en servir.

– C'est vrai, mais si on apprenait que mon suspect avait annoncé sa visite à la victime?

– Cela changerait tout, monsieur. En êtes-vous certain?

– Non, mais faisons comme si. Ce soir-là, il doit rendre visite à sa future victime. Que fait-il?

– Il ne prend pas son somnifère.

– Voilà.

– Et personne ne le voit sortir de chez lui? Il vit tout seul, votre suspect?

– Non, justement. Il vit avec sa fille, qui a le sommeil léger.

– Alors, ça ne marche pas.

– À moins que, Rioux…?

– À moins que… À moins que la fille ait pris un somnifère, elle aussi? Mais pourquoi justement ce soir-là?

– Parce que son père le lui a fait prendre sans qu'elle s'en aperçoive.

– Ça ressemble à ce que nous disions de Fournier et de son amie, avant-hier… Avec une grosse différence : la

fille de votre suspect connaît la drogue et ses effets. Si elle a dormi profondément cette nuit-là, elle doit penser que ce n'est pas normal, elle doit se douter de quelque chose! Ou alors, elle est sotte.

— Elle n'est pas sotte.

— Quel âge?

— Je ne sais pas. Entre vingt-deux et vingt-cinq ans...

— Aucune infirmité? Des faiblesses? Des trous de mémoire?

— Pas que je sache. Au contraire, c'est une force de la nature.

— Ah! Qui trouvera une femme forte? Elle est plus précieuse que toutes les perles.

— Pardon, Rioux?

— C'est dans la Bible, monsieur.

— Dans la Bible, oui... L'Ecclésiastique, je présume?

— Le livre des Proverbes, monsieur.

— Vous en connaissez, Rioux, des femmes fortes?

— Ma mère. Elle a tout porté sur ses épaules, y compris mon père.

— La mienne aussi a beaucoup porté. La jeune femme dont je vous parle, c'est son père qu'elle porte. En fait, chacun porte l'autre.

— Ou bien ils s'appuient l'un à l'autre, simplement.

— Non. Chacun me donne l'impression de vouloir protéger l'autre. Chacun se sent responsable de l'autre, comme si l'autre était sans défense.

— Cela s'appelle de l'amour, monsieur. C'est rare.

— Donc, d'après vous, elle sait que son père l'a endormie.

— Ce n'est qu'une hypothèse, monsieur.

— Cessez de parler comme Pennée! Laissons-nous aller. Nous avons bien le droit de réfléchir à voix haute.

— Je réfléchis, monsieur. La fille se doute de ce qui s'est passé. Elle devine que son père est un assassin. Elle ne dit rien, évidemment. Elle est donc complice du crime.

— Vous n'y allez pas par quatre chemins!

— J'ai réfléchi à voix haute, monsieur.

— Et si vous vouliez confirmer vos réflexions?

— Je lui demanderais si elle a bien dormi, cette nuit-là!

— Très drôle... Et le père? Il doit savoir que sa fille sait.

— Mais il est tranquille, elle ne le dénoncera pas.

— Non, mais c'en est fini de son innocence. Cette femme portera toute sa vie le poids de ce secret terrible.

— Il aurait dû y penser avant. C'est sa faute. S'il aimait vraiment sa fille, il n'aurait pas fait ça. Mais il y a l'autre côté...

— Quel autre côté?

— Celui de la victime, monsieur, le journaliste. Il apprend la visite de cet homme. C'est un ami?

— Pas du tout. C'est même un adversaire. On accepte parfois de se rencontrer, entre adversaires. Pour discuter en adultes.

— Je veux bien, mais c'est imprudent...

— Oui, mais on aime parfois prendre des risques, pour la beauté de la chose... À propos, Rioux, il paraît que vous appréciez ma fraîcheur d'âme?

Rioux resta muet un bon moment.

— Vous avez rencontré Ménard?

– Près du théâtre, hier soir. Un homme bien sympathique.

– C'est entendu. Sinon, ce ne serait pas mon ami!

⁂

Moreau entra sur ces entrefaites un petit paquet à la main, qu'il déposa sur le bureau.

– Je vous ai apporté des gâteaux, inspecteur.

– Des gâteaux? Mais…

– Je n'ai pas de gin. J'espère que vous trouverez quand même ma présence agréable!

Leahy eut un large sourire.

– Vous me prenez pour une Nuit d'Arabie, Alfred?

– Qu'est-ce que vous allez chercher! fit Moreau, hilare, en ouvrant le paquet.

Il y avait trois pâtisseries, des pâtes de chocolat fourrées à la crème, qu'il distribua. Rioux maugréa:

– C'est des enfantillages, ça!

– Dis merci au monsieur et mange. Alors, inspecteur, ça avance?

– Non, Alfred, répondit Leahy en mordant dans son gâteau. C'est bon, ce que vous avez apporté… Les indices pointent dans toutes les directions. Plus d'indices que de suspects!

– Il ne faut pas vous décourager, vous n'êtes pas tout seul, nous sommes là! Et puis, vous avez souvent de bonnes idées, comme de chercher le propriétaire du couteau à la taverne.

– Peut-être, mais cet homme n'a rien à voir avec le meurtre, finalement…

– Nous devons réfléchir avec logique, décréta Rioux en finissant d'avaler son chocolat. Vous avez lu *Alice au pays des merveilles* ?

Leahy haussa les sourcils.

– Comme tout le monde. Mais tout est illogique avec Alice, c'est un monde de fous. Si vous dites ça pour m'encourager…

– L'auteur d'Alice est un logicien célèbre, au contraire ! Les absurdités dont vous parlez sont faites pour amuser, ou pour faire réfléchir. Il a écrit des livres sérieux, où il montre qu'on peut s'y retrouver même dans des situations compliquées.

– Bon. On va lui payer le voyage, et il nous expliquera tout.

– On peut simplement appliquer sa méthode.

– Ah oui ? Et quelle est sa méthode ?

– On fait d'abord la liste de tout ce qu'on sait.

– De tout ce qu'on sait ? Vous n'y pensez pas, Rioux ! On n'en sortirait pas !

– Je me suis mal exprimé. On fait la liste de tout ce qu'on croit savoir mais qu'on ne sait pas interpréter. Le crucifix, par exemple. On sait qu'il appartient à Berthelot, mais est-ce bien lui qui l'a laissé tomber dans l'appartement ? Ou le couteau : est-ce vraiment un franc-maçon qui l'a utilisé, ou plutôt quelqu'un qui veut le faire croire ?

– En somme, on fait la liste des indices et on se demande s'ils sont vrais ou faux.

– C'est exactement ça !

– Ce n'est pas très original, si ? Il me semble que je ne fais pas autre chose depuis le début !

– Bien entendu, mais l'originalité c'est qu'on va raisonner avec méthode.

– Merci, Rioux. C'est très aimable.

– Pardon, sergent. Je voulais dire avec logique.

– Merci, Rioux… Dites-moi seulement quelle est la façon logique de se demander si des indices sont vrais ou faux.

– On les étudie tous en même temps, et non pas séparément l'un de l'autre.

– Comment faites-vous ça?

– Une chose à la fois, sergent. Commençons par les grouper.

– Si je comprends bien, observa Moreau, ça va nous aider à clarifier nos idées. J'ai raison?

– Tout à fait.

Leahy poussa un soupir. Après tout, pourquoi pas? Ses idées avaient en effet besoin d'un sérieux débroussaillement. Depuis sa tentative du premier soir, il n'avait plus pris le temps de mettre par écrit l'état de ses recherches. Ça ne pouvait faire que du bien. Il sortit une feuille blanche.

– Alfred, ça ne vous dérange pas d'écrire? On va commencer par les indices: le couteau, le crucifix, le bromure, et la lettre, c'est-à-dire le bout de papier brûlé.

– C'est notre liste? demanda Moreau tout en ouvrant l'encrier.

– Pour le moment, fit Rioux, qui prenait la direction des opérations. Le couteau d'abord. Il est vrai ou faux.

– Pardon, Rioux?

– Il veut dire, expliqua patiemment Moreau, que c'est soit un vrai indice, soit un faux indice.

– Vrai si l'assassin est franc-maçon, faux si l'assassin veut faire croire à un franc-maçon, précisa Rioux.

– Merci, Rioux. Nous sommes bien avancés.

– Patience, monsieur. Il faut faire la même chose avec tous les indices. Après, on verra.

– Bon. Voyons le crucifix. Lui, il est vrai si c'est vraiment Berthelot qui était là, et faux si l'assassin veut faire accuser Berthelot ?

– Vous comprenez vite, monsieur.

– Le bromure...

– Si vous me permettez, inspecteur, interrompit Moreau, le bromure, c'est sûrement vrai, puisque le médecin l'a dit.

– En effet. On est sûr que Laflamme a été drogué avec ce bromure. Donc on n'a pas besoin de l'écrire ?

– On pourrait l'écrire, mais il suffit de se rappeler qu'il est vrai. Ça évite du travail.

– Parfait. Il reste la lettre...

– Au fait, interrompit Moreau. Pourquoi l'a-t-on drogué ?

Rioux prit une voix lugubre :

– C'est pour mieux te tuer, mon enfant !

– C'est encore dans la Bible, ça ? demanda Moreau, sceptique.

– *Le Petit Chaperon rouge.*

– Il me semblait bien. Mais un bon coup sur le crâne aurait fait l'affaire. Ça l'aurait assommé comme il faut, et l'assassin aurait pu tuer ensuite à son aise.

– C'est vrai, fit Leahy. Mais le Dr Turgeon pense que l'assassin n'était pas très fort, ou qu'il était sans expérience. C'est plus sûr de droguer d'abord.

– Ou compatissant, suggéra Rioux.

– Compatissant ?

– Oui. Il veut tuer, mais il ne veut pas faire souffrir. Si je dors lorsqu'on me tape dessus, je ne souffre pas.

– Un assassin compatissant… murmura Leahy. Pourquoi pas? Tous mes suspects ont l'air d'être de braves gens. Bon! Revenons à la lettre. Elle est vraie si la signature est vraiment celle de l'assassin. Sinon, c'est que l'assassin a mis une fausse signature pour faire accuser quelqu'un d'autre. D'accord, Rioux?

– La lettre était brûlée! protesta Moreau. Vous avez dit vous-même que c'était un miracle qu'on ait pu y lire quoi que ce soit.

– C'est juste. Vous avez une idée, Rioux? Comment peut-on fabriquer une fausse lettre brûlée?

– On écrit une fausse lettre, et on la brûle.

– Merci, Rioux. Et pour qu'elle reste quand même lisible?

– On l'éteint au bon moment… Quand elle est noire mais pas entièrement consumée.

Moreau bougonna:

– Facile à dire! Tu veux le faire?

Rioux se demandait s'il ne s'était pas trop avancé.

– Je peux essayer…

Il prit une feuille que lui tendait Leahy, griffonna quelques mots avec la plume de Moreau, puis il y mit le feu après avoir soigneusement séché l'encre. La flamme se propagea très vite, et il fut obligé de tout lâcher. Le papier continua à brûler jusqu'à ce que le constable le piétine. Au milieu des cendres, il restait un fragment tout noirci, mais encore entier. Leahy le ramassa et l'examina à la lumière.

– L'expert de Pennée pourrait certainement en tirer quelque chose. Ça se défend, Rioux. Mais deux détails

m'ennuient. D'abord, ces cendres. Il n'y en avait pas, sur le sol de l'appartement. Et si l'assassin avait piétiné la lettre directement dans le foyer, il aurait envoyé des cendres partout. Ses souliers en auraient laissé sur le sol, quand il est reparti. L'autre objection, c'est que, si c'est vraiment un faux, l'assassin s'est arrangé pour qu'il reste un bout de la signature. Avec votre méthode, je ne vois pas comment il aurait pu choisir ce qui n'allait pas brûler. Il ne pouvait pas compter sur le hasard !

Rioux gagna du temps en allant chercher un balai. À son retour, l'ustensile à la main, il avait l'air plus sûr de lui.

— Vous avez raison, monsieur, dit-il en ramassant les cendres. Mais qui nous dit que la lettre a été brûlée la nuit du meurtre ? Rien. Nous l'avons supposé parce qu'elle était dans le foyer, c'est tout.

— C'est bien imaginé… apprécia Leahy. L'assassin aurait donc tout préparé chez lui ! Et il avait tout loisir de recommencer si le résultat n'était pas satisfaisant. Je ne sais pas, Rioux, si vous êtes en train de nous simplifier la vie ou de nous la compliquer, mais allons-y. La lettre est fausse si elle a été fabriquée par l'assassin pour brouiller les pistes. C'est tout pour les indices. À présent, que ferait Alice ?

— Ce n'est pas vraiment Alice, monsieur. C'est Lewis Carroll, l'auteur.

— Merci, Rioux. Que ferait donc cet illustre logicien ?

— Il étudierait toutes les possibilités, monsieur. Toutes les combinaisons possibles. Pour les trois indices.

— Toutes les combinaisons vrai-faux ?

— Exactement. Par exemple, que se passe-t-il si les trois sont vrais ? ou si les trois sont faux ? ou si les deux premiers sont faux et le troisième vrai ? ou si…

– Oui, bon, j'ai compris. Cela en fait, voyons… huit en tout. Vous êtes sûr qu'il faut continuer ? Je n'ai que quatre suspects, vous savez. Cinq à la rigueur.

– Tant qu'à y être, monsieur…

– Et qu'est-ce qu'on fait ensuite de ces combinaisons ?

– On regarde leurs conséquences.

– Et les conséquences, qu'est-ce qu'on en fait ?

– On les compare avec ce qu'on sait avec certitude. Ça permet d'éliminer des hypothèses, et de choisir celles qui sont raisonnables.

Leahy poussa un nouveau soupir.

– Allons-y, Moreau.

Mercredi 5 octobre 1898

24

Nos apprentis logiciens explorent les chemins tortueux de la vérité et du mensonge – Vol au-dessus d'un tableau couci-couça – Moreau et Rioux donnent une bonne idée à Leahy – Pennée se découvre une mystérieuse parenté avec Lewis Carroll, et Leahy part en voyage

– Première combinaison : tous les indices sont vrais. La conséquence...

– La conséquence, c'est que c'est impossible, inspecteur. Le couteau et le crucifix ne peuvent pas être vrais tous les deux, à moins que Berthelot soit franc-maçon.

– C'est bien vrai... Si Berthelot est franc-maçon, je jure de me retirer dans le désert pour le restant de mes jours. Bravo, Alfred. On est d'accord, Rioux ? Bon. Donc on élimine les cas où cela se produit. On reprend. Première combinaison : couteau vrai, crucifix faux, lettre vraie. C'est bien ça ? Rioux ?

– Vous en savez autant que moi, monsieur.

– Excellent. J'ai une idée. On va faire un tableau. Ce sera plus facile à lire.

À l'aide d'une règle, Leahy traça sur la feuille un tableau rectangulaire qu'il divisa en cases. Il en remplit quelques-unes d'une écriture rapide et montra le résultat à Moreau.

– Voilà. Il ne reste que les cases de droite à remplir. Ça ira mieux, et plus vite.

Rioux jeta un coup d'œil, et approuva.

⋅⁚§⁚⋅

Une heure plus tard, les trois hommes, perplexes, observaient le tableau qu'ils venaient de terminer.

Couteau (vrai si le coupable est franc-maçon)	Crucifix (vrai si le coupable est Berthelot)	Lettre (vraie si la signature est de l'assassin)	*Conséquences*
Vrai	Vrai	Vrai	Impossible
Vrai	Vrai	Faux	Impossible
Vrai	Faux	Vrai	Beaugrand – Fournier (franc-maçon?) – Routhier (franc-maçon?)
Vrai	Faux	Faux	Fournier et Routhier (francs-maçons?)
Faux	Vrai	Vrai	Berthelot
Faux	Vrai	Faux	Absurde
Faux	Faux	Vrai	Bégin – Routhier (mobile?)
Faux	Faux	Faux	Fournier – Routhier (mobile?)

– C'est du beau travail, avança gauchement Rioux qui se sentait un peu responsable de l'entreprise.

Devant l'air dubitatif des autres, il s'empressa d'ajouter:

– Qui demande un examen attentif…

– Vous êtes sûr, Rioux, que Lewis Carroll est un grand logicien? Il me semble qu'il ne nous apprend rien de vraiment nouveau.

– Grâce à lui, on a tout résumé en six lignes: ce n'est pas mal, non? On pourrait même en éliminer quelques-unes.

– Avant d'éliminer, je préfère l'examen attentif, comme vous dites. Commençons par la troisième ligne.

– Troisième ligne, annonça Moreau d'un air fatigué. L'assassin est un franc-maçon puisque le couteau est vrai ; ce n'est pas Berthelot, évidemment, puisque le crucifix est faux, et c'est bien l'assassin qui a signé la lettre. C'est donc Beaugrand ou Routhier, car on ne sait pas si la signature commence par un B ou par un R.

– Si c'est Routhier, il faudrait qu'il soit franc-maçon. Si c'est Beaugrand, il n'a pas pu venir en personne. Faire le voyage depuis Montréal sans se faire reconnaître, commettre son crime et retourner à Montréal après avoir dormi on ne sait où... Physiquement, c'est trop pour lui. Il aurait envoyé quelqu'un, un autre franc-maçon.

– Un franc-maçon qui vit probablement à Québec, rappela Rioux, puisqu'il a pu se procurer le couteau et le crucifix

– Le couteau, je peux comprendre, fit Moreau, mais pour le crucifix, comment il a fait ?

– Berthelot dit l'avoir perdu à l'Archevêché, le vendredi précédent, rappela Leahy.

– Donc c'est Fournier, conclut Moreau. Routhier ne va à l'Archevêché que le jeudi.

– Fournier peut avoir donné le crucifix à Routhier, dit Rioux. Il y aurait eu complicité entre les deux amis.

– Mais je ne crois pas que Fournier ni Routhier soient francs-maçons, objecta Leahy.

– Vous ne pouvez pas savoir, releva Rioux. C'est secret, tout ça. Berthelot est à l'Archevêché, il pose son chapelet sur une table. Fournier remarque que le crucifix s'est détaché et il empoche le crucifix sans se faire remarquer.

– Mais pour quelle raison accepte-t-il de tuer Laflamme ? s'inquiéta Moreau. C'est un ami !

– C'est même un frère, soupira Leahy, puisqu'ils sont francs-maçons tous les deux. Laflamme a trahi sa loge, il doit mourir. L'ordre est venu de Montréal. Mais tout repose sur le motif. Quelle pourrait être la trahison de Laflamme, une trahison qui mérite la mort?

C'était une difficulté qu'aucun des trois hommes ne se sentait en mesure de lever.

– Ligne suivante, Alfred.

– Vrai, faux, faux. Un franc-maçon qui n'est pas Beaugrand, commenta Moreau, puisque la lettre est fausse. C'est donc Fournier, qui cherche à impliquer Beaugrand. Et toujours avec la complicité de Routhier.

– À condition que Fournier et Routhier soient francs-maçons. Sinon, on barre la ligne. Très bien. Ensuite?

– Faux, vrai, vrai. Le crucifix vrai, c'est Berthelot.

– C'est cela, approuva Leahy. Les choses sont claires avec Berthelot. Le motif, le crucifix... Même le couteau: le mystérieux client du *Chat Roux*, c'est lui. Il annonce sa visite, et Laflamme, grand seigneur, le reçoit. Les deux ennemis se font face, sur un ton courtois mais ferme. Le zouave, devant l'inflexibilité de son interlocuteur, passe à l'acte. C'est son honneur qui est en jeu!

– Seulement, ajouta Rioux, ça ne se passe pas tout à fait comme il avait prévu. Il veut déjouer les soupçons et faire croire à un meurtre de franc-maçon, mais il a laissé bêtement tomber son crucifix en buvant son vin...

– Et il n'a pas vérifié que sa lettre avait complètement brûlé, souligna Moreau. C'est un grand distrait! Il avait pourtant tout soigneusement préparé. Le bromure, le couteau... Vous y croyez, inspecteur?

– Comment savoir ? Pour l'instant, oui. N'oublions pas que ce n'est pas un tueur professionnel ! N'importe qui peut faire des erreurs, dans un moment pareil…

– D'accord pour Berthelot, fit Moreau. Mais à la ligne suivante, même si la lettre est fausse, c'est encore Berthelot, à cause du crucifix. On a écrit « Absurde ».

– En effet. Il n'aurait pas écrit une fausse lettre pour s'accuser lui-même. Ensuite ?

– Faux, faux, vrai. Ce n'est donc ni un franc-maçon ni Berthelot. Par contre, la lettre est vraiment signée par l'assassin. Il reste Routhier.

– Vous oubliez Bégin, Alfred.

– Je n'oublie pas Mgr Bégin. Mais c'est mon évêque, et je refuse de le considérer comme suspect !

– Nous en avons pourtant discuté, Alfred. Ce n'est qu'une hypothèse ! Et puis, il ne serait pas venu lui-même, il aurait envoyé quelqu'un…

Moreau n'était pas convaincu.

– Admettons un instant que Mgr Bégin soit un assassin. Il laisse, lui ou son abbé, deux faux indices : le couteau pour impliquer les francs-maçons, et le crucifix pour impliquer Berthelot. C'est trop, c'est illogique ! Vous n'aviez pas pensé à ça ?

– Il a raison, reconnut Rioux. Je n'avais pas pensé à ça. Les ecclésiastiques sont plus subtils, d'habitude.

Leahy était troublé. L'hypothèse était pourtant belle… Quelque chose lui disait qu'il ne fallait pas écarter cette piste du revers de la main. Quelque chose, un détail, une idée, qu'il ne retrouvait pas. Que venait de dire Rioux ? La subtilité des ecclésiastiques…

– Rioux, vous êtes un génie !

– Moi aussi, sergent ? Vous en êtes sûr ?

– Pensez-y. Que sommes-nous sur le point de faire ?

– Je ne sais pas, sergent.

– Moi, je sais, fit Moreau. Nous sommes en train de laisser tomber des soupçons sans fondement.

– Très bien, Alfred. Et quels sont les soupçons qui ont un fondement ?

– Ceux de tantôt. Berthelot qui veut rejeter la faute sur les francs-maçons, ou les francs-maçons qui veulent rejeter la faute sur Berthelot.

– Voilà ! Voilà pourquoi Rioux est un génie.

– Je ne comprends pas, murmura Rioux.

– C'est simple ! En laissant deux indices contradictoires, Bégin ne commet pas d'erreur, au contraire : il fait preuve d'une subtilité... magistrale.

Le visage de Rioux s'éclaira, celui de Moreau se rembrunit.

– Vous voulez dire, dit Rioux, qu'avec ces deux indices il s'arrange précisément pour qu'on ne le soupçonne pas ? C'est vrai que c'est génial...

– Ce n'est pas génial du tout, lança Moreau. C'est comme celui qui dit « Les cambrioleurs ne font pas de bruit, je n'entends aucun bruit, donc il y a un voleur dans la maison ! »

– Ce n'est pas la même chose ! protesta Rioux.

– C'est exactement pareil !

– Alfred, vous avez raison. Mais, pour reprendre votre exemple, le silence ne signifie pas qu'il n'y a pas de voleur...

– Je veux bien, mais alors pourquoi ne pas soupçonner la supérieure des Ursulines ? Elle s'appelle mère Bélanger, elle aurait pu signer la lettre !

— C'est vrai qu'elle s'appelle mère Bélanger? demanda Rioux.

— Je n'en sais rien! grogna Moreau.

— Je ne peux pas éliminer l'hypothèse Bégin, s'excusa Leahy.

— À cause de la subtilité ecclésiastique, la belle raison! Le diable en personne aurait tué le journaliste devant une foule de dix mille personnes, on soupçonnerait Mgr Bégin!

— Si ce n'est pas Bégin, c'est Routhier, concéda Leahy.

— C'est déjà mieux, fit Moreau en grommelant.

— Peut-être, mais ici on suppose que Routhier n'est pas franc-maçon, ne l'oublions pas. Il n'a donc pas tué au nom de l'Émancipation, et je ne vois pas quel aurait pu être son mobile!

— Donc c'est lui, affirma péremptoirement Moreau. Ça prouve qu'il est très subtil!

— Il reste la dernière ligne. Courage, Moreau!

— Oui, celle où tout est faux. Pourquoi on n'a pas écrit Bégin?

— Mgr Bégin n'aurait pas écrit une fausse lettre exprès pour s'accuser lui-même…

— N'oublions pas qu'il est subtil, fit Moreau en ricanant. Tout le monde est subtil, dans cette affaire!

— Les fils des ténèbres sont plus habiles que les fils de lumière, prononça Rioux.

— Oui, Rioux, fit Leahy irrité, je sais, c'est dans l'Évangile. Mais il y a des limites à la subtilité. Ici, ce n'est ni un franc-maçon, ni Berthelot, ni Bégin.

— Il ne reste donc que Routhier et Fournier, conclut Rioux. Ça ressemble à toutes les autres lignes, finalement, excepté celle où c'est Berthelot.

Moreau se gratta la tête.

— Berthelot est le seul à avoir un mobile sérieux?

— Berthelot et Bégin, fit remarquer Rioux.

— Oublions Bégin pour l'instant, fit Leahy qui voulait éviter la guerre ouverte entre les deux constables. Oui, Alfred. Les francs-maçons avaient peut-être un mobile, mais nous ne le connaissons pas. Même chose pour Routhier et Fournier.

— On ne néglige personne? Vous ne connaissez pas quelqu'un qui en voulait à Arthur Laflamme, à part Berthelot? Dans la dernière ligne du tableau, on pourrait mettre à peu près n'importe qui, pourvu qu'il ait un bon mobile!

Leahy réfléchit, et finit par acquiescer.

— Il y aurait bien Ernest Pacaud, mais...

— Pacaud, le directeur du *Soleil*? Il en voulait à son journaliste? Je ne vois pas pourquoi, fit Rioux.

— Moi non plus, dit Moreau.

— Pacaud a eu des ennuis dans le passé, il a déjà été obligé de fermer son premier journal, *L'Électeur*, et il ne voudrait surtout pas que l'histoire se répète... Il devait sûrement craindre que Laflamme ne provoque une nouvelle sanction des évêques, à cause de la violence de ses articles.

— Il y tient beaucoup, à son journal? demanda Moreau.

Leahy approuva.

— *Le Soleil*, c'est sa raison de vivre! S'il disparaît, son univers tombe en poussière...

— Et voilà! triompha Moreau. C'est un bon mobile, ça!

— Non, Alfred, ce n'est pas un bon mobile, intervint doctement Rioux. Si Pacaud était vraiment inquiet, il

pouvait régler son problème très simplement, en mettant Laflamme à la porte. C'était la solution la plus simple, la plus directe, la plus morale, et surtout la moins risquée !

Moreau prit le temps d'encaisser.

– Tu as raison. Il avait juste à le mettre dehors.

– Donc, Pacaud n'est pas l'assassin. Pas pour cette raison, en tout cas.

Leahy admirait Rioux d'avoir tout de suite vu la faille dans l'argumentation de Moreau. Il avait failli lui-même, l'espace d'un instant, soupçonner Pacaud.

– Donc, le seul mobile reste celui de Berthelot, conclut Moreau.

– Peut-être pas… fit Leahy, mais non, je n'y crois pas vraiment…

– Quoi donc ? demanda Rioux.

– Je pensais à Fournier. Au journal, on l'a toujours occupé à des tâches secondaires. C'est Laflamme qui prenait toute la place. En se débarrassant de Laflamme, il pouvait espérer le remplacer…

– Et pourquoi ce ne serait pas un bon mobile ? fit Moreau.

– Routhier, son ami, m'a appris que Fournier n'avait aucun désir de passer sa vie comme journaliste.

– Et puis, comme mobile, c'est quand même un peu faible, remarqua Rioux.

– Vous avez raison, Rioux. Mais Fournier n'est pas un jeune débutant qui a tout le temps de progresser en faisant valoir son talent. Il veut faire vite, rattraper le temps perdu, il a peur de rater sa vie… Il aurait pu désirer la mort de Laflamme. Vous avez l'air de penser à quelque chose, Alfred ?

– Oui, inspecteur, la lettre. Si elle est fausse, c'est pour accuser quelqu'un. Il serait intéressant de savoir qui !

– Elle peut accuser Berthelot, Beaugrand, Routhier, Bégin, comment savoir ?

– Vous ne croyez pas qu'il faudrait comparer leurs signatures ?

– En quoi ça m'avancerait ?

– Je me mets à la place de l'assassin. Si je me suis donné la peine de fabriquer une fausse signature, c'est pour qu'on la reconnaisse...

– Évidemment ! s'exclama Rioux. Si la signature est fausse, il faut savoir qui on a cherché à imiter, et si elle est vraie il faut savoir qui l'a signée. Ça nous permettra au moins d'y voir plus clair !

– J'aurais dû y penser, quand même, murmura Leahy. Il est bien, ce tableau, finalement. Vive Lewis Carroll !

– Il est mort en janvier, monsieur. Et il ne s'appelait pas Lewis Carroll, en réalité. C'était un nom de plume.

– Merci, Rioux.

⚜

– Mais c'est très intéressant, tout ça ! Vous avez inventé une nouvelle technique policière, Leahy !

Pennée, avec son air mi-sérieux, mi-amusé, parcourait le tableau que lui avait présenté le jeune détective.

– Je n'ai rien inventé, monsieur. C'est la faute de Rioux et d'Alice...

– Une brave fille, cette Alice. Elle me fait penser à ma mère.

C'était la première fois que le détective entendait son capitaine faire allusion à ses parents. Il essaya d'imaginer M. Pennée père avec de grandes oreilles de lapin, s'embarquant en toute hâte pour le Canada les yeux rivés à sa montre, poursuivi par une Mme Pennée qu'il se représentait, faute de la connaître, sous les traits de la reine Victoria, sceptique, à bout de souffle et résignée, soulevant ses jupes pour mieux grimper la passerelle.

— Vous croyez vraiment, monsieur?

— Si je vous le dis! Qu'avez-vous tiré de votre tableau?

Leahy fit la synthèse de leur démarche.

— Finalement, rien que vous ne sachiez déjà?

— En effet. Mais c'est vrai qu'il résume bien la situation...

— Prochaine étape?

— Il faut que j'étudie la signature. Moreau et Rioux ont parfaitement raison. Je me demande pourquoi je n'y ai pas pensé plus tôt.

— Vous aviez sans doute l'impression que ce serait une vérification inutile. Votre petit jeu de la vérité et du mensonge aura au moins servi à ça! Voyez-vous, Leahy, il faut continuer à chercher et il faut continuer à réfléchir. Tôt ou tard, la vérité va se manifester. Si le meurtrier est habile, il ne bougera pas, il vous laissera vous dépêtrer tout seul. Ce sera à vous de le faire bouger.

— Un piège, monsieur?

— Par exemple. Mais justement, avez-vous l'impression qu'il est très habile?

— Avec Rioux et Moreau, nous disons subtil... Oui, je le pense. Les indices contradictoires qu'il a laissés nous promènent dans tous les sens.

– À votre place, je n'en serais pas si sûr. Il se peut, au contraire, qu'il soit d'une intelligence moyenne, et que ces indices qui vous déroutent ne soient que le résultat de ses maladresses. Pensez-y. Il ne faut jamais sous-estimer l'adversaire, mais c'est aussi une faute de le surestimer : cela risque de nous paralyser. Et s'il est subtil, comme vous dites, eh bien, soyez encore plus subtil que lui ! Je vous revois lundi, je serai absent d'ici là.

C'est ainsi que, après mûre réflexion, Leahy décida d'entreprendre un petit voyage.

Jeudi 6 octobre 1898

25

Naissance d'une association probablement suspecte et certainement répréhensible entre la police de Québec et la franc-maçonnerie de Montréal – Un dragon se dissout dans la brume et un détective s'endort dans un train

Il arriva transi aux bureaux de *La Patrie*. Il était à peine neuf heures, trop tôt pour rencontrer Langlois, trop tôt aussi pour se rendre chez Beaugrand, mais ce n'était pas Beaugrand qu'il était venu voir. Il avait pris le train de onze heures, la veille au soir à la gare du Palais, et avait passé la nuit assis sur une banquette inconfortable, ballotté par les oscillations chaotiques du wagon, obsédé par les secousses incessantes des roues sur les rails, grelottant de froid. À Montréal, une pluie glaciale l'avait accueilli, et c'est avec reconnaissance qu'il accepta le verre de thé qu'on lui offrait au journal.

L'édifice de *La Patrie* était autrement imposant que celui du *Soleil*. Il occupait sept étages, huit si l'on comptait les installations de chauffage situées au deuxième sous-sol. Au premier sous-sol, il y avait l'immense salle des presses et, au niveau de l'entrée principale, les bureaux de l'administration. Les cinq étages supérieurs abritaient les ateliers de reliure, de réglage, de composition et de

typographie, sauf le quatrième où se trouvaient la salle de rédaction et les bureaux du rédacteur en chef et de la direction. C'est là qu'on avait reçu le détective.

Tout était tellement plus grand, à Montréal. On pouvait facilement parcourir Québec à pied, mais à Montréal la chose était proprement impensable. Et que de monde, que de mouvement, que de diversité! Leahy savait que la cité attirait, de plus en plus, des gens venus de partout. Des Irlandais, mais aussi des Anglais – des Anglais d'Angleterre – et des Français de France. Et des Italiens. D'Italie, évidemment. Il y avait aussi, paraît-il, quelques Syriens et même des Chinois! On ne verrait jamais cela à Québec. Leahy se demanda combien la police de Montréal comptait de détectives. Bien plus que deux, sans aucun doute.

Avant son départ, il avait annoncé par téléphone sa visite à Langlois en ajoutant qu'il aurait besoin de sa collaboration, sans donner plus de précisions. À présent, assis dans le petit bureau qu'on lui avait ouvert, il passait en revue les raisons qui l'avaient amené. Le Grand Maître de l'Émancipation devrait accepter de l'aider sans rien demander en échange. Leahy était d'ailleurs fort mal placé pour promettre quoi que ce soit, et Langlois le savait bien. Le détective ne possédait aucun moyen de pression, il comptait simplement sur la solidarité si complaisamment affichée par les membres de la franc-maçonnerie, ainsi que sur leur esprit civique et leur respect des lois. Il s'agissait pour eux de contribuer à démasquer le meurtrier d'un de leurs frères, et donc de le venger sans recourir eux-mêmes à la violence.

L'ancien directeur de *La Patrie* arriva moins d'une heure plus tard. Poli, mais aussi distant et réservé que

lors de leur rencontre à Québec, il était clairement sur ses gardes. Lorsque son visiteur lui exposa la première raison de sa présence, il protesta.

— Vous me demandez de révéler le nom de nos membres. Je ne peux pas le faire de ma propre autorité ! La plupart d'entre eux ne s'en cachent pas, mais je ne peux pas me substituer à eux !

— Il s'agit seulement de ceux de vos membres qui vivent à Québec.

— Ce n'est pas possible.

C'était définitif. Leahy eut une idée.

— Mais rien ne vous interdit, si je vous donne un nom, de me dire qu'il n'appartient pas à votre loge ?

Langlois parut un moment surpris, puis il eut un rire bref.

— S'il n'appartient pas à la loge je pourrai vous le dire sans trahir, et s'il y appartient je refuserai de répondre, c'est bien ce que vous me proposez ? Vous me prenez pour un enfant ?

— Non, monsieur. Je vous propose ceci. Je vais vous donner deux noms, et je n'attends de vous aucune réponse, même si j'en espère une. Je vous rappelle que je cherche un assassin que vous recherchez vous aussi. Vous prendrez le temps de réfléchir, et vous me direz, uniquement si vous le voulez, quand vous le voudrez, si l'un ou l'autre de ces deux hommes fait partie de l'Émancipation.

— Je vous écoute.

— André Fournier et Horace Routhier.

Le Grand Maître eut à nouveau l'air étonné, mais son visage reprit très vite son expression habituelle.

— Fort bien. Vous vouliez me demander autre chose ?

– Oui. Un texte manuscrit signé par Honoré Beau-grand. Je n'ai pas l'intention de le garder, j'aimerais sim-plement le voir.

– Rien de plus facile.

Langlois ouvrit un classeur et trouva sans peine ce qu'il cherchait.

– Voici une lettre qu'il m'a écrite il y a peu. Cela vous convient-il?

Leahy ne s'attarda pas à lire la lettre. Il observa l'écri-ture, étudia la signature, et la rendit. Le B d'Honoré Beau-grand était bien différent de celui qui avait été déchiffré par le laboratoire. Plus petit, plus droit, sans fioritures. Le message reçu par Laflamme n'était pas de lui. Le détective en était soulagé.

– Merci. Je voudrais aussi pouvoir compter sur votre collaboration active pour une intervention précise.

– De quoi s'agit-il?

Leahy lui tendit une feuille.

– L'essentiel est écrit ici. Je laisse le reste à votre ini-tiative.

Langlois parcourut la page, impassible. Puis il la reposa lentement sur le bureau et fixa longuement le détective.

– Expliquez-vous, monsieur!

Deux heures plus tard, ils étaient attablés à un restau-rant où Langlois avait eu la courtoisie d'inviter le policier. Celui-ci, malgré la fatigue, avait écouté avec intérêt son hôte lui parler de sa ville, du rôle qu'elle jouait déjà dans le vaste mouvement de contestation culturelle, politique et économique qui agitait la nation, et de l'importance grandissante qu'elle ne pourrait manquer de prendre au

cours des prochaines décennies. En comparaison, Québec apparaissait au jeune homme comme une petite ville de province, repliée et presque endormie derrière ses remparts. Dieu merci! pensa-t-il. S'il fallait que tout le monde soit aussi énervé que les Montréalais...

Au cours du repas, Langlois n'avait pas une seule fois fait allusion aux démarches de son visiteur. Lors de leur tête-à-tête dans les locaux de *La Patrie*, quand le détective lui avait exposé sa dernière demande, il s'était contenté de répondre « Je verrai cela ». Leahy était terriblement déçu, et se demandait comment relancer le sujet. Il ne sert à rien de se cogner la tête contre un mur, lui avait appris Rioux : le mur est plus fort. Mais Rioux n'était pas irlandais.

— À quel hôtel êtes-vous descendu ?

— Oh, non, je rentre ce soir même. Je suis uniquement venu pour vous voir. Je prendrai le train de trois heures, si vous pensez que j'en ai le temps.

— Je vous accompagne à la gare.

Dans le fiacre qui les conduisait, ils gardèrent le silence. Au moment où Leahy, prêt à gagner le quai d'embarquement, rassemblait son courage pour revenir à la charge, Langlois le devança :

— La réponse à votre question est non.

— Non ?

— Non, deux fois.

— Merci. Et pour le reste ?

— Je verrai cela. Bon voyage, monsieur, et...

— Oui ?

— Essayez de dormir un peu.

Le train partit avec deux heures de retard, et s'immobilisa pendant près de quatre heures en rase campagne pour une raison inconnue. Leahy, qui avait renoncé à chercher le sommeil, décida de consacrer ce qui lui restait d'énergie à faire le bilan de sa journée.

Ainsi, la signature n'était pas celle de Beaugrand. D'autre part, Langlois lui avait appris que ni Fournier ni Routhier n'étaient francs-maçons. À vrai dire, Leahy en avait acquis la certitude bien avant son voyage. Fournier n'est pas un intellectuel, avait affirmé Pacaud. C'était tout à fait évident: Fournier était un garçon sans complications qui cherchait simplement à exister. Ni messie, ni justicier. Et Routhier était bien trop heureux de vivre pour accepter de se laisser entraîner dans une spirale d'insatisfactions et de rancœurs. Cependant, la confirmation de Langlois simplifiait beaucoup les choses. Leahy sortit de sa poche le tableau des vérités et des mensonges, et il barra d'un trait de crayon les lignes devenues inutiles. Il n'en restait plus que trois.

Couteau (vrai si le coupable est franc-maçon)	Crucifix (vrai si le coupable est Berthelot)	Lettre (vraie si la signature est de l'assassin)	*Conséquences*
Faux	Vrai	Vrai	Berthelot
Faux	Faux	Vrai	1–Bégin 2–Routhier (mobile?)
Faux	Faux	Faux	Fournier – Routhier (mobile?)

La signature de Mgr Bégin ne devait pas être difficile à trouver. Leahy ne croyait pas vraiment à l'hypothèse Bégin: il la conservait simplement par acquit de conscience, pour ne pas se reprocher plus tard d'avoir négligé une éventualité. Restaient Berthelot et Routhier. Les indices désignaient cependant le zouave.

Il ne voulait pas que ce soit Berthelot, et il serait profondément déçu que ce soit Routhier, mais il fallait bien que ce soit l'un des deux. Ou alors, c'était Fournier. Fournier qui aurait essayé de compromettre Berthelot et de brouiller les pistes en tranchant la gorge de son collègue, avant de se rendre en Arabie heureuse. C'est Fournier qui avait découvert le corps, et Pennée lui-même le trouvait suspect. Sa théorie du dragon à trois têtes s'était perdue dans la brume. Une seule tête lui aurait désormais amplement suffi !

Il repensa à Routhier. Il gardait un beau souvenir des quelques heures passées avec le jeune ingénieur, et espérait, plus ou moins consciemment, que ce premier contact se transformerait un jour en véritable amitié. Vis-à-vis de Berthelot, ses sentiments étaient plus troubles. L'homme lui paraissait pourtant digne d'estime, et il était tellement attaché à sa fille.

Lorsque le train se remit en branle, Leahy, bercé, s'endormit en rêvant à de longs cheveux noirs.

Vendredi 7 octobre 1898

26

Berthelot sort préoccupé de l'Archevêché – Leahy voit apparaître une lettre fort compromettante et Moreau lui transmet un message – Il sent qu'il commence à brûler, ce qui ne l'empêche pas de refroidir les ardeurs de Fournier

Après deux nuits passées en train, les vêtements encore humides de la pluie reçue à Montréal, Leahy s'aperçut, en rentrant chez lui au petit matin, qu'il commençait à sentir le fauve. Il fit une toilette rapide, se changea, déjeuna de deux tasses de thé et de trois grosses tranches de pain beurré, passa à son bureau pour s'enquérir des dernières nouvelles, et ressortit peu après dix heures pour se rendre à l'Archevêché.

L'abbé Marcoux, fidèle au poste, était occupé à écouter, en hochant la tête, deux religieuses qui semblaient lui présenter une requête. Quelques autres visiteurs étaient assis à l'écart et attendaient sans doute d'être reçus par l'archevêque ou par l'un de ses auxiliaires. Une fois les religieuses parties, l'abbé se dirigea vers Leahy en souriant. Après les politesses d'usage, le policier exprima le souhait de voir un exemple de la signature de Mgr Bégin.

– C'est très simple, fit-il. Elle traîne partout. Voyez son portrait, au mur. Il l'a signé. Je vous montre aussi

une image sainte qu'il nous a distribuée en souvenir du jour de son entrée en fonction. Elle est dans mon missel. La voici.

Les signatures de l'image et du portrait étaient identiques, et nettement différentes de l'écriture déchiffrée par les laboratoires de la police. Il ne me reste plus qu'à dénicher celles de Berthelot et de Routhier, pensa Leahy. Il se rappela qu'on était vendredi et que l'ancien zouave devait se trouver à l'Archevêché, lui aussi. À moins que le conseil exécutif de sa société, à Montréal, ne l'ait suspendu.

— Il est là, confirma Marcoux. Il ne devrait pas tarder à sortir.

— Et Fournier? demanda Leahy qui n'avait pas aperçu le journaliste.

— M. Fournier n'est pas venu aujourd'hui, mais il était là hier, en même temps que son ami.

Un mouvement se fit dans la salle. La porte du fond s'ouvrit pour laisser passer l'abbé Gauvreau accompagné de Berthelot. Le secrétaire privé de Mgr Bégin, sorti derrière eux, s'approcha de l'un des visiteurs pour lui annoncer que son tour était venu.

Le négociateur et le curé de Saint-Roch restèrent un long moment à côté l'un de l'autre en s'entretenant à voix basse. Puis Berthelot leva les yeux, reconnut Leahy, mais ne manifesta aucune réaction. Il avait l'air préoccupé et ne paraissait pas désireux d'aborder le policier. Gauvreau partageait apparemment le même souci. Il se contenta de saluer le détective d'un bref mouvement de tête. L'ancien zouave serra la main de l'abbé Marcoux qui s'était porté à sa rencontre et se dirigea vers la sortie. En passant devant Leahy, il ralentit légèrement, murmura

« Bonjour, monsieur » et s'en alla. Cela n'avait duré qu'un instant, mais le détective avait eu le temps de lire sur le visage du négociateur comme une expression de doute ou d'appréhension.

Marcoux revint auprès de lui.

– Il est souvent comme ça en sortant, lui dit-il. Ces discussions doivent être assez éprouvantes, et sa santé n'est plus très bonne. Vous avez remarqué sa démarche ? Il va rentrer chez lui, maintenant, sa fille l'attend !

Le policier le remercia et prit congé à son tour. Il pensa qu'il aurait aimé revoir Fournier. Celui-ci devait se trouver au journal, occupé à l'une ou l'autre de ses multiples tâches. Une idée lui vint tout à coup, et il se mit en route vers l'édifice du *Soleil* tout en se demandant si l'abbé Marcoux était bien aussi discret qu'il le prétendait.

⁘❦⁘

Pacaud le reçut dans son bureau. Fournier était provisoirement absent : un accident de tramway s'était produit et il s'était rendu sur place pour un reportage.

– Des lettres de lecteurs ? Nous en recevons constamment ! En général, ils aimeraient bien être publiés, mais nous ne pouvons pas nous le permettre.

– Je m'intéresse à celles qui réagissaient aux articles d'Arthur Laflamme. Ce qu'il écrivait ne devait pas plaire à tout le monde. Vous n'avez jamais reçu de protestations ?

– Si, bien entendu. Pas toutes d'égale qualité, vous vous en doutez. Vous aimeriez les lire ? Nous les conservons quelque temps. Un an, plus ou moins.

– Celles des cinq derniers mois me suffiront.

Le directeur se leva.

— Je vous y conduis. Elles se trouvent dans le bureau de Fournier.

— Vous montriez ces lettres à Laflamme ? demanda Leahy en suivant Pacaud.

— Évidemment, mais pas n'importe lesquelles. C'est Fournier qui les parcourait d'abord, puis il me montrait celles qui pouvaient présenter de l'intérêt. Certaines avaient le don de mettre Arthur en fureur, d'autres en revanche le réjouissaient, lorsqu'il voyait qu'il avait fait mouche. Il en était fier. Il y en a une qui vous intéressera sans doute plus spécialement, mais je ne veux pas vous en dire davantage.

— Pour ne pas influencer mon enquête ?

— Précisément.

Pacaud entra dans un bureau nettement plus petit que le sien, encombré de classeurs, où dominait une odeur de tabac froid. Il hésita un moment, ouvrit quelques tiroirs, et finit par extraire de l'un d'eux une liasse qu'il répartit en plusieurs tas sur la table de travail de Fournier après en avoir ôté un cendrier rempli de mégots qu'il posa sur un classeur.

— Vous avez de quoi vous occuper. Nous trions les lettres par date de réception, mais c'est tout : nous ne séparons pas les sujets. Vous pouvez rester le temps qu'il faudra. Je vous laisse.

Leahy s'assit et commença à dépouiller le courrier. Les lettres étaient nombreuses, mais il suffisait le plus souvent d'un simple coup d'œil pour écarter celles qui n'avaient rien à voir avec Arthur Laflamme. Il lisait les autres plus attentivement. Comme l'avait suggéré Pacaud, elles étaient souvent dépourvues d'intérêt. Écrites à la hâte, dictées par l'émotion ou la colère, sans argumentation et

finalement sans véritable contenu. Ce n'était pas cela que cherchait le détective. Ce fut au bout d'une demi-heure, alors qu'il ne restait plus que quelques lettres à lire, qu'il eut enfin la confirmation de son intuition.

La lettre qu'il venait d'ouvrir était datée du 15 septembre, adressée à Ernest Pacaud, et tenait sur deux feuillets.

Monsieur,

Les divergences d'opinion aident à faire progresser la réflexion vers la vérité ou la justice. Qu'elles soient exprimées avec fermeté n'exclut pas, cependant, qu'elles le soient aussi avec respect. Vos lecteurs devraient s'attendre à trouver dans vos pages ce sens de la mesure et de la dignité qui caractérise un journal sérieux, soucieux de la chose publique.

Voilà pourtant plusieurs semaines que vous publiez, sous la signature de Timon, des lignes qui ressemblent bien plus à des pamphlets diffamatoires qu'à des articles d'opinion. L'information qu'elles transmettent est gravement déformée, et les jugements qu'elles émettent prennent trop souvent la forme d'injures personnelles.

Cela ne devrait pas être dans votre manière. L'impuissance que m'attribue votre collaborateur, n'est-ce pas lui, plutôt, qui l'éprouve en voyant que sa méchanceté hargneuse ne réussit à rien ? Cela suffirait à me rassurer, et je n'aurais répondu à ses insultes que par le silence et le mépris, si j'étais seul en cause. Mais j'ai charge d'âme et j'ai aussi, Dieu merci, la grâce de compter sur des amitiés sincères. Je ne permettrai pas que votre journal continue de distiller un poison qui risque de compromettre gravement mes relations avec ceux que j'aime.

Aussi, c'est avec regret que je vous mets en demeure de faire cesser immédiatement cet état de choses. Si vos attaques malhonnêtes ne cessent pas, je me verrai forcé de prendre les mesures qui s'imposent. Le fusil n'est pas la seule arme d'un vieux zouave, contrairement à ce que semble penser votre confrère!

Respectueusement,
Elzéar Berthelot

Leahy sortit précipitamment à la recherche de Pacaud, la lettre à la main. Il le rencontra au détour d'un couloir.

— Alors, sergent, vous avez trouvé ce que vous cherchiez?

— Avez-vous discuté de ceci avec Laflamme? demanda Leahy en lui tendant la lettre.

— Voyons voir…

Pacaud y jeta un coup d'œil rapide.

— Je l'ai lue, oui. J'étais furieux. Arthur était ravi.

— Vous étiez furieux contre Berthelot?

— Contre Arthur. J'ai l'impression que ça n'a servi à rien…

— Pourquoi ne m'en avez-vous jamais parlé?

Le directeur haussa les épaules.

— Pour vous apprendre que Berthelot était fâché? Vous deviez bien vous en douter!

— Cette lettre contient des menaces!

— Des menaces de poursuites, en effet, pas des menaces de mort!

Pacaud avait sans doute raison. Le détective savait bien, pourtant, que cette lettre constituait un élément de la plus haute importance. Il voulait la conserver, aller immédiatement la montrer à son chef, mais il devait

procéder avec discrétion ; la prudence lui commandait de ne pas dévoiler ses cartes avant la fin de la partie. Les bruits courent si vite…

— En effet, fit-il. Je vous la rends. Qui d'autre connaît cette lettre ?

— Fournier, évidemment.

— Gardez-la précieusement. On ne sait jamais !

Leahy arriva en sueur à l'Hôtel de Ville. Remonter la côte Lamontagne d'un pas tranquille représente déjà un effort, mais la gravir à la hâte, tenaillé par un sentiment d'urgence, est une épreuve carrément épuisante. Pendant tout le trajet, il avait repensé à cette lettre, comme s'il avait craint d'en perdre le souvenir. Il se souciait fort peu de son contenu : seule dansait devant ses yeux, en lettres de feu, la signature de Berthelot, avec son initiale identique au B du papier brûlé.

Il se précipita chez Pennée pour lui faire part de sa découverte. Le bureau était fermé.

— Le capitaine est absent, monsieur, jusqu'à lundi, lui dit le constable de garde.

Leahy le fixa sans comprendre.

— Jusqu'à lundi ?

— Il est en réunion à Sherbrooke.

Le détective était désorienté. Il se rappela vaguement que son supérieur lui avait dit quelque chose à ce sujet, avant son propre départ pour Montréal. Mais alors, que faire en attendant son retour ? Se précipiter chez Berthelot pour le soumettre à un interrogatoire

serré? Il avait trop tendance à agir sous le coup de l'impulsion; il devait se retenir, se calmer, réfléchir, attendre. La patience est la mère de toutes les vertus, lui avait dit un jour Rioux. Il en savait des choses, Rioux…

Il regagna son propre bureau, ressortit l'analyse de l'expert, l'examina. La ressemblance des deux initiales était effectivement frappante. On pouvait toujours faire valoir que le travail du laboratoire n'était qu'une tentative de reproduction d'une majuscule aux trois quarts effacée, que par ailleurs des centaines de gens, à Québec, avaient fréquenté les mêmes écoles et appris la même calligraphie, mais une telle coïncidence ne pouvait pas être le fait du hasard! Le zouave avait donc menti, lorsque Leahy l'avait rencontré pour la première fois, chez lui. «On ne raisonne pas un chien qui aboie!» avait-il prétendu. Il avait pourtant essayé. Et que fait-on d'un chien qui s'obstine à aboyer? On le force à se taire…

D'autre part, Leahy devait admettre que cette lettre ne venait que confirmer ce dont il se doutait depuis longtemps: ou bien Elzéar Berthelot était vraiment l'assassin, ou bien c'était sur lui que le véritable assassin avait voulu faire peser les soupçons. Mais pour imiter la signature de Berthelot, il fallait d'abord la connaître… Il ferma les yeux pour se concentrer. Qui donc connaissait cette signature? Ses amis, bien entendu, ses partenaires, ses associés, l'Archevêché. Les gens du *Soleil*, aussi, forcément, Pacaud et Fournier.

Il fallait revoir Berthelot, observer sa réaction, et agir en conséquence. S'il avouait, tout deviendrait si simple. Il valait cependant mieux attendre le retour de Pennée. Il désapprouverait certainement toute décision intempestive de son subordonné en son absence!

Cette absence n'était pas une mauvaise chose, après tout. Elle lui imposait deux jours d'un repos dont il avait bien besoin, et elle avait aussi, peut-être, l'avantage de donner à l'assassin l'impression que l'enquête s'enlisait. De le conforter dans un sentiment trompeur de sécurité.

– Vous êtes là, inspecteur?

Il n'avait pas entendu Moreau entrer. C'était surprenant. Le sol n'avait pas tremblé, la porte avait été refermée sans bruit, le souffle ordinairement puissant du géant était devenu plus doux qu'une brise printanière.

– Alfred! je ne t'avais pas entendu.

Le constable fit un grand sourire.

– Vous me faites plaisir. Je m'exerce à passer inaperçu.

– C'est réussi. Quoi de neuf?

– Le chef n'est pas là.

– Oui, je sais, on vient de me l'apprendre.

– Et vous avez reçu une visite, hier.

Moreau s'était tu, mais son visage souriait toujours.

– Une visite?

– Oui. Quelqu'un qui était bien déçu de ne pas vous trouver. Je lui ai dit que vous étiez à Montréal.

– Fournier?

– Ce n'était pas Fournier. Fournier n'a pas de beaux cheveux noirs…

Leahy, incrédule, fixa Moreau sans rien dire.

– Elle m'a laissé un message pour vous. Elle m'a dit que vous comprendriez.

Le détective s'efforça de prendre un ton désinvolte.

– Ah oui? Quel message?

– Il y a deux parties. Elle m'a fait répéter pour être sûre que je n'oublierais pas. Premier message: « Tout s'est bien terminé. » Deuxième message: « Ça finit bien. »

– Je ne vois pas… Quelle différence?

– Je lui ai posé la question. Elle m'a dit que vous comprendriez, et elle est partie.

– C'est tout?

– C'est tout…

Mais Moreau avait l'air gêné.

– Quoi d'autre?

– Elle m'a demandé de voir votre bureau. Elle était bien gentille, je n'ai pas pu lui refuser. Elle n'est pas entrée, elle a juste regardé, puis elle est partie.

– C'est tout?

– C'est tout… Elle m'a demandé si je travaillais avec vous, j'ai dit oui, et puis…

– Et puis?

– Elle m'a demandé si j'aimais ça, travailler avec vous.

– Et tu aimes ça?

– Je lui ai dit la vérité. Elle avait l'air contente.

– Et elle est partie.

– Oui.

– C'est tout?

– C'est tout.

– Merci, Alfred. Heureusement que tu étais là.

Leahy avait été à cent lieues de penser que Lucille Berthelot viendrait un jour le voir au poste. Il avait besoin de se retrouver seul pour digérer la nouvelle, mais Moreau ne bougeait pas.

– Autre chose, Alfred?

– Je ne connaissais pas cette jeune personne…

Le constable, sans le dire ouvertement, paraissait déçu d'être tenu à l'écart des secrets de son protégé.

– Mais si, Alfred, tu la connaissais, même si tu ne l'avais encore jamais rencontrée.

– C'est qui ?

– La fille de l'assassin.

Il avait dit ça en essayant de ne pas y croire, pour se forcer à accepter une réalité qui lui répugnait, peut-être aussi pour que Moreau proteste et lui démontre que c'était impossible… Moreau ouvrit de grands yeux.

– La fille du zouave ?

– Elle-même.

– C'est lui, l'assassin ?

– Je le crains.

– Elle sait ?

– Non.

– Et quand elle saura… ?

– Elle ne viendra plus nous voir.

Fournier entra sans frapper.

– Bonjour, sergent, ou plutôt bon après-midi ! Ah, pardon ! Je n'avais pas vu qu'il y avait quelqu'un…

Cette irruption agaça Leahy qui répondit froidement.

– Oui. Il a tendance à ne pas se faire remarquer, ces jours-ci.

– Mais je me rappelle vous avoir vu, dit Fournier à Moreau. Il y a une semaine. Où donc ? Ah oui ! Dans le tramway. Nous sommes descendus au même arrêt.

Moreau, vexé d'avoir été reconnu, fit un geste d'ignorance, salua Leahy et quitta le bureau.

– Je regrette de vous déranger, sergent. Pacaud m'a dit que vous étiez passé au journal. Je venais voir à tout hasard si vous aviez du nouveau. Voilà une semaine que je ne vous ai pas vu.

– En effet, mais vous savez que j'ai rencontré votre ami Routhier.

– Il m'a tout raconté, oui. J'espère qu'il n'a pas dit du mal de moi ?

– Rassurez-vous, répondit Leahy en souriant. Rien que du bien, mais il m'a appris que vous vouliez quitter *Le Soleil*. C'est vrai ?

– C'est vrai… Il n'aurait pas dû vous dire ça, c'était entre lui et moi. Ne le répétez pas à Pacaud, s'il vous plaît, il ne comprendrait pas.

– C'est promis. Et vous, de votre côté, vous n'avez pas de nouvelles pour moi ?

– Quel genre de nouvelles ?

– Les négociations.

Le journaliste secoua la tête.

– C'est presque fini, mais impossible à prévoir. Pile ou face. Nous gagnons ou nous perdons.

– Si vous perdez, vous restez quand même au *Soleil* ?

– Bien obligé, sergent, mais Horace vous a dit ce que j'en pense…

– Et si vous gagnez ?

Le visage de Fournier s'éclaira un instant, pour se refermer aussitôt.

– J'y croirai quand je le verrai. Et vous, vous n'avez rien à m'apprendre ?

– Je ne peux rien vous dire. J'en suis désolé.

– Non ?

Le journaliste était visiblement désappointé, mais il fit mine de prendre la chose à la légère.

– Dites-moi au moins que vous ne perdez pas tout espoir, que vous tenez une piste sérieuse ! Quelques miettes, par pitié, pour mes lecteurs…

– Je ne perds pas tout espoir et je tiens une piste sérieuse.

– Vraiment?

Fournier contemplait le détective, incrédule.

– Vraiment. Ça a l'air de vous étonner. Votre scepticisme n'est pas très flatteur.

– Excusez-moi. Au début, je pensais, j'espérais, que tout finirait très vite. Puis les jours ont passé et j'ai eu l'impression… comment dire…

– Que je piétinais.

– Que vous aviez des difficultés imprévues. C'est une bonne nouvelle! Vous ne pouvez rien me dire de plus?

– Revenez lundi, on ne sait jamais.

– Et d'ici là?

– D'ici là, l'assassin ne risque pas de s'enfuir.

– Vous le connaissez?

– Au revoir, Fournier.

Que signifiaient les deux messages de Lucille Berthelot? La dernière fois qu'ils s'étaient rencontrés, c'était au théâtre. Leahy passa en revue les événements de la soirée. La présence désagréable de l'émissaire montréalais; l'entretien qu'il avait surpris entre cet homme et Berthelot; son propre face à face, enfin, avec la jeune femme anxieuse. Il comprit enfin. «Tout s'est bien terminé.» Oui, il s'en était rendu compte le matin même: Berthelot n'avait pas été écarté des négociations. Les menaces qui pesaient sur lui n'avaient pas été mises à exécution. Tout cela n'avait été qu'un test pour l'éprouver, comme l'avait supposé le détective.

Berthelot aurait dû en être soulagé. Or, tout à l'heure, en sortant de l'Archevêché, il avait au contraire

donné l'impression d'être encore plus soucieux que de coutume. C'était normal : il savait que ses alliés eux-mêmes l'avaient soupçonné, et le soupçonnaient peut-être encore. Et il avait à peine salué Leahy. Savait-il que celui-ci était au courant ? Leahy avait bien recommandé à Lucille de ne pas révéler à son père sa présence au théâtre. Mais une fois la tension retombée, une fois la bonne nouvelle reçue de Montréal, une fois Berthelot réhabilité, elle lui avait peut-être tout dit.

Et l'autre message : « Ça finit bien. » Il se souvint du sourire qu'il avait adressé à Lucille pour l'engager à tenir bon. « Vous me raconterez la fin, pour Pippo et Bettina ? » Elle avait acquiescé en pleurant et elle avait tenu sa promesse. Tout avait bien fini : Bettina avait retrouvé son berger, et Pippo sa gardeuse de dindons. Et Lucille s'était déplacée pour venir lui dire ça.

Ce soir-là, Leahy s'offrit le restaurant.

27

Le temps est morose – Leahy aussi – Il passe pourtant une soirée fort agréable au *Chat Roux* – Il se livre à un marchandage de mauvais aloi, ouvre son cœur au père Flannagan, et termine son week-end dans la morosité la plus totale

Il se réveilla tôt, le samedi, mais refusa de se lever. Le ciel aperçu par sa fenêtre était gris, d'un gris sombre qui n'annonçait rien de bon. Il referma les yeux, résigné, et se blottit sous sa couverture. La pluie se mit à tomber.

À Québec, la pluie n'est jamais un phénomène passager. C'est une visiteuse indiscrète et opiniâtre. Dès son arrivée, elle s'impose, s'installe comme chez elle, met son nez partout, se mêle de tout et ne montre aucune velléité de départ. Ils devaient être bien tristes aujourd'hui, les constables de la ville. Ceux qui étaient de service dans les rues ne tarderaient pas à être trempés de la tête aux pieds, et ceux qui avaient congé n'en profiteraient pas, si ce n'est pour jouir d'un repos forcé, enfermés chez eux. Il y avait toujours la taverne, heureusement. Une bénédiction, ces tavernes, où l'on pouvait passer des heures entre amis devant un verre que l'on faisait durer le plus longtemps possible, pour retarder la tentation d'en commander un second, puis un troisième.

Il décida qu'il passerait la soirée au *Chat Roux*. Cela lui ferait du bien de revoir les autres. En attendant, il fallait meubler la journée. Il quitta son lit, fit un tour à la cuisine, mangea ce qu'il y trouva, puis se résigna à faire sa lessive : il n'aurait bientôt plus rien à se mettre. Il suspendit les vêtements mouillés un peu partout, là où il put.

Tôt ou tard, Pennée lui demanderait de faire un rapport complet sur son enquête. Une corvée. Autant s'y atteler tout de suite. Il s'assit à sa table et entreprit de relater les événements des deux dernières semaines, adoptant le ton impersonnel qui convenait. Il n'était pas question d'y décrire ses impressions, ses sentiments, ses espoirs ou ses déceptions. Des faits, rien que des faits ! C'était moins facile qu'il n'y paraissait de prime abord. Comment allait-il décrire les personnages qu'il avait croisés sans dire s'ils étaient amicaux ou hostiles, volubiles ou réservés, agréables ou revêches ? Comment raconter son entretien avec Gauvreau, l'enterrement de Laflamme, le thé qu'il avait pris avec Berthelot et sa fille, sa soirée au *Chat Roux*, sa bosse, sa promenade en voiture avec Routhier, sa soirée au théâtre ? Il fit plusieurs essais, corrigea, ratura, élimina des paragraphes entiers qu'il remplaça par de toutes petites phrases, et finit par obtenir un document d'une dizaine de pages.

En le relisant, il eut l'impression que son enquête aurait été beaucoup plus courte s'il l'avait mieux orientée, mais c'est facile à dire après coup. L'essentiel tenait quand même à peu de chose. Berthelot avait été visé par les violentes attaques de la victime. Le crucifix appartenait à Berthelot. La signature de Berthelot, sur la lettre au *Soleil*, ressemblait à celle de la lettre brûlée, et l'ancien zouave était le seul suspect avec un mobile évident. Finalement,

tout se résumait en quelques phrases brèves. Lundi, il verrait Pennée et tout irait très vite. Il sentit son estomac se nouer.

Il revit Lucille assise près de lui, au salon de thé. «Je n'aimerai jamais l'assassin de mon père!» Elle n'avait pas dit ça comme ça, c'était enveloppé de références littéraires, mais c'était clair. C'était pour lui qu'elle avait dit ça, évidemment, sinon, ça ne s'expliquait pas. Jeudi, elle s'était rendue au poste de police en pensant l'y trouver, pour lui faire un message qui n'avait aucune importance. Pour quelle raison, sinon pour signer avec lui une paix définitive, à présent qu'elle croyait son père hors de cause?

Maintenant, tout était perdu. Il était sur le point d'inculper Berthelot, et Lucille était sur le point de le haïr.

Il regarda par la fenêtre. Il pleuvait encore.

Lorsque la nuit tomba, il pleuvait toujours. Leahy mit son imperméable et sortit.

En arrivant à la porte de la taverne, il craignit soudain d'être mal reçu par les hommes qu'il y avait rencontrés il y avait tout juste une semaine et auxquels il avait si piteusement tenté de jouer la comédie. À son grand soulagement, ils le reçurent avec joie.

— Alors, vieux coquin, on fait des cachotteries à ses petits frères?

Il eut même droit à quelques tapes dans le dos. *Father* Flannagan souriait, lui aussi. Son agresseur était là également, un peu intimidé. Leahy se frotta le crâne en simulant une grimace.

— Vous ai-je déjà rencontré quelque part?

Ils lui offrirent un verre, et la conversation tourna autour de son enquête.

— Je ne peux pas vous donner de détails, mais je crois que la conclusion approche.

— Excellente nouvelle! Vous viendrez nous voir plus souvent, quand vous aurez pendu ce bonhomme?

— Les enfants! Les enfants! On ne se réjouit pas de la mort d'un homme, quel qu'il soit!

— Bien, *Father*. Mais vous savez que vous pouvez dorénavant compter sur nous, Leahy!

— Compter sur vous? Pour quoi faire?

— N'importe quoi, si on peut vous rendre service! Surtout Johnny, il a une fameuse dette envers vous depuis que vous l'avez laissé partir sans le gronder…

Ledit Johnny devint tout rouge et regarda ailleurs.

— J'en prends note, merci. On ne sait jamais! Vous ne chantez pas, ce soir?

— Nous n'osons pas. La police nous surveille…

— La police? s'étonna Leahy en regardant de tous les côtés.

— Mais oui! Figurez-vous qu'ils nous envoient maintenant des détectives en civil qui se mêlent aux clients sans se faire remarquer!

Un immense éclat de rire accueillit cette déclaration et quelques-uns, tout à leur gaieté, entonnèrent une chanson à boire. Ils se turent brusquement en voyant le patron approcher, les manches retroussées.

Cette nuit-là, Leahy s'endormit heureux. Il s'était fait des amis.

Un tournant dans l'enquête ? (Le Soleil, 8 octobre)

Alors que rien ne semble indiquer une issue prochaine à l'enquête sur le meurtre de notre confrère Arthur Laflamme, certaines rumeurs commencent à courir sur les sombres motivations qui ont pu y conduire. On murmure en effet, ici et là, que les négociations qui se déroulent entre l'Archevêché et deux importantes compagnies d'électricité n'y seraient pas étrangères.

Interrogé à ce sujet, le curé de Saint-Roch, qui prend une part active à ces négociations, nous a déclaré ceci : « Nous espérons que ce crime n'est pas lié aux pourparlers en question. Mais si cela était, soyez assurés que nous n'accorderons jamais de contrat à une entreprise, quelle qu'elle soit, qui recourt au meurtre pour atteindre ses objectifs. L'Église ne traite pas avec des assassins ! »

❖

Dimanche matin, il pleuvait encore. Leahy se rappela la promesse qu'il avait faite au père Flannagan d'assister à la messe à St. Patrick.

L'église était pleine. Leahy regretta d'avoir laissé s'effriter un sentiment religieux qui avait pourtant été bien vigoureux naguère, lorsqu'il vivait encore parmi les siens. Il prit la résolution de renouer avec la pratique, si toutefois il avait le bonheur de…

– Francis, lui chuchota une voix secrète. On ne marchande pas avec Dieu.

– C'est vrai, reconnut-il.

Puis, après une courte réflexion :

– Mais Abraham lui-même a marchandé avec Dieu, rappela-t-il à la voix, pour qu'il ne détruise pas Sodome – ou était-ce Gomorrhe? Rioux doit savoir ça – et Dieu s'y est prêté de bonne grâce!

La voix répliqua, agacée:

– Peut-être, mais ça s'est quand même mal terminé. Les deux villes ont été détruites.

– Je prends le risque.

Après la messe, Flannagan l'invita à partager son repas au presbytère. Ils étaient seuls à table, le curé ayant été invité, de son côté, par une communauté de religieuses. Leahy céda au besoin impérieux de dévoiler son âme, de révéler au prêtre les sentiments confus et contradictoires qui l'avaient habité ces derniers jours.

– Je vois que vous l'aimez, dit le prêtre. Vous aime-t-elle?

– Je ne sais pas. Peut-être. Non, je ne crois pas.

– Je vais prier pour que vous trouviez le bonheur, Francis, et si vous en avez un jour l'occasion, venez donc me la présenter! Vous disiez hier que votre enquête était sur le point d'aboutir?

Leahy ne vit aucune raison de ne pas en relater les grandes lignes.

– Et cet homme est le père de…?

– Oui.

– C'est ennuyeux. Tout dépendra donc de ce que dira votre chef, demain?

– En bonne partie. Qu'en pensez-vous, vous-même?

Une ombre passa dans les yeux de Flannagan.

– Je ne sais pas. Tout est possible, et le contraire de tout, mais je dois vous faire une recommandation.

– De prudence?

– De courage. Vous en aurez besoin trois fois. En apprenant la vérité pour la regarder en face, en prenant la décision d'agir pour que cette décision soit digne de vous, et enfin dans l'action pour ne pas faillir. Notez bien, ajouta-t-il d'un air enjoué, que je ne prends pas beaucoup de risques en vous disant cela! Le courage et la prudence vont de soi chez un policier, n'est-ce pas? Et en plus, ce sont des vertus cardinales!

⁘

La pluie avait cessé, mais pour combien de temps? Les nuages couvraient toujours le ciel, noirs et lourds. De grandes flaques d'eau, dans les rues, imposaient aux piétons une attention constante. Mais enfin, il ne pleuvait pas et Leahy, une fois sorti du presbytère, éprouva le désir de retourner à la Terrasse. On était dimanche. Malgré le temps maussade, tout le monde n'avait peut-être pas renoncé à sortir...

Son entretien avec le père Flannagan avait permis au jeune policier de voir clair en lui-même, de s'avouer ouvertement, en laissant spontanément parler son cœur, ce qu'il n'avait pas encore osé pleinement reconnaître: il aimait Lucille Berthelot. Il se souvint du trouble qui l'avait saisi dès leur première rencontre, lorsqu'elle lui avait ouvert la porte de sa maison. Il revit leur promenade sur la terrasse du Château. Ils s'y étaient affrontés, certes, mais le ressentiment qu'elle avait alors exprimé n'était dicté que par l'amour filial. Il n'y avait chez elle aucune méchanceté, rien qu'une force d'âme qui avait profondément marqué Leahy. Et un regard...

Elle vivait seule avec son père depuis des années, dans un univers aux horizons forcément limités. Elle aurait pu se laisser languir, dépérir doucement comme une fleur privée d'eau et de soleil. Elle avait, au contraire, su rester elle-même, ardente, équilibrée, généreuse, lucide, fière. Forte. Leahy en revenait toujours là. Forte, et si belle.

Il ne l'avait plus revue depuis cette soirée au théâtre où elle lui avait révélé, bien malgré elle, qu'elle pouvait aussi se montrer faible et désarmée. Il ne l'en aimait que davantage. Cela faisait presque une semaine, mais il savait maintenant que son image, sa voix, son regard, ne l'avaient plus quitté un seul instant. Comment supposer qu'elle puisse, de son côté, éprouver pour lui les mêmes sentiments? Elle était pourtant venue vers lui de son plein gré, un jour qu'il n'était pas là. Lui dire, sans le dire, qu'il ne lui était pas totalement indifférent…

La Terrasse était déserte. À peine, ici et là, quelques promeneurs solitaires, qui avaient choisi d'affronter le mauvais temps plutôt que de demeurer enfermés dans la tristesse de leur chambre. Un léger vent s'était levé, frais, transportant avec lui quelques gouttelettes que Leahy, indifférent, recevait sur le visage tout en promenant son regard sur l'esplanade.

Il revenait lentement vers la statue de Champlain quand il vit le fiacre s'arrêter. Elle sortit, aida son père à descendre, regarda autour d'elle et l'aperçut. Elle salua gracieusement de la tête et s'arrêta, comme pour l'inviter à les rejoindre. Berthelot, tourné vers le cocher, n'avait rien remarqué.

Mais il ne pouvait pas. Il savait ce qui l'attendait le lendemain, et la décence la plus élémentaire l'empêchait de se porter à la rencontre d'un homme qu'il allait peut-être inculper de meurtre, lui interdisait de sourire à une jeune fille qu'il allait priver du seul être qu'elle aimait. Il souleva son chapeau et passa son chemin. Il était furieux contre lui-même. Qu'était-il donc venu faire ici? Observer sa proie pour se préparer à mieux la déchirer?

Au bout de quelques pas, il se retourna. Elle s'était retournée, elle aussi, et le regardait s'éloigner.

Lundi 10 octobre 1898

28

Pennée modère une fois de plus l'enthousiasme, à vrai dire mitigé, de son subordonné – Berthelot chancelle

Lundi matin, aussitôt terminé le défilé des policiers dans la cour de l'Hôtel de Ville, sous un ciel gris, Leahy se présenta chez son capitaine et lui fit part de la découverte qu'il avait faite vendredi.

– Intéressant… fit Pennée.

– C'est plus qu'intéressant, monsieur! Leahy était toujours surpris des réactions de son supérieur. Cette lettre nous apprend d'abord que Berthelot a furieusement réagi aux attaques de Laflamme.

– Furieusement, vraiment? C'est l'impression qu'elle vous a donnée?

– Disons avec une colère à peine contenue…

– C'est mieux.

– Mais le plus important, monsieur, est que la signature trouvée dans l'appartement de la victime ressemble beaucoup à celle de cette lettre!

– C'est en effet très intéressant.

– Vous n'êtes pas autrement impressionné?

– Que vous a confié Alice à ce sujet?

– Alice… le tableau ? Il ne reste plus que deux lignes, monsieur, les voici.

Couteau (vrai si le coupable est franc-maçon)	Crucifix (vrai si le coupable est Berthelot)	Lettre (vraie si la signature est de l'assassin)	Conséquences
Faux	Vrai	Vrai	Berthelot
Faux	Faux	Faux	Fournier – Routhier (mobile ?)

– Vous voyez bien ! Si la signature est fausse, le coupable est un autre.

Au fond de lui-même, le détective ne croyait pas à cette dernière ligne. Les indices qui accusaient Berthelot étaient trop concordants mais s'il restait, aux yeux de Pennée lui-même, une chance de sauver cet homme, Leahy ne demandait pas mieux.

– Et si elle est vraie ?

– Comment comptez-vous faire pour le savoir ? Allez revoir M. Berthelot avec la lettre, montrez-la lui. Si c'est bien lui qui l'a écrite, nous le convoquerons pour un interrogatoire plus serré. Au besoin, nous nous munirons d'un mandat.

– Un mandat d'arrêt ?

– Non, non ! Un simple mandat d'amener, comme témoin. Une chose à la fois, Leahy !

‑‑§‑‑

Le moment était donc venu d'agir, d'étaler ses cartes, de faire valoir ses atouts. Leahy retourna au *Soleil* pour reprendre la lettre de Berthelot. Pacaud parut étonné.

– Ah bon ? Vous la trouvez donc importante ?

– Elle peut nous rendre service.

– Je l'ai remise à sa place. Fournier est dans son bureau, je crois. Il vous la remettra.

Fournier reçut le détective avec une surprise mêlée d'excitation.

– C'est gentil de venir me voir, mais je comptais passer moi-même… Alors?

– Non, Fournier. Je n'ai rien à vous apprendre pour le moment. J'ai simplement besoin de la lettre de Berthelot.

– Quelle lettre?

– Celle qu'il a écrite au journal. Elle est datée du 15 septembre, si je me rappelle bien.

Fournier mit du temps à réagir.

– Ah oui… je vois.

Il se dirigea vers le tiroir qui contenait le courrier, fouilla un peu, et revint avec la lettre.

– Qui vous en a parlé? demanda-t-il au détective.

– Je l'ai lue, vendredi. Pacaud ne vous l'a pas dit?

– Non. Vous non plus, d'ailleurs.

– Fournier, excusez-moi. Je ne peux tout de même pas vous confier tous les détails de mes recherches!

– Vous n'avez donc pas confiance en moi, sergent? fit le journaliste sur un faux ton de plaisanterie.

– Répondez-moi honnêtement, Fournier. Depuis quand faut-il faire confiance aux journalistes?

– Il n'est jamais trop tard pour bien faire!

– Eh bien, je vous fais confiance pour que vous ne parliez de cette lettre à personne!

❧

Quand Leahy se présenta au 18 de la Grande Allée, c'est Berthelot lui-même qui ouvrit. Le détective avait

demandé à Rioux, qui l'avait accompagné, de rester dehors sans se montrer.

Lucille était allée revoir ses anciennes maîtresses, au couvent des Ursulines, rue du Parloir, expliqua son père. Il avait été étonné qu'elle y aille un lundi, en pleine période scolaire. C'était une décision qu'elle avait brusquement prise la veille, pendant leur promenade. Promenade qu'elle avait tout aussi brusquement écourtée, d'ailleurs, alors qu'elle avait elle-même insisté pour sortir. Mais ce que femme veut… soupira-t-il.

— Pendant que j'y pense, ajouta-t-il une fois au salon, je vous prie de m'excuser si je vous ai semblé distant, vendredi. J'étais préoccupé, et je crois bien que j'étais un peu fatigué. J'ai tendance à oublier que vous faites votre métier, et que vous cherchez la vérité!

C'étaient exactement les termes que Leahy avait utilisés au théâtre, avec Lucille. Elle lui avait donc dit… Il rassembla son courage et aborda le sujet qui l'amenait.

— Moi, écrire au *Soleil*? Je n'ai jamais fait ça!

Leahy lui tendit la lettre, qu'il saisit d'un air incrédule. Il la lut, la relut, soudainement prostré, les yeux obstinément fixés sur les feuilles. Puis il releva la tête, et le détective lut dans ses yeux, en même temps que la peur, quelque chose qui ressemblait à un défi.

— Je vois que vous ne lâchez pas facilement prise, jeune homme.

— Vous reconnaissez avoir écrit cette lettre?

— Comment pourrais-je le nier?

— C'est pourtant ce que vous venez de faire!

— Tout à l'heure, il me restait un espoir. L'espoir que cette lettre ait été détruite, que vous ne la connaissiez

que par ouï-dire. J'ai très vite compris, comme vous apparemment, qu'elle pouvait être accablante.

— Elle contient des menaces à peine voilées. Votre allusion à vos armes…

— Je parlais de l'arme de la loi, des tribunaux! Vous auriez lu la lettre vous-même, avant le crime, y auriez-vous vu des menaces de mort? Ce journaliste l'a lue, certainement. A-t-il craint pour sa vie? On a dû vous le dire!

— Croyez-vous que cet argument tiendrait devant un jury?

— Mais certainement! Berthelot se ressaisissait. Si cette lettre est votre seule preuve…

— Vous oubliez le crucifix, monsieur.

— Je vous l'ai dit. On me l'a pris!

— Il y a autre chose, monsieur.

— Autre chose? Quelle autre chose?

— La lettre que vous avez adressée à Arthur Laflamme.

— Moi, j'aurais écrit à ce monsieur? Pour quoi faire?

— Pour lui annoncer votre visite.

— Ma visite?

Berthelot avait brutalement changé d'expression. Il semblait à présent totalement hébété.

— Vous avez cette lettre?

— Elle a été brûlée. Ce qui en reste porte votre signature.

— N'importe qui est capable d'écrire mon nom! Cela ne prouve rien!

La réponse manquait de conviction.

— C'est votre écriture, monsieur.

– Mon écriture? Vous avez reconnu mon écriture sur un papier brûlé?

– Elle y ressemble beaucoup.

L'homme n'essaya plus de lutter.

– Si on m'avait dit un jour que j'en arriverais là, j'aurais ri de tout mon cœur. Quelle désolation! Qu'avez-vous l'intention de faire?

– Je vais d'abord en référer à mes supérieurs, monsieur. D'ici là, je suis dans l'obligation de vous prier de ne pas quitter votre domicile.

– Craignez-vous que je prenne la fuite? Ou que je commette un second crime?

– Vous n'iriez pas très loin, monsieur, et je ne crois pas que vous représentiez un danger immédiat.

– Dans ce cas, si vous devez m'emmener, laissez-moi jusqu'à demain, je vous prie! Le temps de me préparer, et de préparer ma fille… Surtout ma fille.

Lundi 10 octobre 1898

29

La fin approche, mais est-ce bien vrai ? – Rien ne va plus – Pennée
remonte le moral de Leahy, Leahy remonte le moral de Rioux, et Moreau
essaie de remonter le moral de tout le monde

Après avoir posté Rioux à proximité du domicile de Berthelot, Leahy s'était dépêché de regagner le poste central.
Les derniers développements allaient exiger de graves
décisions. Il montra la lettre à son capitaine et lui relata
sa visite.

— Il reconnaît donc l'avoir écrite ?

— Il a commencé par nier, puis il a avoué.

— Il a avoué le meurtre ?

— Non, monsieur. Il continue de se dire innocent,
mais c'est bien lui qui a écrit la lettre, et il a eu l'air complètement abattu quand je lui ai mentionné la preuve.

— La preuve ?

— L'initiale déchiffrée par le laboratoire.

— Il a reconnu que cette signature était de lui ?

— Oui ! Enfin, pas clairement, mais il n'a pas nié !

— Intéressant.

— Oui, monsieur, c'est intéressant, fit Leahy, décou-
ragé, mais cela nous donne aussi des éléments assez soli-
des pour l'arrêter ! Tout concorde, tout s'agence !

– Tout semble concorder, Leahy. Mais cela vaut la peine qu'on y réfléchisse un peu, vous ne croyez pas? Racontez-moi comment les choses se sont passées d'après vous, et ne soyez pas inquiet: si nous avons besoin d'un mandat, il sera très facile à obtenir. Le bureau du juge se trouve dans le même édifice, comme vous le savez.

Leahy s'arma de patience et entreprit de décrire le déroulement probable des événements.

– Berthelot écrit à Laflamme, probablement le mercredi ou le jeudi précédant le meurtre, et lui demande de le recevoir dimanche assez tard, pour des raisons évidentes de discrétion. Laflamme décide alors de renoncer au voyage qu'il projetait de faire à Montréal.

«Le dimanche soir, Berthelot se présente, Laflamme le fait rentrer, lui offre un verre, mais Berthelot, qui a apporté du bromure de lithium, en verse dans celui de son hôte. Lorsque Berthelot, qui connaît bien les symptômes associés à cette drogue, juge que son adversaire est sans défense, il l'assomme et lui brise le crâne. Puis il récupère la lettre qu'il a écrite et il la jette au feu. Pour égarer les soupçons, il égorge sa victime et laisse volontairement le couteau sur place, un couteau qui porte un symbole ésotérique et qu'il a acheté quelques jours auparavant à un inconnu. Il s'en va enfin, avec les articles que le journaliste vient d'écrire.

«Mais il a commis deux erreurs: son crucifix est tombé de sa poche, et la lettre qu'il avait écrite à sa victime n'a pas entièrement brûlé.»

Pennée avait écouté avec attention.

– Et le mobile?

– À la fois l'honneur bafoué et les intérêts menacés!

– Bien. Maintenant que vous avez présenté l'accusation, que diriez-vous si vous deviez plaider la défense ?

Leahy ne s'attendait pas à cette demande. Il aurait volontiers envoyé promener son chef et ses scrupules, mais il jugea plus sage de s'en abstenir. En même temps, il lui était reconnaissant de chercher à défendre Berthelot en dépit des évidences. Il réfléchit un moment.

– Si ce n'est pas lui, c'est quelqu'un qui le connaît assez bien pour lui voler son crucifix, imiter sa signature, utiliser le même soporifique. Cela fait beaucoup, mais c'est concevable.

– Qui pourrait réunir ces conditions ?

– Le choix n'est pas grand. Ou peut-être que si… Un ami, ou Fournier, ou encore un membre de l'Archevêché.

– Limitons-nous pour l'instant à Fournier. Comment aurait-il été au courant, pour le soporifique ?

– Une indiscrétion est vite commise. J'ai remarqué vendredi que l'abbé Marcoux, de l'Archevêché, laissait parfois échapper des détails confidentiels. Fournier le rencontre régulièrement.

– Quel serait son mobile ?

– J'y ai réfléchi plusieurs fois. Il aurait pu tuer par ambition, dans l'espoir d'hériter des fonctions et du statut de Laflamme, mais il semble au contraire qu'il n'attende qu'une occasion pour quitter le journal.

– Quelle occasion ?

– L'octroi du contrat d'électricité à la compagnie libérale. Si cela se produit, le directeur a promis de l'engager. Sur ce plan, au moins, lui et Laflamme avaient les mêmes objectifs. D'un autre côté, Fournier a un demi-alibi.

— Qu'est-ce qu'un demi-alibi, Leahy? Je ne connais pas cet animal.

— Il a passé la nuit… en bonne compagnie. Il aurait eu le temps de tuer Laflamme avant d'aller à son rendez-vous, mais pas plus. Il est possible qu'un autre soit allé terminer ce qu'il avait commencé. Ramasser les manuscrits, laisser les faux indices…

— Et cet autre, ce serait…?

— Son ami ingénieur, Routhier. J'avoue que je n'y crois pas. Fournier peut aussi avoir agi tout seul, droguant la femme comme il aurait drogué Laflamme et ressortant pendant la nuit sans être remarqué.

— C'est bien vu, mais c'était risqué!

— D'un autre côté, il n'a jamais cherché à se retrancher derrière cet alibi. Je l'ai découvert par hasard.

Pennée réfléchit un court instant.

— Vous m'avez presque convaincu, Leahy. Je demande un mandat au juge. Un mandat d'amener, précisa-t-il.

Il décrocha son téléphone, obtint facilement la communication et exposa la situation à son interlocuteur. Celui-ci dut lui réclamer des précisions qu'il promit de lui envoyer aussitôt. Il nota sur une feuille le nom et l'adresse de l'ancien zouave, ainsi que quelques notes explicatives, puis il chargea un constable de la remettre immédiatement au juge *recorder*. Le *recorder* était, des cinq juges qui résidaient à Québec, celui qui était normalement chargé des affaires courantes.

— Vous aurez très vite le mandat, Leahy.

— Merci, monsieur. Si vous le permettez, je ne m'en servirai que demain.

— Pourquoi donc?

– Un engagement que j'ai pris, monsieur. Pour lui permettre de se préparer.

– Vous lui faites confiance?

– C'est un gentleman, monsieur.

Pour un Anglais de bonne famille, c'est là un argument péremptoire: Pennée s'inclina. Il réfléchit un moment.

– Votre gentleman est en danger. En êtes-vous conscient?

– Que voulez-vous dire, monsieur?

– Avez-vous laissé un policier sur place?

– Oui. Rioux, pour le suivre s'il sort de chez lui, mais...

– Il faudra penser le relever pour la nuit. J'espère me tromper, Leahy, mais je crois que la franc-maçonnerie ne lui pardonnera jamais d'avoir tué l'un des siens.

– Je les connais, monsieur, ils ne peuvent...

– Pas d'angélisme, Leahy! Vous avez peut-être rencontré des gens respectables, d'autres le sont beaucoup moins!

– Mais ils ne savent rien! Ils ignorent même l'existence de la lettre au *Soleil*!

– En êtes-vous si sûr?

Leahy faillit protester. Comment d'autres sauraient-ils ce que lui-même avait découvert par hasard à peine trois jours plus tôt? Mais le capitaine avait raison, une fois encore. L'idée qu'il avait eue, un autre avait pu l'avoir avant lui. Un autre, qui aurait eu la possibilité d'accéder à cette lettre. Grâce à qui? À Fournier? À Pacaud? Ces deux-là l'avaient lue depuis longtemps, et ils n'y avaient vu que le mouvement de colère d'un homme blessé.

– Même dans ce cas, monsieur, cette lettre n'est pas une preuve, comme vous le disiez vous-même. Je suis seul

à connaître le papier brûlé avec son initiale, et seul aussi à connaître l'existence du crucifix et à savoir qu'il appartenait à Berthelot. Il faudrait avoir tous ces éléments en main pour conclure. À part moi, personne ne les a!

– À part vous et l'assassin, corrigea Pennée. Vous avez raison, mais il faut rester vigilants. Vous devez être fier de vous!

– Je suis désorienté, monsieur. Cela s'est passé si vite, c'était finalement si simple! Je n'arrive pas à y croire.

– C'est le résultat de votre travail. Vous avez réfléchi, vous avez cherché, vous avez trouvé, et, comme vous dites, tout concorde. Enfin, jusqu'à preuve du contraire. Si les francs-maçons n'avaient rien à reprocher à Arthur Laflamme, s'il n'y a aucun indice de manœuvres malhonnêtes de la part des intérêts conservateurs, il ne reste que le mobile de l'honneur. C'est donc Berthelot. Vous avez sans doute eu de la chance, mais la chance ne vient jamais d'elle-même. Il faut la mériter, et vous l'avez méritée!

– Oui, monsieur. Sans doute.

– Qu'est-ce qui ne va pas, Leahy?

– Je suis un peu déçu, monsieur. Je l'aimais bien, cet homme. J'ai espéré jusqu'au bout qu'il était innocent...

Pennée poussa un soupir.

– Déçu de la nature humaine. Je vous comprends. Vous n'en êtes encore qu'au début de votre carrière, vous en verrez d'autres, je vous le promets! Il faut s'incliner devant l'évidence: aucun de nous n'est un ange, et le meilleur homme peut un jour se transformer en assassin.

– Pensez-vous qu'il ait une chance de s'en tirer devant le tribunal?

– Je crains que non. S'il s'était agi d'un meurtre involontaire, survenu par accident au cours d'une violente dispute, peut-être. Mais tout indique un crime prémédité, soigneusement préparé. Je me trompe ?

– Non, monsieur. Le couteau, le bromure, c'est évident. Il était prêt à tuer.

– Cela ne fait pas de la victime un agneau innocent, remarquez bien ! Mais un meurtre est un meurtre, et la loi est la loi. La seule chose qui pourrait le sauver, c'est que le papier brûlé soit un faux indice. La dernière ligne de votre tableau. Mais vous me dites que Berthelot n'a pas nié…

Leahy pensa à Lucille Berthelot. Qu'allait-elle devenir ? Il essaya de l'imaginer seule, obligée de vivre avec l'insoutenable souvenir de son père arrêté, emprisonné, jugé, rejeté de tous, condamné publiquement à une mort ignominieuse… Des bruits précipités le sortirent de sa prostration.

– Déjà de retour ? s'étonna Pennée. Notre *recorder* est bien efficace !

La porte s'ouvrit. Ce n'était pas le constable envoyé chez le juge, c'était Rioux, essoufflé, rouge, en nage.

– Rioux, que se passe-t-il ?

Rioux était visiblement malheureux, et la présence de Pennée paraissait l'accabler davantage encore. Il s'adressa péniblement à Leahy, les yeux baissés comme un enfant pris en faute.

– Je l'ai perdu, monsieur.

Leahy se leva d'un bond.

— Vous l'avez perdu ? Qu'est-ce que vous racontez ? Expliquez-vous !

— Il s'est enfui.

— Mais vous étiez là ! Vous l'avez vu s'enfuir et vous n'avez rien fait ?

— Je ne l'ai pas vu. Ou plutôt, oui, je l'ai vu. Mais ce n'était pas lui.

— Je ne comprends pas, Rioux. Soyez clair !

— Je surveillais la maison comme vous me l'aviez dit. S'il sortait, je devais le suivre, le convaincre de rentrer chez lui, vous avertir.

— En effet. Et puis ? Il est sorti ?

— Non. D'abord, tout de suite après votre départ, le facteur est passé. Puis, une heure après, sa fille est arrivée en fiacre. Le fiacre s'est arrêté devant la porte, la fille est entrée chez elle, mais le fiacre est resté là, sans bouger. Dix minutes après, d'un seul coup je l'ai vu sortir, lui, le père, avec une mallette. Il est monté, et le fiacre est parti. Ça s'est passé très vite.

— Et vous n'avez rien fait ?

— J'étais de l'autre côté de la rue. J'ai couru après le fiacre. Je l'ai rattrapé, j'ai réussi à monter, je lui ai parlé. Il ne m'a pas répondu.

— Ça m'est bien égal, qu'il ait répondu ou non ! Vous l'aviez rejoint, c'était l'essentiel !

— Oui, monsieur, c'est ce que je me disais, mais il avait son chapeau enfoncé sur la tête et il s'était tourné dans un coin, le visage contre le dossier de la banquette. Il faisait sombre, la capote était relevée, je le voyais à peine.

— Au fait, Rioux !

— On a roulé quelques minutes. Puis il s'est retourné et j'ai vu son visage.

– Bon! Et alors?

– Et alors, ce n'était pas lui! C'était elle…

– Elle?

Leahy, perdu, se laissa retomber sur sa chaise. Pennée observait la scène, imperturbable.

– Elle avait mis ses vêtements. Entre sa sortie de la maison et son entrée dans la voiture, il s'était passé deux secondes. Je n'avais pas eu le temps de remarquer. Et puis, le fiacre m'avait masqué la vue.

– Et elle, elle riait? Elle était contente d'elle-même?

– Non, monsieur. Elle avait les yeux rouges. Elle pleurait. Elle m'a tendu cette lettre. Je l'ai prise sans poser de questions, j'ai sauté du fiacre et j'ai couru vers la maison. J'y suis entré, j'ai cherché partout. Personne.

Le détective saisit machinalement l'enveloppe que tenait Rioux. Elle était adressée *Au sergent Leahy*. Il ne se sentait ni la curiosité ni la force de la lire. Il la froissa nerveusement et la fourra dans une poche.

– Comment êtes-vous entré?

– Il avait laissé la porte ouverte.

– Quelqu'un l'a vu partir?

– Un voisin. Il a vu un fiacre. Un autre fiacre, n'est-ce pas. Il a vu Berthelot y monter.

– Aucun espoir de retrouver ce fiacre?

– Il avait eu tout le temps de s'éloigner.

Le détective s'épongea le front. Berthelot s'était donc enfui. Avec la complicité active de sa fille. Il n'avait pas prévu cela et ne se sentait pas le droit de blâmer Rioux.

– La maison est toujours ouverte?

– Je l'ai refermée en sortant, monsieur. La clé était restée au salon, sur la table. La voici.

– C'est bon, Rioux, fit Leahy en regardant stupidement la clé. Allez vous reposer. Je viendrai vous voir.

Au moment où Rioux sortait, l'autre constable arrivait avec le mandat qu'il remit à Pennée avant de sortir à son tour.

Ils étaient à nouveau seuls, son chef et lui. Il n'osait pas lever la tête, les yeux rivés au mandat posé sur le bureau, désormais inutile. Il avait commis une faute professionnelle grave et la colère de Pennée allait se déchaîner. Il ferma les yeux.

– Alors, Leahy, votre gentleman s'est fait la malle ? Bien joué, Leahy !

⁂

Leahy maudit le jour où il était entré dans la police. Il aurait préféré cent fois l'engueulade qu'il savait mériter à l'ironie que lui servait son chef.

– Je ne sais pas ce qui s'est produit, monsieur. Il n'avait aucune intention de s'enfuir, il me l'avait pour ainsi dire promis !

– Ce n'est pas difficile à deviner. C'est sa fille ! Il a dû lui téléphoner là où elle se trouvait. Chez les Ursulines, dites-vous ? Elle l'a persuadé, et pendant qu'il se préparait elle s'est arrangée avec le fiacre. Avec les deux fiacres, en fait. Une sacrée bonne femme !

– En attendant, tout est perdu…

– Qu'est-ce que vous racontez ? Leahy, je n'aurais probablement pas mieux fait que vous dans les mêmes circonstances. Et mon petit doigt me dit qu'il nous reste des choses à apprendre. Cette fuite est peut-être une bonne nouvelle, finalement !

– Vous êtes indulgent, monsieur.

– Croyez-vous que Berthelot soit un danger public?

– Non, monsieur.

– Croyez-vous qu'il puisse se cacher éternellement et échapper à nos recherches?

– Je ne le pense pas.

Leahy se rappela que Berthelot lui avait posé les mêmes questions, quelques heures plus tôt…

– Alors, vous voyez bien! *Cheer up, old boy!*

– Bien, monsieur. Mais que dois-je faire, à présent?

– Rendre la politesse à M. Berthelot, évidemment.

– La politesse?

– Il vous a laissé sa clé. Il attend votre visite, même s'il n'est pas chez lui. Ne le décevez pas!

⁂

Leahy regagna son bureau. Rioux l'attendait.

– Je suis désolé, monsieur. Cela n'aurait pas dû se produire.

– C'est ma faute à moi, Rioux. Cessez de vous en faire.

– Il vous a passé un savon?

– Pennée? Pas du tout. Il m'a encouragé, au contraire.

– Le débiteur insolvable…

– Oui, Rioux?

– La parabole de l'Évangile, monsieur. Si on est miséricordieux avec nous, il faut que nous soyons miséricordieux avec les autres.

– En effet… Et s'il m'avait engueulé, j'aurais eu le droit de vous engueuler aussi?

Rioux hésita.

– Mais vous avez toujours le droit, monsieur, du moment que c'est mérité.

– La diplomatie ne vous a jamais attiré, Rioux?

– C'est fait pour les fils de riches.

– La théologie, sinon?

– J'ai essayé. Ils ont dit que je n'avais pas la vocation.

– Comment ont-ils fait pour savoir?

– Quelques conversations. J'avais un esprit indiscipliné et pas assez d'instruction.

– Donc, si on est un pauvre ignorant, on entre dans la police?

– Il faut croire.

– Et qu'est-ce que deux pauvres ignorants comme nous doivent faire maintenant?

– Si vous permettez, inspecteur, on est trois pauvres ignorants. Je suis là!

Moreau venait d'entrer après avoir surpris les derniers échanges. En quelques mots, il fut mis au courant de la situation.

– Si j'avais été là moi aussi, ça ne se serait pas passé comme ça.

– Non, mais je ne peux pas me permettre de mobiliser deux hommes pour en surveiller un seul!

– En tout cas, la situation me paraît claire. On a une bonne nouvelle, et une mauvaise. La bonne, c'est que vous avez démasqué le coupable. La mauvaise, c'est qu'il s'est enfui.

– C'est bien résumé. Et maintenant?

– Il faut l'arrêter.

– Très bien. Où est-il?

– À sa place, fit Rioux, je serais allé à l'Archevêché.

– Pourquoi pas chez un ami?

– Par délicatesse. Pour ne pas le compromettre.

– Alors qu'avec Mgr Bégin, c'est différent, ironisa Moreau. Entre criminels, il faut s'entraider!

– Non, Moreau, vous savez bien que ce n'est pas cela,. fit Leahy avec lassitude. Berthelot proteste de son innocence et les gens de l'Archevêché lui font certainement confiance.

– Il faut donc aller le chercher là-bas et leur expliquer la situation.

– Je peux voir sa lettre? demanda Rioux.

Leahy lui donna la lettre de Berthelot au *Soleil*. Rioux l'ouvrit, intrigué, et la regarda à peine.

– Pas celle-ci, monsieur. Celle que je vous ai remise tout à l'heure. Vous l'avez froissée, rappelez-vous.

– Excusez-moi, j'ai la tête ailleurs. La voici.

Moreau s'approcha de son collègue pour examiner, par-dessus son épaule, les deux lettres étalées sur la table. Leahy regardait ailleurs, indifférent, assis dans un coin.

– Une belle écriture, apprécia Moreau.

Rioux ne répondit pas, occupé à lire.

– Vous n'avez pas lu cette lettre, monsieur. Vous voulez savoir ce qu'elle dit?

– Non.

– Je vous la lis.

– Non.

– Elle est très courte!

– Non.

– *Monsieur, Je dois vous voir pour rétablir la vérité.*

– Je la connais, la vérité! Il a tué un homme! Et moi, je dois me précipiter pour le voir? Le voir où?

– À l'Archevêché, monsieur, sans doute.

– Il aurait pu préciser! Il voulait que je devine?

– Il a dû penser que c'était évident. Il n'a pas eu beaucoup de temps, pour écrire ce mot.

– Le pauvre homme! Ensuite?

– C'est tout, monsieur.

– Comment! Rien d'autre?

– Non, monsieur. Il n'a pas signé non plus.

Leahy était étonné. Il bouda encore un peu, pour la forme, puis il se leva brusquement.

– Oui, bon. Donnez-moi ces deux lettres. Pennée a raison, il faut aller voir.

Il reprenait l'initiative, et ses deux assistants en étaient visiblement ravis.

Lundi 10 octobre 1898

30

Leahy visite un domicile déserté et ne comprend pas – Il finit par comprendre, et Rioux comprend qu'il a compris – Leahy médite une vérité qui lui glace le cœur pendant que Rioux, incorrigible, évoque l'Ancien Testament – La tentation caresse Leahy et sonne à la porte

Il était presque quatre heures de l'après-midi. Le ciel était toujours gris et la maison abandonnée était silencieuse. Leahy avait ouvert la porte avec la clé que Rioux lui avait remise ; une fois entré, il avait poussé le verrou. Dans le salon plongé dans la pénombre à cause des rideaux tirés, rien, à première vue, ne semblait avoir changé. Le piano était fermé. Sur le bras du fauteuil, une robe de chambre négligemment posée semblait attendre son maître. Mais le salon intéressait peu Leahy qui voulait d'abord visiter l'étage supérieur. Il confia à Rioux et à Moreau le soin d'explorer le rez-de-chaussée.

Au pied de l'escalier qui menait à l'étage, il vit le téléphone. Caché par l'horloge, il ne l'avait pas remarqué au cours de ses visites précédentes. Pennée avait donc vu juste. Berthelot s'était bien mis en communication avec sa fille après le départ du détective, et c'est là que tout avait été décidé…

En haut se trouvaient deux chambres à coucher, un bureau, une salle de bains. Le désordre des chambres témoignait du départ précipité de leurs occupants. Il regarda partout, ouvrit les tiroirs, se pencha sous les lits. L'armoire de la jeune femme était ouverte, ses vêtements dispersés. Elle avait fait très vite : fourrer l'essentiel dans une mallette, enfiler les vêtements de son père, l'embrasser sans doute avant de le quitter, ressortir vers le fiacre qui l'attendait… Quelle détermination lui avait-il fallu pour réaliser un plan aussi fou !

La chambre du père, dans un état analogue, ne livra au détective aucun indice particulier. Il pénétra dans le bureau. C'est là qu'il espérait découvrir la réponse à ses questions. La petite pièce n'était meublée que d'un secrétaire, d'un fauteuil et d'une petite bibliothèque. Contrairement aux chambres, tout y paraissait tranquille, bien rangé, à sa place. Sur le secrétaire, un sous-main, un encrier fermé, quelques plumes sagement placées côte à côte, et un livre : *La Maçonnerie canadienne-française*. Il saisit l'ouvrage, qui s'ouvrit de lui-même sur une enveloppe qui y était insérée. Il reconnut immédiatement le passage qu'il avait sous les yeux.

… le corps coupé en deux, les entrailles arrachées et brûlées…

Il examina l'enveloppe. Elle venait de Montréal et était datée du vendredi précédent. À l'intérieur, une simple feuille portant le dessin d'une étoile à cinq branches accompagnée d'un seul mot : *Mahaboné*. Rien d'autre.

Ainsi, Berthelot venait de recevoir cette lettre, évidemment livrée par le facteur que Rioux avait vu passer. *Mahaboné… un frère est mort.* Leahy s'en souvenait bien : c'était le mot de passe dévoilé au futur maître maçon à

l'issue de l'épreuve du troisième degré. Berthelot l'avait compris, lui aussi. Le corps coupé en deux et autres petits plaisirs, c'était le châtiment promis à celui qui faisait du mal à un frère…

Les francs-maçons avaient le sens de la formule. Suggérer tout cela à l'aide d'un seul dessin et d'un mot! Le zouave avait fui. Il s'était senti démasqué et avait préféré se cacher plutôt que d'affronter la vengeance de l'Émancipation. Leahy remercia Langlois en pensée. Grâce à lui, les choses s'étaient mises à bouger, enfin. À Montréal, le détective lui avait demandé, comme un service, d'envoyer de fausses menaces à Berthelot et à Fournier. Le Grand Maître avait compris qu'il ne s'agissait que d'une ruse, destinée à effrayer l'assassin, à l'inciter à commettre une imprudence. Il ne s'était pas engagé tout de suite, mais il avait dû trouver que l'idée n'était pas si mauvaise… Logiquement, Fournier avait donc dû recevoir un message dans le même style. Cela n'avait plus beaucoup d'importance, à présent.

Il examina les plumes: elles étaient sèches et propres. Surpris, il scruta le papier buvard du sous-main en comparant les traces d'encre qu'il portait aux mots de la lettre froissée. Rien ne concordait. La corbeille à papiers était vide. De toute évidence, le message remis par Lucille à Rioux n'avait pas été écrit ici. Berthelot, dans sa hâte, n'aurait eu ni le temps ni le souci de tout nettoyer avant de prendre la fuite. Étonné, il fouilla les tiroirs du meuble, sans rien trouver qui puisse expliquer l'anomalie.

Il tourna son attention vers la bibliothèque. Elle comportait quatre rayons. En haut étaient rangés des ouvrages de spiritualité et de philosophie qu'il ne connaissait pas. Deux vides lui firent supposer que l'homme,

malgré son empressement, n'avait pas oublié d'emporter sa Bible et son missel. Le second rayon était entièrement couvert d'ouvrages sur le droit et la jurisprudence. Le troisième contenait des études historiques. Leahy parcourut les titres d'un coup d'œil rapide et nota sans s'y attarder une histoire de l'Église, une relation de l'épopée des zouaves pontificaux, l'*Histoire des Canadiens français* de Benjamin Sulte, la collection complète de l'*Histoire de France* de Jules Michelet.

Il passa au rayon du bas. Il était couvert de piles de documents, classés dans des chemises en carton fort. À en juger par leurs étiquettes, il s'agissait des négociations entre la compagnie d'électricité et l'Archevêché. Il posa les dossiers sur le secrétaire, s'installa dans le fauteuil et les ouvrit. Chaque rencontre avec les représentants du diocèse y trouvait un compte rendu explicite : les détails techniques du projet, les devis, les garanties offertes, les discussions, les réticences et les hésitations des uns et des autres, tout semblait avoir été scrupuleusement noté. Leahy espéra un moment y trouver une trace des manœuvres déloyales qu'Arthur Laflamme avait promis de dénoncer, mais il ne vit rien. Les documents qu'il tenait là étaient certainement confidentiels, mais ils ne paraissaient receler aucune malhonnêteté. Il n'avait pas tout lu, bien entendu, et tout cela n'était qu'une première impression. Quelque chose le troublait cependant, un détail qui l'avait inconsciemment frappé mais qu'il n'arrivait pas à nommer. Il se promit d'y revenir lorsqu'il en aurait le temps.

Il avait besoin de réfléchir. Comment Berthelot avait-il raisonné? Il avait été confronté, coup sur coup, à la visite de Leahy et à la menace de l'Émancipation. Il avait compris, ou supposé, que sa vie était menacée. Il voulait

rencontrer Leahy, affirmait-il dans son message. Si c'était vrai, cela signifiait qu'il ne craignait pas la police. Une fois en prison, il ne risquerait plus rien, il serait protégé. Il risquerait bien entendu un procès, une condamnation, l'exécution. Ce n'était tout de même pas négligeable, mais devant la justice il reste toujours un espoir. Avec un bon avocat, en continuant de clamer son innocence, savait-on ce qui pouvait se produire? Tandis qu'avec les francs-maçons, pas de discussions, pas de plaidoirie: *les entrailles arrachées et brûlées*, sans autre forme de procès.

En fuyant, il s'était donc donné un sursis de quelques heures. Un sursis sans lequel lui et sa fille auraient été à leur merci dans la maison, durant toute la nuit, sans défense. Tout s'expliquait, vu sous cet angle.

Pennée avait immédiatement perçu le danger. C'était quand même étonnant, la quantité de choses que les autres comprenaient avant lui! Il descendit rejoindre les autres qui avaient depuis longtemps terminé leur perquisition et attendaient patiemment, debout au salon.

— Il n'y a personne, dit Moreau.

— Personne, confirma Rioux.

— Rien d'anormal?

— Difficile à dire, répondit Moreau. C'est la première fois que je viens ici.

— Il me semble, fit Rioux, qu'il manque quelque chose au mur.

Le fusil avait disparu.

⁂

Leahy chercha instinctivement des yeux, sur le piano, la photo du jeune zouave. Elle n'y était plus.

— Il y a un cadre sur le fauteuil, hasarda Rioux.

La photo se trouvait là, en effet, appuyée contre le dossier. Le fusil disparu, la photo déplacée, qu'est-ce que cela signifiait? À en croire Berthelot, le fusil était en parfait état, constamment entretenu. Une arme de guerre, faite pour tuer.

Face au salon, de l'autre côté du vestibule, une porte donnait sur la salle à manger. Celle-ci occupait une vaste pièce qui s'étendait sur toute la longueur de la maison, de la façade jusqu'au mur arrière. Une table en chêne, entourée de dix chaises et dominée par un lustre, en occupait la plus grande partie, laissant cependant assez d'espace pour quatre fauteuils droits et une causeuse disposés autour d'une table basse. Une belle crédence et un buffet de dimensions plus modestes complétaient le mobilier. Au fond, sur la gauche, une porte vitrée couverte d'un léger rideau permettait de passer directement à la cuisine. Obscurcie par les tentures qui protégeaient ses deux fenêtres, la pièce ne paraissait pas avoir souvent servi. Peut-être plus du tout depuis la mort de Mme Berthelot, mais Leahy se rappela que Berthelot recevait parfois des amis. En tout cas, le fusil ne s'y trouvait pas.

Il retourna dans le vestibule et rejoignit la cuisine par le couloir qui longeait l'escalier. Elle était claire, toute simple, bien rangée. D'autant plus lumineuse que l'un de ses murs, celui qui donnait sur la petite cour arrière, était presque entièrement occupé par une verrière. Au centre de la cuisine, une petite table encadrée de deux chaises. C'était donc ici qu'ils prenaient leurs repas ensemble, lui et sa fille… On accédait à la cour par une porte vitrée, intégrée à la verrière. Elle n'avait pas de serrure mais était munie d'un verrou et d'un loquet.

– Elle s'ouvre facilement, fit remarquer Moreau en faisant glisser le verrou et en soulevant le loquet. La remise dehors est vide. Enfin, pleine, mais sans personne dedans.

Leahy se dirigea vers la remise. Il essaya, avant d'y entrer, d'en distinguer l'intérieur par la petite lucarne aménagée près de la porte, mais c'était trop sombre. Il ouvrit et entra. Le réduit était encombré d'outils, de vieilles malles empilées, de vêtements entassés qui avaient dû servir ou qui servaient peut-être encore, ou qui attendaient d'être donnés à une œuvre de bienfaisance. On n'allait sûrement pas se mettre à fouiller dans ce fatras! Un moment, Leahy se demanda si Berthelot ne se cachait pas ici, avec son fusil, enfermé dans une malle ou dissimulé sous de vieux rideaux. Ridicule. Avant de sortir, il jeta un regard à la lucarne. Elle était tenue fermée par un loquet de fortune. Un excellent poste d'observation sur l'arrière de la maison, pensa-t-il. Il sortit de la remise et remit le verrou.

Le terrain n'était entouré que d'une simple haie et n'importe qui pouvait facilement y accéder. C'était normal : à Québec, tout le monde faisait confiance à tout le monde. Il retourna dans la cuisine où Moreau semblait se demander pourquoi son sergent refaisait le travail dont il s'était déjà chargé.

– Je cherche un fusil, expliqua Leahy. Il était accroché au mur du salon.

– Et dans la remise ?

– Je ne sais pas, nous avons autre chose à faire qu'à jouer aux chiffonniers. Je ne vois pas pourquoi Berthelot l'aurait placé là. Il a dû partir avec, sinon ça n'a pas de sens.

– Il est parti à la chasse ?

— Bonne question, Moreau. D'une façon ou d'une autre, ça n'a pas de sens, mais s'il n'y avait que ça…

De retour au salon où se tenait toujours Rioux, il ramassa la photo posée sur le fauteuil. Pourquoi l'avait-on mise ici? Il sortit la photo de son cadre. Quelques mots étaient écrits au verso: *À mes chers parents, de leur fils qui les aime. Elzéar. Rome, juin 1868.*

Il remit la photo dans son cadre, tout en se demandant ce qui lui semblait bizarre. Il avait eu le même sentiment, tout à l'heure… Il ressortit la photo, relut le court message. Puis, soudainement, sous les yeux étonnés des deux constables, il grimpa l'escalier à toute vitesse, la photo à la main.

Dans le bureau, il rouvrit l'un des dossiers. C'était la même écriture que sur la photo. Trente ans séparaient les deux documents, mais il était clair qu'ils étaient de la même main. Leahy, le cœur battant, sortit les deux lettres qui se trouvaient dans ses poches. L'écriture en était totalement différente.

Il fut saisi de vertige, se laissa tomber dans le fauteuil et se prit la tête dans les mains, les yeux fermés, en respirant bruyamment. Rioux, qui l'avait suivi, entra dans la pièce. Il vit les documents étalés et comprit. Il attendit respectueusement une minute, puis toussa discrètement. Leahy leva la tête, en plein désarroi.

— Oui, Rioux?

— Si ce n'est pas lui, c'est elle. C'est ce que vous pensez, n'est-ce pas?

— Je m'y refuse.

— Mais vous le pensez quand même.

Leahy ne répondit pas.

Ainsi, c'était elle… Quel aveugle il avait été! Quel aveugle il avait voulu être! Elle!

C'était sa faute, sa faute à lui, Francis Leahy. Il n'avait pas voulu voir, pas voulu comprendre. La vision du père qui endort sa fille et qui sort dans la nuit, souffrant et solitaire, pour venger un honneur bafoué, quelle aberration! C'était elle qui avait tout prévu, tout manigancé, elle qui avait décidé de prendre les choses en main, de rétablir la justice et de châtier l'impudent. « Lorsqu'on parle de l'un, on parle de l'autre », lui avait répété à satiété le Dr Chassé. Elle avait voulu la mort du pécheur et l'avait infligée elle-même parce qu'elle seule en avait le pouvoir!

Il eut vaguement conscience que Moreau les avait rejoints. Que lui disait Rioux? Judith. Ancien Testament. Judith, qui libère son peuple en tranchant la tête d'Holopherne. Quel emmerdeur, ce Rioux!

L'auteur de la lettre au *Soleil*, c'était elle. L'homme grossièrement grimé qui achète le couteau à un marin désargenté, c'était elle. Lorsqu'on est douée pour le théâtre, il faut bien que ça serve à quelque chose… Le message signé pour annoncer sa visite à Laflamme, c'était elle. Et Laflamme, naïf, bon enfant, brûle le message pour ne pas la compromettre, et il lui ouvre la porte, et elle le tue… Son père dort, elle est tranquille et résolue. Elle tue, la femme forte plus précieuse que toutes les perles!

Son père n'avait pas compris tout de suite. En lisant la lettre qu'elle avait adressée au *Soleil*, il avait été fier de sa fille. Leahy l'avait vu dans ses yeux, sans en deviner la

raison, mais c'est uniquement à la mention de la signature trouvée chez Laflamme que la vérité était pleinement apparue à Berthelot : sa fille, sa propre fille, était un assassin ! Il était prêt à se livrer, à s'accuser pour la sauver, mais elle avait refusé et l'avait forcé à se cacher, décidée à porter seule la responsabilité de son acte. Ils avaient disparu, l'un et l'autre.

Je dois vous voir pour rétablir la vérité, disait le message. Pour rétablir la vérité, ou faire triompher le mensonge ? Le détective était en colère. On s'était moqué de lui, on avait abusé de sa confiance, on lui avait laissé espérer…

Espérer ? Espérer quoi ? C'est contre lui-même qu'il était en colère. Il avait honte. Mais non, ni honte ni colère. Des images lui revinrent à l'esprit, qu'il croyait avoir chassées pour toujours. Un cercueil qui descend dans la fosse, sa mère effondrée, son père parti à tout jamais. Il ressentait la même douleur qui lui étreignait la poitrine et lui tordait le cœur. Il n'était plus qu'un petit garçon désemparé qui venait de perdre une partie de lui-même. Comment avait-elle pu ?…

Que ferait-elle maintenant ? Allait-elle demeurer terrée toute sa vie ? Où était-elle ? Chez ses anciennes maîtresses, évidemment ! Les dignes Ursulines savaient-elles qu'elles donnaient refuge à une meurtrière ? Le droit d'asile, vieux comme le Moyen Âge, refuge des innocents comme des bandits… C'est vrai qu'elle y serait en sécurité, protégée par des murs que nul homme, fût-il policier, n'oserait franchir par la force. Elle y retrouverait peut-être, un jour, la paix de l'âme. Cette perspective rendit à Leahy un peu de sérénité. Son rôle était terminé. Il avait mal joué, sans doute, mais le reste ne dépendait plus de lui.

Dès le lendemain, il annoncerait à Pennée qu'il se retirait de l'enquête, et si Pennée exigeait sa démission pure et simple, il la lui donnerait. Il se tourna vers ses deux compagnons qui se tenaient silencieux dans l'embrasure de la porte.

Il faut dire qu'en réalité Moreau était un peu en retrait, sinon il aurait occupé l'embrasure à lui tout seul.

— Nous nous sommes bien amusés, les enfants, fit-il faiblement. C'est fini, maintenant, nous rentrons chez nous.

Mais il restait assis, les yeux à nouveau figés sur les deux lettres posées devant lui, saisi du désir insensé d'effacer la réalité, de reconstruire les événements, de recréer le passé. Que signifiait son dernier message? C'était elle qui l'avait écrit, évidemment. Elle n'avait pas signé, cette fois, c'était inutile, elle savait qu'il finirait par comprendre… C'était donc elle, et non son père, qui demandait à le voir! Que voulait-elle? Implorer son aide?

Il sentit surgir au fond de lui comme un doux murmure, devina le secret frémissement de son âme, et se laissa bercer par le souffle léger qui soulageait sa peine. La tentation était toute proche, il le savait. Il s'abandonna cependant à sa caresse, mais le souffle s'amplifia soudain, se transformant brutalement en un vent violent, dévastateur. Il voulut résister, pensa à son chef, à ses deux constables qui étaient là, tout près et qui lui faisaient confiance, vit apparaître avec effarement le spectre du scandale: *Un policier corrompu s'allie à une criminelle et bafoue la justice!* Mais il était trop tard. Le vent l'avait emporté.

Fuir! Fuir avec elle, fuir n'importe où, ailleurs, loin d'ici! Fuir et tout recommencer!

On sonna à la porte.

⁂

Leahy leva la tête et les trois hommes se regardèrent, étonnés. Moreau réagit le premier et descendit. Rioux le suivit, mais s'arrêta au milieu de l'escalier pour observer l'entrée. Leahy entendit la porte s'ouvrir, puis plus rien. Intrigué par le silence, il se leva et sortit du bureau. Du haut de l'escalier, il ne voyait pas plus loin que les jambes de Moreau et le bas de la porte ouverte. Rioux, qui avait vu, tourna lentement la tête vers le détective, sans rien dire.

On entendit enfin la voix de Moreau :

– Je crois que vous avez de la visite, inspecteur.

Mais la porte restait ouverte, et personne n'entra. Leahy, troublé, commença à descendre à son tour. Arrivé près de Rioux, il s'immobilisa. Lucille se tenait debout sur le seuil. Son visage était pâle, mais ses yeux, fixés sur lui, ne gardaient aucune trace des larmes qu'elle avait versées quelques heures plus tôt. Elle avait abandonné les vêtements de son père et portait, sous un léger manteau, la robe fleurie dans laquelle il l'avait vue pour la première fois. Il parvint à garder son calme et s'approcha d'elle. Ils se regardèrent un long moment.

– Pourquoi votre père s'est-il enfui ? demanda-t-il lentement, à voix basse. Il ne risquait rien.

– Il le fallait, fit-elle, impénétrable.

– C'est vous qui êtes en danger. Pourquoi êtes-vous revenue ?

– Pour vous parler.

Elle attendait, sans manifester d'émotion.

— Entrez, fit-il en inclinant la tête vers l'intérieur. Vous n'aviez pas besoin de sonner.

— C'est vous qui avez ma clé.

Elle ne bougea pas. Leahy comprit et se tourna vers ses deux assistants.

— Alfred, Rioux, votre journée est terminée. On se revoit demain, au poste.

— Vous en êtes sûr, monsieur ? demanda Rioux.

— Certain.

— Vous n'avez besoin de rien ? fit Moreau, inquiet.

— De rien, merci. Tout va bien.

Lucille entra une fois les deux constables partis. Il referma la porte et mit le verrou.

Deux heures plus tard, un fiacre les déposait devant le couvent des Ursulines, rue du Parloir. Une religieuse vint ouvrir. Lucille franchit la grille et se retourna vers lui pendant que la sœur repoussait le portail.

— Demain ? fit-elle doucement.

— Demain.

꧁✿꧂

Leahy regagna sa chambre le cœur comblé et l'esprit en ébullition. Une nouvelle bataille allait s'engager, décisive, implacable. Ces heures passées seul avec Lucille l'avaient libéré de ses doutes, affranchi de ses erreurs, réconcilié avec lui-même. Les deux premières étapes annoncées par le père Flannagan étaient franchies : il avait vu la vérité et pris sa décision. La troisième commencerait le lendemain. Elle serait ardue, longue, pleine d'embûches, mais il irait jusqu'au bout, sans un regard

en arrière. Il se coucha, enfin apaisé, et dormit comme un enfant. Désormais, quoi qu'il arrive, Lucille était sauvée.

31

Leahy abandonne

Mardi matin, il se rendit au poste plus tôt que de coutume. Dès l'arrivée de Rioux et de Moreau, il les prit à l'écart et leur parla plusieurs minutes. Une heure plus tard, après le défilé, il s'approcha de Pennée, le visage grave.

— Que se passe-t-il, Leahy?

— Il faut que je vous voie, monsieur. C'est important.

Ils restèrent longtemps enfermés. Lorsqu'il ressortit, il comprit vite, aux visages interrogateurs de ses collègues, que les bruits avaient commencé à courir. Ses deux constables avaient bien travaillé.

— Alors? lui demanda l'un des sergents.

— C'est fini. Je suis déchargé de l'enquête.

— Mais pourquoi?

— J'ai fait une faute, je la paie, fit-il, résigné.

— Il s'est enfui, c'est ça?

— C'est ça, et j'ai fini par comprendre que je ne suis pas doué pour ce genre de choses.

— Des regrets?

— Soulagé.

– En tout cas, nous, on est bien contents de vous voir revenu.

– Merci. Vous me réchauffez le cœur.

Il était sincère. Son camarade venait de parler au nom de tous les autres, c'était évident. Mais que diraient-ils tous lorsqu'ils apprendraient la vérité?

– Qui reprend l'enquête?

– Pour le moment, c'est Pennée. Après, je ne sais pas. Moi, je ne m'en occupe plus. Aujourd'hui, je prends congé.

– Il a accepté?

– Pennée? Il n'avait pas le choix. C'était ça ou ma démission.

– Donc il tient à vous!

– Tant pis pour lui!

Il disparut jusqu'au lendemain.

Plus tard, quand la poussière fut retombée sur toute l'affaire, quelques esprits curieux essayèrent de reconstituer son emploi du temps ce jour-là. Ils apprirent facilement qu'il s'était d'abord rendu au *Soleil* pour remettre à Ernest Pacaud les manuscrits du journaliste assassiné, mais ce qu'il avait pu faire par la suite se perdait dans le brouillard. Certains prétendirent l'avoir aperçu sortant de l'Archevêché, d'autres jurèrent l'avoir vu rôder du côté du port, sans but apparent. Quelques-uns, pour leur part, assurèrent l'avoir reconnu rue de la Reine en compagnie d'une jeune femme vêtue de rouge, ou encore rue du Parloir, tout près du couvent des Ursulines. Lorsqu'on interrogea l'abbé Marcoux à ce sujet, il invoqua son devoir de discrétion. Les ouvriers du port, irlandais ou canadiens-français, nièrent en bloc. La femme en

rouge demeura introuvable. Quant à la supérieure du couvent, elle déclara noblement, la main sur le cœur : «Je n'ai jamais vu ce monsieur ici!»

32

Les francs-maçons font des méchancetés, ce qui n'est pas gentil

Le lendemain, Moreau et Rioux avaient eu le regard triste en voyant Leahy arriver en uniforme. Après le défilé, Moreau était resté mais Rioux était redescendu à Saint-Roch pour y reprendre ses anciennes fonctions.

Leahy venait de s'asseoir à son bureau quand Fournier en ouvrit la porte sans frapper et entra sans y être invité, la mine défaite. Leahy le regarda à peine.

— Je n'ai rien pour vous, Fournier, je regrette. Je vous avais annoncé du nouveau mais beaucoup d'eau a coulé sous les ponts...

— Ce n'est pas pour ça que je viens vous voir. J'ai des soucis plus graves.

Il parlait d'une voix précipitée et son trouble était évident. Leahy le fixa attentivement. Il paraissait encore plus agité que d'habitude.

— Que se passe-t-il?

— On me menace, on m'attaque...

Il tendit une feuille au détective. Celui-ci la lut et l'examina sous tous les angles avant de la lui rendre.

– C'est tout? C'est cela qui vous inquiète? Il n'y a qu'un seul mot, dans cette lettre, et ce mot n'a pas de sens!

– Il n'y a qu'un mot, mais son sens est limpide, et il y a aussi un symbole maçonnique!

Les mains du journaliste tremblaient.

– Une minute, Fournier. Asseyez-vous, reprenez votre calme. Quel est ce mot, déjà?

– *Mahaboné*.

– Vous comprenez l'iroquois, Fournier?

– Ne riez pas, sergent! C'est un code maçonnique. Il veut dire « Un de nos frères est mort ».

– Vous êtes donc franc-maçon?

– Moi? Dieu m'en garde!

– Alors, comment connaissez-vous ce code?

Leahy sentait que la peur de Fournier n'était pas feinte.

– Je l'ai lu, sergent! Dans un livre sur les francs-maçons!

– Qu'est-ce qui vous a donné l'idée de lire ce livre?

– Mais l'étoile, évidemment, l'étoile qui est dessinée sur cette lettre!

– Vous saviez que c'était un symbole maçonnique?

– Non… Oui et non. Je m'en suis douté en la voyant. C'est celle du couteau. J'ai fait le lien.

– D'où vient la lettre? Vous avez conservé l'enveloppe?

– L'enveloppe, oui, l'enveloppe, fit Fournier en tâtant nerveusement ses poches. La voici…

L'enveloppe portait le cachet de Montréal, daté de vendredi.

– Quand l'avez-vous reçue?

– Lundi. Je l'ai trouvée en rentrant chez moi, le soir. Je n'en ai pas dormi.

– Et vous y voyez une menace parce que…?

– Pourquoi m'écrire ce seul mot, sinon? Il fait allusion à leurs cérémonies, à leurs engagements. Ne jamais accepter que l'on fasse du tort à l'un d'entre eux…

– Sous peine d'avoir les entrailles arrachées, oui, je sais.

– Vous le saviez! s'étonna Fournier.

– C'est une menace qui pèse sur le franc-maçon qui ne protège pas son frère…

– C'est donc indirectement une menace sur celui qui aura fait du mal à un franc-maçon!

– Vous avez certainement raison, fit Leahy. Mais pourquoi vous soupçonneraient-ils?

– Je n'en sais rien! Ils cherchent un coupable, c'est tout! Ou bien ils veulent cacher que ce sont eux, les coupables!

– C'est du bluff, Fournier, croyez-moi. Ils ne savent rien, ou plutôt ils doivent savoir, à l'heure qu'il est, que ce n'est pas vous.

– Pourquoi dites-vous ça?

– Je ne sais pas si je peux… Je vais quand même le dire à l'homme inquiet que vous êtes, mais pas au journaliste. Je me fais bien comprendre?

– Je vous jure que je n'en parlerai pas.

– Berthelot a disparu. Sa fille aussi, d'ailleurs.

– Berthelot, disparu? Qu'est-ce que cela signifie?

– Je vous laisse y penser, Fournier. Sachez seulement qu'il a reçu la même lettre que vous.

– Ce serait lui, le coupable?

– Je ne peux pas vous en dire plus.

– Mais vous connaissez le coupable ?

– Oui :

– Alors, pourquoi ne l'arrêtez-vous pas ?

– Cela ne dépend plus de moi.

– Que voulez-vous dire ?

– Vous voyez l'uniforme que je porte, Fournier ? Il signifie que je ne suis plus détective. Je suis redevenu simple sergent. On m'a déchargé de l'enquête.

– Mais pourquoi ?

– Incompétence.

– C'est inconcevable ! Si vous connaissez l'assassin, il faut l'arrêter !

– Je m'en désintéresse totalement.

– Vous n'avez pas le droit ! Tant qu'il n'est pas inculpé, tant que son identité n'est pas dévoilée, c'est à moi que les francs-maçons vont s'en prendre !

– Personne ne sait où il est.

– Mais vous le recherchez ?

– Je n'en sais rien. Je vous l'ai dit, je ne m'en occupe plus. De votre côté, je vous l'ai dit aussi : cessez de vous inquiéter. Les francs-maçons sont certainement au courant des derniers événements, et ils savent maintenant que vous êtes hors de cause.

Mais Fournier avait un autre poids sur la poitrine.

– Ils ne savent rien du tout ! fit-il d'une voix altérée. Ils m'ont agressé, hier soir, ils m'ont attaqué chez moi…

– Allons, Fournier, ressaisissez-vous ! Agressé comment ? Que s'est-il passé ?

– J'étais en train de souper tranquillement à la cuisine. J'ai entendu un bruit dans la pièce à côté. Je suis allé voir. La vitre de la fenêtre était brisée, et il y avait un gros caillou par terre.

— Des voyous, certainement.

— Non. Le caillou était entouré d'une feuille de papier…

Il fouilla à nouveau dans ses poches et en sortit une feuille déchirée, toute froissée, sur laquelle on pouvait néanmoins lire clairement les quelques mots qu'on y avait tracés à l'encre rouge :

Traître, ta fin approche.

— C'est une mauvaise plaisanterie, en effet, fit Leahy pensivement. Je vais demander au poste de Saint-Roch de maintenir un constable dans votre rue pendant la nuit.

— Et pour le reste ? L'enquête elle-même, qui s'en occupe, si ce n'est pas vous ?

— Pour l'instant, c'est le capitaine. Mais je ne crois pas qu'il ait beaucoup de temps à y consacrer, il est souvent absent. Si vous voulez le voir, essayez demain. En attendant, soyez prudent, n'ouvrez pas votre porte à n'importe qui. Cette situation ne devrait pas durer. Comme vous le disiez, dès que le vrai coupable sera connu, vous serez tranquille !

Fournier s'en alla, atterré. Après son départ, Leahy se mit en communication avec le poste de Saint-Roch, s'entretint un moment avec le sergent de garde et le chargea d'un message pour Rioux. Cela fait, il s'absenta une petite heure et revint lire les journaux.

Après une journée de travail sans intérêt, il passa chez lui, se changea et ressortit. Un voisin le vit rentrer tard dans la soirée.

33

Les déboires de Fournier inspirent une chanson à Leahy – Pennée n'est pas content du tout

Fournier revint le voir jeudi matin, mais cette fois-ci il frappa et attendit avant d'entrer. Leahy l'observa, et jugea à son aspect qu'il n'avait pas dormi de la nuit. Il n'était plus que l'ombre de lui-même.

– Oui, Fournier. Ça va mieux, ce matin?

– Rien ne va plus, sergent. Cette fois, on a bien failli me tuer.

– Que me dites-vous là!

– Ils étaient trois...

– Où cela? Quand?

– En descendant du tramway, hier. Je rentrais chez moi. Ils ont voulu me jeter sous les roues.

– C'est incroyable! Personne n'était là pour vous aider?

– Oh si! Il y avait du monde. Beaucoup de monde. Personne n'a levé le petit doigt. Ils me regardaient tous avec un air abruti.

Leahy connaissait bien ce genre de réaction, cette apathie soudaine qui saisit les témoins d'une agression et les transforme en statues de sel. Les gens sont si peu

habitués à la violence que son spectacle les tétanise ins-
tantanément. Il est bien rare qu'un passant courageux
comprenne assez vite la situation et se porte au secours
de la victime. Sans parler de ceux qui ne voient aucune
raison de s'exposer à un mauvais coup pour l'amour d'un
inconnu…

— Vous avez réussi à vous en tirer?

— De justesse. Je me suis débattu, j'ai donné des
coups de pied. Ils m'ont laissé tomber et ils ont pris la
fuite.

— Vous êtes blessé?

— Une série de bleus, quelques cheveux arrachés,
une chemise déchirée, à part ça tout va très bien! gri-
maça le journaliste.

Très drôle, pensa Leahy. Il faudra en tirer une chanson.

— Et vous croyez que cela a un rapport avec…

— Cela me semble évident! Je suis épuisé, sergent. Je
ne peux plus supporter cette tension.

— Pendant la nuit, il ne s'est rien passé?

— Non. Mais je n'ai pas dormi cette nuit non plus.
J'ai vu que vous aviez posté un constable dans la rue.
J'allais vérifier toutes les cinq minutes qu'il était toujours
là…

— Vos agresseurs, vous les connaissiez?

— Pas du tout. Je ne dis pas que je ne les avais jamais
vus, je n'en sais rien. Ils étaient habillés comme des
ouvriers.

— Des ouvriers du port?

— Peut-être. Du port ou d'ailleurs, quelle importance?

— Ils ne vous ont rien dit?

– Pas un mot. Ils ne se sont même pas parlé entre eux.

– Vous pourriez les reconnaître?

– L'un des trois, peut-être. Il était monté dans le tramway en même temps que moi. Les deux autres l'attendaient à la descente.

Leahy se leva.

– C'est très grave. Venez, nous allons rencontrer le capitaine.

– Merci, sergent. Un moment, j'ai pensé que vous m'en vouliez. Vous savez, il faut que je vous dise…

– Quoi donc?

– Il y a un article dans le journal d'aujourd'hui. À propos de l'enquête. Il va peut-être vous fâcher, mais vous ne devez pas. C'est juste pour entretenir l'intérêt de nos lecteurs. Rien de personnel.

Fournier était devenu tout rouge. Leahy se mit à rire.

– Si vous saviez comme tout cela m'est indifférent, à présent! Ils se débrouilleront comme ils veulent avec leur enquête, je m'en soucie fort peu, mais votre cas exige une intervention vigoureuse. On ne peut pas tolérer de tels agissements.

L'accueil de Pennée fut glacial, mais Fournier sembla comprendre que c'était le sergent seul qui en faisait l'objet. Le chef de police porta au contraire un grand intérêt au récit du journaliste. Il approuva la mesure de protection prise par le poste de Saint-Roch, tout en reconnaissant qu'elle n'était pas suffisante. Fournier remarqua qu'il s'adressait le moins possible à Leahy et évitait même de le regarder. Ce dernier, pour sa part, n'intervenait que pour donner brièvement quelques précisions essentielles.

— Tout cela ne sera bientôt plus qu'un mauvais souvenir. En attendant, je sais qu'il serait trop facile de vous recommander la patience, après ce que vous venez de subir. Avez-vous un ami chez lequel vous pourriez loger provisoirement?

Fournier répondit qu'il pourrait toujours aller à Lévis, dans l'appartement de Routhier. Il devait d'ailleurs le revoir tout à l'heure, à l'Archevêché.

— C'est une bonne chose. Soyez assuré que nous prendrons toutes les mesures qui sont en notre pouvoir pour que cessent ces… intimidations.

Pennée signifiait que l'audience était terminée. Fournier se leva, imité par Leahy. Le téléphone sonna. Le capitaine décrocha.

— Pennée?

Il écouta longuement tout en lançant de temps en temps un regard à Fournier. Son visage exprimait l'étonnement et la colère. Lorsqu'il raccrocha, il resta silencieux, le regard ailleurs, comme s'il ne savait pas quoi dire. Il se tourna enfin vers le journaliste.

— J'ai une mauvaise nouvelle pour vous. Votre appartement a été saccagé. Je crois que quelques nuits chez votre ami s'imposent plus que jamais. Vous m'en voyez désolé.

Lorsqu'il sortit enfin, Fournier devait penser que ses visites à la police ne lui réussissaient vraiment pas. Il tenait à peine debout.

— Leahy, restez un moment. J'ai à vous parler.

Leahy, qui s'apprêtait à sortir lui aussi, fit demi-tour.

— Monsieur?

— Que pensez-vous de cette affaire?

– Cette affaire, monsieur?

– Ces attaques contre Fournier, ne faites pas le sot!

– Je ne sais pas. Je ne me l'explique pas.

– Croyez-vous vraiment que l'Émancipation soit derrière tout ça?

– Je me demande s'ils n'ont pas fini par croire à la culpabilité de Fournier.

– Qu'est-ce qui aurait pu les en convaincre?

Leahy répondit d'un air gêné.

– C'est peut-être moi qui les ai orientés sur cette piste, monsieur, sans le vouloir.

– Ne dites pas de sottises! Fournier était suspect dès le début. Si l'Émancipation vient de passer à l'action, c'est qu'elle est en possession de nouveaux éléments. Quels sont ces éléments, et comment les a-t-elle obtenus?

– Je l'ignore, monsieur. Je ne m'occupe plus de l'enquête.

Pennée s'emporta. C'était rare…

– Épargnez-moi vos truismes! Vous connaissez la loi, Leahy?

– Oui, monsieur.

– Et le code d'éthique de la police?

– Bien entendu, monsieur.

– Alors, respectez-les!

– Oui, monsieur. Bien, monsieur.

– Ou alors, démissionnez! Cela soulagerait tout le monde et votre conscience. Vous reviendrez quand vous serez guéri.

– Oui, monsieur. Non, monsieur. Tout va bien, monsieur.

– Quand cette comédie finira-t-elle?

— Ce n'est pas une comédie, monsieur. Avant lundi, monsieur, je l'espère.

— Tenez-moi au courant, quand même…

— Comme toujours, monsieur.

Il était trempé de sueur en franchissant la porte. Il se rendit directement à l'Archevêché. Routhier s'apprêtait à sortir au moment où il arrivait, et Leahy fut surpris de le voir seul. L'ingénieur fit un grand sourire en l'apercevant.

— Quel plaisir de vous revoir !

— Un plaisir partagé, croyez-le !

Cette rencontre lui faisait oublier le moment pénible qu'il venait de traverser. Ils se serrèrent la main.

— J'ai entendu parler de… vos ennuis, fit Routhier. Si je peux vous être utile, n'hésitez pas à me le dire !

— Merci. Il faudra que nous reparlions de tout ça, un jour. Quand tout sera fini… Fournier n'est pas avec vous ?

— André ? Il est reparti chez lui, répondit l'ingénieur d'un ton inquiet. Récupérer quelques affaires.

— Il vous a raconté ?

— Oui, je suis au courant. Il vient chez moi ce soir.

— Bon. Ça lui permettra de reprendre des forces. Et les négociations ?

— Si j'ai bien compris, c'était notre dernière rencontre. Mais je me demande ce que vont faire nos concurrents, à présent que M. Berthelot n'est plus là.

— Ah ! Vous savez cela aussi ?

— C'était un secret ? Eh bien oui, que voulez-vous, André me l'a dit. Si on ne peut plus se confier à un ami…

— Ce n'est pas bien grave, mais n'en parlez pas trop. Pour demain, je ne sais pas. Ils vont peut-être envoyer

quelqu'un d'autre, ou demander de remettre la rencontre à plus tard…

– Oui, sans doute… André a l'intention d'y être, en tout cas, pour voir ce qui va se passer. Et vous? Que faites-vous à présent?

– Le sergent, tout simplement, fit Leahy en montrant son uniforme. Pour le moment…

– Vous prévoyez des changements?

– Je vous en dirai plus dans quelques jours. Si vous ne l'apprenez pas avant moi…

Routhier, intrigué, parut sur le point de poser une question, mais il y renonça.

– À bientôt, donc? Vous savez comment me joindre!

Routhier parti, Leahy prit l'abbé Marcoux à l'écart.

– C'est confirmé, lui dit-il d'un air mystérieux. Pour demain. Je compte sur vous pour lui faire le message.

– J'ai compris, fit Marcoux qui prit la mine entendue de celui qui n'y comprend rien.

Il raconta au policier que Fournier était passé et qu'il semblait très, très fatigué.

– Nous avons à peine échangé deux mots. C'est vous dire qu'il n'était pas dans son état normal!

– Avec ce qui lui arrive, le contraire serait étonnant…

– Que lui arrive-t-il donc?

– Devoir de discrétion, monsieur l'abbé!

❧

Un désaveu étonnant (Le Soleil, *13 octobre*)
C'est avec surprise que nous avons appris que le sergent Leahy, chargé de l'enquête sur le meurtre de notre collaborateur, Arthur Laflamme, venait d'être déchargé de ses

fonctions. La hiérarchie policière reste muette sur les raisons de sa décision, mais des bruits persistants, qui courent jusque parmi nos constables, font état de fautes graves. Il semblerait en particulier qu'un suspect sérieux aurait trop facilement réussi à se soustraire aux recherches dont il aurait dû faire l'objet. Nous avouons qu'il nous est difficile d'accorder foi à de telles rumeurs.

Vendredi 14 octobre 1898

34

Berthelot sort de l'ombre – Leahy y pénètre – La nuit tombe – Berthelot
ronfle, et ce n'est pas poli quand on a de la visite

Berthelot reparut vendredi.

Il sortit vers onze heures du salon des audiences pri-
vées de l'Archevêché, en compagnie de Mgr Bégin lui-
même. À l'entrée du prélat dans la salle d'attente, tous
ceux qui étaient là se levèrent, mais l'évêque les invita
d'un geste à se rasseoir. Il se tourna vers Berthelot.

– Vous rentrez donc chez vous ? C'est bien décidé ?

– C'est décidé, Monseigneur. Ce soir même. Je vous
suis profondément reconnaissant de l'hospitalité que vous
m'avez accordée, mais je dois faire face à mes obligations
et me soumettre à la justice.

Les deux hommes parlaient d'une voix normale, et
dans le silence respectueux qui s'était installé tout le
monde pouvait suivre leur échange.

– Quelles sont vos intentions ?

– Demain, à la première heure, je me rends à l'Hôtel de Ville.

– J'ai toujours estimé votre courage. Et votre grande
fille ?

— Elle est chez des amis. Je préfère qu'elle y reste jusqu'à ce que tout soit terminé. Il n'est pas bon d'infliger aux enfants le spectacle de nos méchancetés d'adultes…

— Me ferez-vous le plaisir de souper avec nous ce soir, avant de partir?

— J'en serais honoré, Monseigneur.

L'abbé Marcoux avait rapporté tout cela à Leahy, par téléphone. L'impression que Berthelot lui avait donnée? Celle d'un homme tendu, mais calme. Et Mgr Bégin? Avait-il paru cacher quelques réticences dans son entretien? Pas du tout. Et Fournier? Fournier était là, il semblait plus reposé que la veille, un peu crispé peut-être. Ils avaient même bavardé un moment, tous les deux, avant l'arrivée de l'archevêque. Il était reparti quand celui-ci s'était retiré. L'heure à laquelle Mgr Bégin avait l'habitude de souper? Vers les six heures, six heures et demie. À sept heures et demie, en général, il se remettait au travail pour une ou deux heures encore.

Après avoir écouté Marcoux, Leahy s'était isolé un long moment. Le dernier acte avait donc commencé, et il allait le jouer sans faiblir. L'éthique policière en prendrait sans doute pour son rhume, mais il s'en souciait comme d'une guigne. Pas tout à fait, à vrai dire: il respectait trop son chef pour lui porter un coup bas.

Mon capitaine,
Dans la crainte que les événements des prochaines heures ne portent atteinte à l'honneur de la police, j'ai le regret de vous remettre ma démission.
Francis Leahy

Il déposa la lettre sur le bureau de Pennée, qui était fort opportunément absent. Il passa ensuite chez lui se débarrasser de son uniforme. Il hésita devant son revolver, une arme dont il avait appris le maniement mais qu'il n'avait jamais utilisée. Un revolver tout neuf, l'un des dix-huit Harrington & Richardson que la police de Québec venait d'acquérir. Il savait qu'en le laissant il prenait un risque énorme, mais c'était nécessaire. Il irait tout rendre le lendemain, ou quand tout serait terminé. S'il était encore là.

Il alla ensuite sonner à la grille des Ursulines et confia un message bref à la sœur portière : « Elle ne doit sortir sous aucun prétexte. Il y va de sa vie. »

Après quoi il se rendit au *Soleil*. Fournier y était.

— Vous n'êtes pas venu me voir aujourd'hui, Fournier. Vous me semblez en pleine forme !

Le journaliste paraissait effectivement plus détendu que lors de ses récentes visites. Ce n'était plus l'homme inquiet, traqué, à bout de forces, de ces derniers jours, mais son visage portait encore des traces manifestes de fatigue. Son regard fuyait celui de Leahy, et ses mains tremblaient. Il ne se répandit pas en amabilités.

— Vous êtes en civil, sergent ? De nouveau détective ?

— J'ai démissionné.

— Vous avez démissionné ? répéta Fournier, étonné.

— Tout à l'heure. Je ne suis plus policier. Demain, j'irai rendre mon uniforme.

— C'est définitif ?

— J'en ai bien l'impression.

— Et que comptez-vous faire ?

— Je ne sais pas. Journaliste, peut-être ? Vous n'auriez pas besoin d'un détective à la retraite ?

Fournier se força à sourire.

— Pourquoi pas? Il faudra en parler à Pacaud.

— Berthelot est finalement sorti de sa cachette, fit remarquer Leahy.

— Oui, en effet.

— Ça ne semble pas vous émouvoir.

— Il va se livrer demain à la police. C'est parfait. J'espère qu'après ça on me laissera tranquille!

— Il paraît qu'il a l'intention de prouver son innocence.

— C'est lui qui vous a dit ça? s'étonna Fournier.

— Un message qu'il a fait parvenir à Pennée.

— Autant que je sache, c'est la culpabilité qu'il faut prouver, pas l'innocence!

— Vous avez raison, Fournier, mais il prétend aussi connaître le coupable.

— Excellent! Il faudra l'engager dans la police. Il aurait pu parler plus tôt... À propos, j'espère que mon domicile est toujours gardé?

Leahy nota avec satisfaction la sérénité nouvelle de son interlocuteur. Il s'exprimait avec détachement, comme si toute cette affaire ne le touchait plus, comme si elle n'avait plus qu'un intérêt documentaire.

— Toujours. Vous comptez y retourner?

— J'ai fait réparer ma porte, et j'y ai ajouté deux verrous.

— Excellent. Je devrais faire la même chose chez moi, il suffit que je pose les yeux sur ma porte pour qu'elle s'ouvre... Mais il vaudrait mieux rester chez votre ami jusqu'à ce que tout soit fini.

— Vous avez raison. Je vais attendre. Mais vous? On ne vous verra plus?

– Oh! Vous entendrez parler de moi, c'est sûr!

❧❧

Cinq heures venaient de sonner à l'horloge du salon. Leahy était retourné dans la maison de Berthelot. L'assaut final, s'il avait lieu, ne se produirait que dans la soirée. Mais il voulait profiter de ce moment de tranquillité pour faire le vide en lui-même, éliminer les pensées parasites qui pourraient l'entraver dans l'affrontement qui l'attendait. Il avait posé les jalons, délimité le terrain, repéré les obstacles, préparé sa stratégie. Il était inutile, et d'ailleurs nuisible, de se torturer l'esprit en essayant de tout prévoir. Les grands capitaines dorment avant la bataille, dit-on. Confiants. Sûrs d'eux-mêmes et de leurs troupes. Que se passe-t-il lorsque deux grands capitaines se font face? L'un des deux perd: celui-là n'aurait pas dû dormir... Leahy n'était pas un grand capitaine, rien qu'un petit sergent qui ne l'était même plus, mais il éprouvait le même besoin de se retrancher dans une zone de silence et de calme avant l'action. Advienne ensuite que pourra.

Qui était-il, au fait? Un étourdi qui avait cru que quelques idées mal ficelées pouvaient suppléer à l'expérience. Un taureau qui fonçait dès qu'il croyait voir bouger. Or, les taureaux sont foncièrement inintelligents. Donc... Leahy assimilait les leçons de logique de Rioux et les conclusions qu'il en tirait n'étaient pas flatteuses.

Il était ici sans autorité, totalement vulnérable, avec pour seule excuse celle de vouloir racheter sa sottise, son énorme maladresse, l'immense bêtise qu'il avait été sur le point de commettre. Mais les dés étaient jetés.

Il ouvrit le piano et essaya, avec un doigt, de retrouver un vieil air irlandais. Il y parvint maladroitement après plusieurs tentatives. Il s'attaqua ensuite à *La claire fontaine* :

Il y a longtemps que je t'aime, jamais je ne t'oublierai...

Il aurait tellement aimé savoir jouer, mais il n'en avait évidemment jamais été question. Son père, de son vivant, gagnait à peine de quoi les faire vivre. Après sa mort, il avait fallu, tout simplement, penser à survivre. Le piano, c'était pour les autres.

Ses pensées se mirent à vagabonder. Il revécut les émotions qu'il avait ressenties depuis le moment où il avait lu la lettre que Berthelot, non, que Lucille avait écrite au *Soleil*. Tour à tour exaltation, satisfaction, désarroi, fureur, désespoir. Et cet instant lumineux où, seul avec Lucille, il y avait quatre jours à peine, il avait fixé son destin. Et maintenant, le calme, le calme total. Était-ce bien normal ? Ne devait-il pas plutôt être inquiet, aux aguets, sur le qui-vive ? Au mur, le fusil manquait toujours... Cela n'avait plus d'importance.

Il quitta le piano, se dirigea vers la fenêtre du salon et entrouvrit les rideaux. Tout semblait tranquille. Le crépuscule permettait encore d'observer les alentours. Quelques hommes rentraient chez eux, pressés ; deux fiacres passèrent sans s'arrêter ; une vieille femme voûtée, pauvrement vêtue, traversa la rue en boitant. Une mendiante. Dans les histoires que lui racontait sa mère lorsqu'il était enfant, les mendiantes étaient en général des sorcières déguisées... Parfois des fées, mais c'était rare. Celle-ci n'était qu'une pauvre femme qui cherchait sans doute un abri pour la nuit, mais elle avait disparu et

Leahy ne vit nulle part de silhouette suspecte ni d'ombre menaçante.

Il s'assit dans le fauteuil et saisit le livre ouvert sur la petite table : *Les mystères de Montréal*, d'Auguste Fortier. Ainsi, Berthelot se délassait en lisant de simples romans. Il le prit, essaya d'en lire les premières lignes, mais ses pensées étaient ailleurs. Il appuya sa tête contre le dossier et ferma les yeux.

Le soir est tombé. La lune pâle crée à travers la fenêtre un délicat jeu d'ombre et de lumière. Les notes d'une rêverie de Chopin s'égrènent lentement. Le vieux combattant est là, dans son fauteuil, retardant le moment de dormir, le regard posé sur sa fille qui caresse le clavier. Il veut l'écouter encore, prolonger cet instant de bonheur...

Un fiacre s'arrêta. Leahy sursauta. Il s'était assoupi, comme un grand capitaine... Il sortit précipitamment du salon, se réfugia dans la salle à manger et colla son oreille à la porte.

⁂

Une clé tourna dans la serrure. On entra. La porte se referma, et les pas se déplacèrent vers l'escalier. Leahy perçut un déclic.

– Oui. Donnez-moi le 3427, s'il vous plaît... Oui ? Bonsoir, ma sœur. Elzéar Berthelot... Le père de Lucille, en effet. J'aimerais lui parler... J'attends, oui.

Deux minutes s'écoulèrent dans le silence.

– Lucille ?... Comment ? Elle dort déjà ?... Elle semblait fatiguée, dites-vous ? Vous n'avez pas essayé de la

réveiller?… Ah! Sa porte est fermée… Bon, c'est bien. Si vous la voyez, aurez-vous l'obligeance de lui dire de rester où elle est? Qu'elle ne sorte surtout pas. Je l'appellerai demain… Comment dites-vous? On lui a déjà fait le message?… Merci, ma sœur, bonsoir… Oui, oui… Bonsoir…

Les pas revinrent vers la porte de la salle à manger. Trois petits coups se firent entendre. Leahy ouvrit. Berthelot le regarda gravement dans les yeux.

– C'est bien, fit-il. Merci d'être venu. Rien à signaler?

– Rien jusqu'à présent.

Berthelot hocha la tête.

– C'est bien, répéta-t-il. Tenez bon!

– Merci. Soyez prudent, je ne suis pas armé.

– Je préfère cela.

Ils s'étaient compris et n'avaient plus rien à se dire. Berthelot se détourna et monta l'escalier. Leahy referma la porte, mais resta à l'écoute, seul dans l'obscurité. Après un assez long moment passé à la salle de bains, Berthelot redescendit et passa au salon. Leahy l'entendit taper quelques notes, au piano. Il se débrouille aussi mal que moi… Que joue-t-il? *Dies irae, dies illa…* Jour de colère… Il pense à la mort, lui aussi. Quelle nuit gaie nous allons passer!

Puis, à nouveau, le silence, ponctué par le tic-tac de l'horloge. Berthelot avait donc repris sa place habituelle, dans son fauteuil. Plus rien ne bougeait. L'homme lisait les *Mystères de Montréal*. Ou il pensait à sa fille. Ou il priait. Dans l'obscurité, Leahy se déplaça avec précaution jusqu'au fond de la pièce. Il écarta le rideau de la porte qui donnait sur la cuisine. Elle était sombre, mais

on pouvait apercevoir le ciel par la verrière, et la clarté des étoiles créait une lueur diffuse qui permettait de distinguer vaguement les formes. On devinait, se détachant sur le fond du ciel, le contour de la haie extérieure et la silhouette de la remise. Tout était calme, mais si quelqu'un entrait dans la maison, ce ne pourrait être que par là.

Une heure passa. Pour rester éveillé et éviter de laisser ses muscles s'ankyloser, Leahy faisait régulièrement le va-et-vient entre la porte qui donnait sur la cuisine et celle qui faisait face au salon. Lorsqu'il était enfant, pendant que ses parents dormaient, il se forçait parfois à parcourir en pleine obscurité le petit logement où ils vivaient, comptant ses pas, s'exerçant à deviner l'obstacle avant de le toucher, pour dominer sa peur. Il regagnait ensuite son lit en toute hâte, de nouveau rassuré sous les couvertures, fier d'avoir affronté les monstres de la nuit.

Une autre heure s'écoula. J'ai bien fait de ne pas me cacher dans la remise! Je serais mort étouffé... Il jeta un coup d'œil à l'extérieur et eut l'impression de voir la lucarne de la remise ouverte. L'avait-il ouverte lors de sa dernière visite? Il ne s'en souvenait plus. L'avait-il mal refermée? Mais ce n'était peut-être qu'une illusion.

Il retourna du côté du salon. Berthelot, apparemment, n'avait pas bougé. Comment peut-on rester assis aussi longtemps? Leahy commença à douter de lui-même. Il avait espéré une visite dont tout le reste dépendait, et qui ne venait pas. Si l'échafaudage qu'il avait bâti ne reposait que sur du vent, tout s'effondrait... Il se demandait quelle décision prendre lorsqu'il perçut comme un cliquetis. Était-ce un mécanisme de l'horloge? Ou Berthelot qui avait heurté de son verre la lampe

posée près de lui ? Au même moment, il entendit un son qui le frappa de stupeur. C'était pourtant un son anodin, innocent, ordinaire.

Berthelot ronflait.

C'est impossible ! Son médecin m'a assuré que la douleur l'empêchait de dormir !

Mais le cliquetis se répéta et arracha Leahy à sa réflexion sur la précarité des diagnostics médicaux. Cela venait de la cuisine. Il se hâta vers la porte du fond et en écarta très légèrement le rideau.

Une ombre se tenait dans le jardin, tout près de la verrière. Immobile et silencieuse, elle prenait dans la nuit une dimension impressionnante. Un carreau de la porte avait été brisé, une main était passée par l'ouverture et faisait doucement glisser le verrou. Leahy ressentit un immense soulagement : l'ennemi était là. La bataille allait enfin commencer.

Vendredi 14 octobre 1898

35

Sacrifice d'une nuit de sabbat

La porte s'ouvrit et l'ombre entra. Elle reprit un moment son immobilité avant de traverser la cuisine et de s'engager dans le couloir, vers le vestibule, très lentement, rythmant ses pas sur les battements du pendule. Leahy calcula rapidement qu'à cette allure il lui faudrait une vingtaine de secondes pour arriver jusqu'au salon.

Le plan qu'il avait forgé prévoyait de passer alors directement de la salle à manger à la cuisine pour couper la fuite au visiteur. Il ouvrit la porte, passa la tête, écouta. Un léger vent soufflait à travers le carreau brisé. Il allait s'engager à la suite de l'intrus lorsqu'un événement totalement inattendu se produisit.

La porte de la remise était en train de s'ouvrir.

Stupéfait, il recula immédiatement dans la salle à manger et retourna aussi vite qu'il le put vers le salon : Berthelot était en danger…

Mais Berthelot ronflait toujours. Leahy ne pouvait pourtant pas rester enfermé indéfiniment, sans voir ce qui se passait, risquant de laisser Berthelot se faire tuer sans avoir rien fait pour le défendre. Il tourna la poignée

et entrouvrit la porte sans bruit. L'homme, tourné vers le zouave endormi, présentait son dos au détective. Aucune autre présence n'était visible. L'homme fit un pas. Leahy se prépara à intervenir, mais cette nuit lui réservait décidément bien des surprises.

– Bonsoir, monsieur Fournier. Je ne vous attendais plus.

C'était la voix de Berthelot.

⁂

L'homme s'arrêta net, et Leahy ne se montra pas. Ainsi, Berthelot avait fait mine de dormir. Ses ronflements avaient eu un double effet : orienter son visiteur et le mettre en confiance. Un adversaire endormi n'est pas dangereux... C'était habile. De la porte de la salle à manger, Leahy voyait mal Berthelot, à moitié caché par Fournier qui se tenait à l'entrée du salon. Lui, de son fauteuil, il voit sûrement ma porte ouverte, se dit le détective. Il sait que je suis là, c'est l'essentiel.

Le face à face qu'il avait espéré se produisait enfin. Mais qui était l'inconnu qui était sorti de la remise ? Son apparition venait singulièrement compliquer la situation. Était-il entré dans la maison ? Se trouvait-il tout près, dissimulé dans le couloir ? Quelles étaient ses intentions ? Quoi qu'il en soit, Leahy ne pouvait plus se permettre de quitter son poste : c'est au salon que tout allait se jouer.

– Il fallait que je vous voie, dit Fournier.

– Je m'en doutais un peu. M'en voudrez-vous de ne pas vous offrir un siège ?

– Je préfère rester debout, merci.

Là aussi, c'était habile. Cela forçait Fournier à garder sa distance et à tourner le dos à la porte où se tenait Leahy.

— Je vous écoute, fit Berthelot.

— La situation est d'une extrême gravité, pour vous comme pour moi. Nos sorts sont liés.

— Expliquez-vous.

— Les francs-maçons veulent ma mort. Ils me soupçonnent d'avoir tué Arthur Laflamme.

— Ont-ils tort?

— D'autre part, la police vous croit coupable.

— En êtes-vous sûr?

— Certain.

Il se produisit un silence.

— Et donc? demanda Berthelot.

— Nous risquons de nous détruire. Nous devrions plutôt nous protéger. Je vous propose un pacte.

— Mais je ne crains rien. Je ne suis pas un assassin!

— Moi non plus.

— Dans ce cas, pourquoi les francs-maçons vous menacent-ils?

— Et pourquoi la police vous recherche-t-elle? rétorqua Fournier.

— Si vous connaissez la réponse, dites-la moi!

— À cause d'une lettre.

Berthelot ne répondit pas. Fournier voulut marquer son avantage:

— D'ailleurs, les francs-maçons eux aussi ont l'œil sur vous!

— Comment le savez-vous?

— Je le sais.

— C'est ce détective qui vous l'a dit?

— Peut-être. Quoi qu'il en soit, c'était un incapable.

— C'était… ?

— Il a démissionné. Vous l'ignoriez ?

— Oui, fit Berthelot en soupirant. Il a bien fait. Il ne m'a causé que des ennuis.

Ces deux-là ont l'air de très bien s'entendre sur mon dos… Mais Leahy devinait que cet échange n'avait d'autre but que d'établir une connivence entre les deux hommes, chacun cherchant, pour des raisons différentes, à mettre l'autre en confiance.

— Je vous ai entendu dire que vous comptiez vous rendre à la police ?

— En effet, fit Berthelot. Demain matin.

— Vous avez aussi l'intention de leur livrer un coupable.

— Qui vous a dit ça ?

— Leahy, évidemment, fit Fournier. Vous avez écrit au capitaine Pennée.

— J'ai écrit au… Oui, en effet, je connais le meurtrier. C'est vous, monsieur.

— C'est ce que je craignais. De mon côté, je crois que c'est vous. Nous n'avons rien à gagner à ce petit jeu, et tout à perdre. Vous comprenez la raison de ma présence.

— Me demander de me taire. C'est là votre pacte ? Que m'offrez-vous en échange ?

— Mon aide. Je peux vous fournir un alibi.

— Je n'en ai pas besoin ! lança Berthelot.

— Si. Tout vous accuse, aux yeux de la police.

— Vous faites encore allusion à cette lettre. En quoi m'accuse-t-elle ?

— Toute seule, elle a peu d'importance. Mais il y a autre chose, vous le savez.

Le spectacle de ces deux hommes qui s'affrontaient, immobiles, à quelques pas l'un de l'autre, dans un duel purement verbal, tenait de l'irréel.

— Il n'y a rien d'autre! protesta Berthelot.

— Mais si, mais si! Le crucifix, d'abord. Il est à vous.

— Vous tenez cela de la même source?

— La même source, et...

— Il s'agit de cet incompétent de Leahy, c'est bien ça?

— Leahy, oui. Et votre signature dans l'appartement.

— Là aussi, c'est Leahy?

— Là aussi, confirma Fournier.

Leahy était plus tendu que jamais. Le dénouement était proche. Il avait pu croire un moment que les événements lui échappaient, mais non: c'était lui, à présent, qui les attendait. On était en train de les lui servir sur un plateau. Il se rappela que Berthelot était avocat...

— À mon tour, monsieur, de vous dire pourquoi vous êtes coupable.

Berthelot décidait donc de passer à l'attaque.

— Vous n'avez pas l'ombre d'une preuve! ironisa le journaliste.

— Mais si, mais si! Voyez-vous, vous êtes dans l'erreur, monsieur. Depuis le début.

— Qu'est-ce que vous racontez?

— Cette lettre que vous avez reçue au journal, ce n'est pas moi qui l'ai écrite.

— Ah non? Et qui donc?

— Ma fille.

Fournier marqua le coup. Son silence trahissait une immense surprise.

— Ce n'est pas vrai, finit-il par articuler faiblement. Vous mentez!

— C'est vous qui êtes chargé du courrier des lecteurs, continua Berthelot. Vous avez vu cette lettre, vous avez naturellement pensé qu'elle était de ma main, et vous en avez imité la signature pour m'incriminer. C'est une erreur que vous seul pouviez commettre.

Le journaliste s'agitait.

— Vous êtes fou! Et si ce n'est pas vous l'assassin, c'est elle! C'est votre fille!

— Vous plaisantez, bien entendu. Mais il y a autre chose, vous le savez. Ces deux détails que vous m'avez donnés, le crucifix et la signature, vous ne pouviez pas les connaître si vous étiez innocent.

— Je vous l'ai dit, c'est ce policier qui m'en a parlé!

— Non, monsieur. Je sais qu'il ne vous a rien dit. Votre mise en scène s'écroule.

— Taisez-vous!

— Vous êtes perdu, monsieur.

Fournier hurla:

— Allez-vous vous taire?

Il sortit brusquement un pistolet et le braqua sur Berthelot qui se jeta sur le côté, renversant son fauteuil. Leahy surgit en criant.

— Ça suffit, Fournier! Je vous arrête pour le meurtre…

Il n'eut pas le temps de terminer. Fournier s'était retourné, hagard, les yeux révulsés. Et il avait tiré.

Leahy vit l'éclair, entendit le coup de feu, ressentit une douleur intense. Il s'affaissa, sa tête heurta le sol, le

ciel s'embrasa dans un coup de tonnerre, l'univers entier bascula et les ténèbres l'envahirent. Au milieu d'un nuage noir, il crut voir une sorcière montée sur son balai. Ou était-ce une mendiante?... Il sombra dans le néant.

Dans le silence de la nuit, quelque part au loin, un train siffla trois fois.

36

Leahy se réveille au paradis

Lorsque Leahy ouvrit les yeux, un doux visage était penché vers le sien. Un doux visage entouré d'un voile d'une blancheur immaculée. Un doux visage rose avec plein de taches de rousseur.

– *How are you feeling, Sir?*

C'est merveilleux, pensa-t-il. Je suis au paradis, et les anges sont irlandais.

Lorsqu'il rouvrit les yeux, Lucille Berthelot était là et le regardait en souriant. C'est merveilleux, pensa-t-il encore. Je suis au paradis et Lucille est près de moi.

Quand il ouvrit les yeux pour la troisième fois, sa mère lui tenait la main. Il serra la sienne et la regarda longtemps avant de se rendormir.

La quatrième fois, il vit le capitaine Pennée et comprit qu'il n'était pas au paradis.

– Je… Je…

– Ne dites rien, Leahy. Je suis simplement venu vous voir. Vous dire que je suis fier de vous.

– Ma… démission…

– Elle est nulle et non avenue.

– Mais…

– Taisez-vous, Leahy, c'est un ordre!

– Fourn…

– Fournier? Il s'en est bien tiré, rassurez-vous. Transporté à l'Hôtel-Dieu. Il a eu le temps d'avouer son crime et de recevoir les derniers sacrements avant de rendre l'âme.

– Qui…

– Ça suffit comme ça. Quand vous serez rétabli, vous me raconterez tout. En attendant, reposez-vous.

– Où… je suis?

– Mais au St. Bridget's, Leahy! L'hôpital irlandais. Vous êtes entouré d'Irlandais. Le paradis!

Les visages continuèrent à défiler. À chaque réveil, il y en avait un nouveau. C'était comme un spectacle de lanterne magique. Clic! Moreau. Clic! Rioux. Clic! *Father* Flannagan. Clic! Lucille. Il y avait donc quelques répétitions. C'est bien, les répétitions. Ça rassure, et ça évite la monotonie du changement continuel. Clic! Routhier. Clic! Le Dr Chassé. Clic! L'abbé Marcoux. Clic! Berthelot père. Clic! Un ange irlandais.

Si tous ces gens viennent à mes funérailles, se dit Leahy, l'église sera pleine.

Ce qui était bien aussi, c'est que les visages parlaient. Pas tous, mais quand même.

– Si j'avais été là, inspecteur, ça ne se serait pas passé comme ça! Les collègues vous envoient leurs meilleurs souhaits.

– Sergent, je me suis toujours demandé comment Lazare s'était senti, après. Vous me direz?

– J'ai rencontré la dame de votre cœur, Francis. Elle est charmante! Encore bouleversée, bien entendu, mais

charmante. Ah, l'équipe du *Red Cat* vous salue. Ils veulent savoir si vous êtes content d'eux. Ils m'ont dit que vous comprendriez.

– … (Ça, c'est un visage qui n'a pas parlé, mais qui a posé sur votre front un baiser furtif pendant que personne ne regardait.)

– J'ai perdu un ami… mais il m'en a légué un nouveau en partant. À très bientôt, Francis !

– Je vous ai apporté de la lecture, sergent. *Les lettres de mon moulin*. Vous aimerez.

– Mgr Bégin me charge de vous transmettre ses vœux de prompt rétablissement dans l'épreuve pénible que vous traversez. Cela dit, comment allez-vous maintenant ? Vous reviendrez me voir, n'est-ce pas ? Nous bavarderons !

– Merci, jeune homme. Je sais que vous n'avez pas cru un seul instant aux sottises que je disais de vous à ce pauvre garçon…

Cette dernière apparition réveilla tout à fait Leahy. Il se rendormit quand même, par habitude, mais c'est lui qui prit la parole lorsque l'ange irlandais s'approcha :

– Qu'est-ce qu'on me donne pour dormir ?

– Du bromure de lithium.

– Il n'en est pas question !

Deux heures plus tard, Leahy était dehors. L'après-midi même, il se trouvait dans le bureau de Pennée.

Épilogue

… en guise de synthèse, à moins que ce ne soit l'inverse

— Ce Fournier me semblait suspect dès le début, fit le capitaine. Mais je ne suis pas sûr d'avoir compris son mobile. Arthur Laflamme était son protecteur, pourquoi Fournier l'a-t-il tué ?

Pennée avait ouvert sur son bureau le dossier consacré à l'affaire et tenait un crayon à la main, prêt à prendre des notes.

— Parce que Laflamme était en train de détruire son avenir. En perdant son premier emploi, à Trois-Rivières, Fournier avait perdu l'estime de lui-même. Il était déraciné, humilié, malheureux. Il étouffait dans son travail au journal, mais il se raccrochait à un espoir : que la compagnie libérale remporte les négociations et l'engage dans ses rangs. Plus rien d'autre ne comptait pour lui, c'était devenu une obsession. Or cet unique espoir était en train de disparaître. Il voyait venir l'échec et l'attribuait d'avance à Laflamme.

— Pourquoi cela ?

— Laflamme en faisait trop ! Il croyait servir les intérêts de la Canadian Electric Light, alors qu'il était en train de les compromettre. Il critiquait à outrance, sans

preuves. Il voulait jeter le discrédit sur la compagnie adverse, faisait mine d'avoir découvert des secrets, mais il ne savait rien du tout et Fournier était bien placé pour s'en apercevoir. Ses accusations risquaient fort de provoquer le contraire de l'effet recherché.

— Fournier n'a pas essayé de le raisonner ?

— Si. Fournier et d'autres. Laflamme a réagi en riant… Je crois que c'est ce rire qui a tout décidé. Tout était perdu pour Fournier tant que Laflamme était là. Il fallait le réduire au silence. J'ai mis du temps à le comprendre. Un moment, vous vous rappelez, j'avais soupçonné Fournier d'avoir tué Laflamme pour prendre sa place. En réalité, il l'a tué pour pouvoir enfin quitter *Le Soleil* ! Mais je ne sais toujours pas comment se sont terminées les négociations, monsieur. Qui a gagné ?

Pennée haussa les épaules.

— La compagnie conservatrice, Berthelot. La Canadian Electric n'est pas à plaindre non plus : elle a signé un contrat de livraison d'électricité avec la compagnie des tramways de Québec. Tout finit bien pour tout le monde !

— Sauf pour Fournier…

Pennée, occupé à écrire, ne releva pas la remarque.

— Pourquoi Fournier a-t-il pris la peine de faire disparaître les derniers articles de sa victime ?

— Précisément parce qu'ils ne contenaient aucune révélation ! Pour faire croire que Berthelot avait réellement quelque chose à cacher. Comme cet épicier qui a voulu me faire croire qu'on lui avait volé un argent qui n'existait pas…

— Intéressant, fit Pennée. C'est donc Fournier qui a pris le crucifix de Berthelot ?

378

— Oui, monsieur. Le vendredi précédant le meurtre, à l'Archevêché.

— C'est lui aussi qui s'est procuré le couteau?

— Sans aucun doute, à la taverne. Il avait noirci sa moustache, caché ses cheveux, modifié sa voix…

— C'est lui qui a fabriqué la fausse signature?

— Évidemment. En croyant imiter celle de Berthelot.

À chaque réponse, Pennée cochait une ligne ou ajoutait un bref commentaire.

— Et c'est lui qui a drogué le cognac?

— Cela va de soi. Je crois d'ailleurs qu'il a pris du cognac lui aussi, tout simplement, comme Laflamme. Puis il a nettoyé son verre et il y a versé un peu de vin.

— Pour faire croire.

— Pour faire croire. La différence entre les deux contenus avait intrigué Moreau. Il avait raison.

— Pourquoi cette sinistre comédie de la gorge tranchée?

— Une habileté supplémentaire de sa part. Il a voulu faire croire que Berthelot avait voulu faire croire à un meurtre franc-maçon.

— Intéressant. Une fausse piste qui en cache une autre… Très astucieux! Et c'est donc lui qui avait dissuadé Laflamme de partir à Montréal?

— Ce ne peut être que lui. Le jeudi précédant le meurtre, lorsque Laflamme quitte le journal, il parle à Fournier de son voyage et lui demande de passer le lundi matin. Fournier le persuade de rester en lui promettant des nouvelles importantes d'ici là. C'est l'hypothèse qui me paraît la plus naturelle. Ce même jeudi, dans la soirée, il se procure le couteau. Le lendemain, il s'empare du crucifix de Berthelot…

– C'est bien, Leahy.

– Il avait essayé de penser à tout. Il s'était même donné ce demi-alibi dont je vous avais parlé, dans l'appartement de cette femme. Je suis allé interroger la femme pour en avoir le cœur net. Elle m'a dit qu'elle s'amusait bien ce soir-là mais que, d'un seul coup, voyant que Fournier s'était endormi, elle avait été prise de sommeil, elle aussi... Il lui avait donné du bromure, c'est évident. Il a agi seul, sans complice.

– Sans complice. Je note... Il leva les yeux vers Leahy. Vous me donnez l'impression de l'admirer. Il a pourtant failli vous tuer !

– Je ne l'admire pas, monsieur. J'ai de la peine pour lui. Il était malheureux, il n'était pas méchant. En tuant Laflamme, il a achevé de se détruire lui-même... Il a été pris dans un engrenage dont il ne pouvait plus se dégager.

Mais Pennée ne semblait pas perméable à ce genre de considérations. Tout en feuilletant son dossier, il demanda :

– Éclairez-moi, voulez-vous ? Lorsque Berthelot a pris la fuite, tout l'accusait. Ensuite, vous avez soupçonné sa fille, à cause des signatures. Or, le lendemain matin, quand vous m'avez demandé de vous décharger officiellement de l'enquête, vous m'avez annoncé que le coupable était Fournier. Comment l'aviez-vous découvert ?

Leahy rougit.

– Je n'y ai aucun mérite, monsieur. J'ai failli commettre une erreur monumentale. C'est Luci... la fille de Berthelot qui me l'a montré. J'étais stupide, j'aurais dû comprendre tout seul, je possédais tous les éléments !

– Cessez de gémir. C'est horripilant. C'est donc elle qui a vu la vérité la première ?

— Elle l'a entrevue lorsque son père, qui s'attendait à être arrêté, lui a téléphoné chez les Ursulines. Lui-même la croyait coupable, à ce moment. Il pensait qu'elle avait tué pour le protéger… Elle a compris qu'on avait imité sa signature, et Berthelot en a vite conclu que c'était Fournier.

— C'est en effet ce qu'ils m'ont déclaré, acquiesça Pennée. J'ai recueilli leurs témoignages pendant votre séjour à l'hôpital. Je leur ai aussi demandé pourquoi ils s'étaient enfuis, alors qu'ils étaient innocents…

— Ils étaient désemparés, monsieur, mettez-vous à leur place. Ils ont craint pour leur vie. Ils ont paré au plus pressé : mettre Berthelot à l'abri.

— Ils disent avoir craint une attaque de Fournier. Or, Fournier n'avait aucun intérêt à se manifester. Il était convaincu d'avoir atteint son but, puisque tout accusait Berthelot !

— Oui, monsieur, à première vue, mais Fournier allait très vite comprendre, fatalement, que les faux indices qu'il avait posés risquaient de se retourner contre lui. C'était la principale faiblesse de sa mise en scène. Berthelot, devant ces indices, allait tôt ou tard soupçonner l'identité du coupable. Fournier ne pouvait pas se permettre d'attendre passivement !

— Je vois, fit Pennée. Il aurait cherché à tuer Berthelot pour l'empêcher de parler.

— Exactement. Nous aurions attribué ce second crime à une vengeance des francs-maçons ou à un suicide de Berthelot, et Fournier se retrouvait hors de cause…

— Mais si Berthelot était venu tout nous expliquer, nous l'aurions protégé !

— Il a préféré la sécurité de l'Archevêché à celle de nos cellules… D'autre part, pour contre-attaquer, il lui fallait avoir les mains libres, donc fuir d'abord. C'était une retraite stratégique, monsieur. Précipitée, mais stratégique.

Pennée fit entendre un murmure incompréhensible et retourna au dossier.

— Parlons du piège… Vous l'avez établi ensemble, n'est-ce pas, vous et Berthelot?

— Oui, monsieur. Sa collaboration était indispensable. Je l'ai rencontré à l'Archevêché, le lendemain de sa fuite. Les jours suivants, c'est l'abbé Marcoux qui nous a servi de messager. Le plan était simple : inciter Fournier à attenter à la vie de Berthelot un soir qu'il serait seul chez lui, sans défense. C'est là qu'il se ferait prendre. Berthelot était d'accord pour servir d'appât.

— Voyons cela… fit Pennée en parcourant la page qu'il avait sous les yeux. Vous avez donc d'abord fait croire à Fournier que je vous avais déchargé de l'enquête. C'était bien joué!

— Merci, monsieur, et merci d'être entré dans le jeu, mais ce n'était pas suffisant. Pour mettre toutes les chances de notre côté, j'ai décidé d'acculer Fournier. Je voulais qu'il se croie démasqué par les francs-maçons, traqué, perdu. Je voulais le convaincre que la seule chance qu'il avait de sauver sa peau était d'avoir au plus tôt celle de Berthelot.

Pennée, fâché, posa son crayon d'un coup sec.

— Ce n'est pas très joli, ça, Leahy.

— Non, monsieur.

— Ces prétendues attaques de francs-maçons contre Fournier, c'était donc…

– Oui, monsieur.

– Je m'en doutais. Ce n'est pas joli du tout, Leahy.

– Non, monsieur.

– Qui a fait ça?

– Oh! Quelques amis, monsieur.

– De bons vieux amis irlandais?

– Je ne saurais le dire, monsieur.

– Passons. Pour le moment. Et… vos amis ont réussi à convaincre Fournier?

– Au-delà de toute espérance.

– Mais pourquoi Fournier n'a-t-il pas alors, tout simplement, dénoncé Berthelot aux francs-maçons?

– Il n'aurait pu le faire de façon convaincante qu'en évoquant le crucifix et la signature brûlée. Cela l'aurait trahi, puisque seul l'assassin connaissait ces deux détails… Mais il a fini par en parler devant Berthelot. Il lui a mentionné la signature et le crucifix. C'était la preuve que j'espérais, meilleure que n'importe quel aveu!

Pennée reprit lentement son crayon.

– C'était bien mené, je le reconnais. Comment avez-vous su que Fournier était prêt à passer à l'action?

– Il n'avait plus le choix, monsieur. Nous avions décidé pour lui. Je l'ai rencontré le jour où Berthelot est sorti de sa retraite. Il était calme, j'ai compris qu'il s'était décidé.

– Et cette fameuse nuit, tout s'est déroulé selon votre plan?

– Pas du tout. J'ai failli mourir. Ce n'était pas prévu…

– Et à part ce léger détail?

– J'ai vu que quelqu'un s'était caché dans la remise. Je ne sais toujours pas qui c'était, ni quel a été son rôle. Ça m'a inquiété, évidemment, mais j'étais coincé, je ne

pouvais pas être partout à la fois. D'un autre côté, Fournier est arrivé armé, mais il a d'abord fait mine de vouloir passer un accord avec Berthelot, qui a évidemment refusé. Il n'a sorti son pistolet que lorsqu'il a compris qu'il s'était trahi.

— Le pistolet, oui… Parlons du pistolet. Comment a-t-il fait pour se procurer cette arme, d'après vous ?

Le ton de Pennée s'était à nouveau refroidi. Leahy fit un geste vague. Très vague.

— On en achète facilement, dans certains milieux…

— Les francs-maçons auraient donc été soupçonnés d'avoir tué Berthelot avec ce pistolet ?

— Oui, ou bien on aurait pensé que Berthelot s'était ôté la vie, par remords.

L'expression de Leahy montrait clairement qu'il n'accordait à ces détails qu'une importance secondaire.

— Avec ce pistolet ? insista le capitaine.

— Avec ce pistolet, je suppose, fit le détective, indifférent.

— Impossible, fit Pennée d'un ton tranchant.

— Pourquoi ? demanda Leahy avec le sentiment très net que le vent avait changé de direction.

— Parce que nous aurions évidemment examiné le pistolet, et nous aurions découvert qu'il n'appartenait ni à Fournier, ni à Berthelot, ni à un quelconque franc-maçon, mais à quelqu'un que nous connaissions bien.

Leahy, inquiet, voyait s'accumuler les nuages.

— Et à qui donc, monsieur ?

— Fournier l'avait pris à un policier qui l'avait laissé sans surveillance.

Leahy entendait gronder le tonnerre et ne voyait aucune façon de se protéger de la foudre qui allait s'abattre.

— C'est inconcevable!

Pennée regarda fixement le détective.

— Je ne vous le fais pas dire.

— Je ne veux pas connaître le nom de ce policier...

— Je vous le donne quand même: un certain Francis Leahy. Vous connaissez peut-être. Il avait laissé son arme traîner dans son appartement.

Le détective regretta d'être sorti de l'hôpital. Il y était bien, pourtant. Tout le monde était gentil, là-bas, tout le monde s'occupait de lui. Tandis qu'ici, face à son chef...

— Je suis désolé, monsieur. C'est impardonnable.

— En effet. Un autre que moi vous soupçonnerait d'avoir volontairement laissé votre arme chez vous, pour que Fournier l'utilise. Toute la ville sait que votre porte ne ferme pas.

— Oh, monsieur! Comment pouvez-vous croire...

— Je peux, Leahy, je peux. Avez-vous seulement réfléchi aux conséquences de votre étourderie?

— Quelles conséquences, monsieur?

— C'est vous qu'on aurait accusé d'avoir tué Berthelot!

Leahy pâlit.

— Mais, monsieur, il n'était pas question de laisser tuer Berthelot!

— Cela a pourtant bien failli se produire! Je passe, là aussi, parce que vous avez réussi! Sinon, c'était le conseil de discipline. Si vous étiez encore vivant...

— Merci, monsieur.

Pennée grogna, referma le dossier et s'appuya contre le dossier de son siège.

— Allez, Leahy. Rentrez chez vous terminer votre convalescence. Je vous attends dès que vous serez prêt à

reprendre le service. Dans le respect des règles, évidemment...

– Il y a une question qui me travaille, monsieur.

– Oui ?

– Qu'est-il arrivé ce soir-là, quand Fournier a tiré sur moi ? En m'évanouissant, j'ai vu passer toutes sortes d'images dans ma tête, l'éclair, le tonnerre, un nuage noir, une sorcière avec un balai... Je ne sais pas ce qui s'est réellement passé.

– Ce n'était pas une sorcière, Leahy, c'était votre providence. Sans elle, vous étiez mort. Pas seulement mort : déshonoré ! Quant à son balai, il date de 1866. Très efficace malgré son âge, mais c'est vrai qu'il doit faire beaucoup de bruit et de fumée. Ah ! Je vois que la lumière commence à jaillir.

– Ce n'est pas possible ! Mais alors, elle, c'était...

– Eh oui !

– Elle est donc sortie du monastère ! Elle a désobéi !

– Elle n'est pas la seule, il me semble.

– Elle avait caché le fusil dans la remise... Mais pourquoi ?

– Parce qu'elle craignait que Fournier ne s'en serve. Elle n'a pas voulu courir le risque.

– Et elle est venue le récupérer ce soir-là, habillée comme une mendiante !

– Voilà. Elle aime bien se déguiser, cette petite. Son père m'a dit qu'elle avait fait du théâtre. Vous le saviez ?

Leahy, sans écouter, suivait le fil de ses déductions.

– Et lorsqu'elle a vu Fournier arriver, elle est entrée derrière lui.

– Bien évidemment.

– Et elle a tiré sur lui. Pour me sauver.

– Pour sauver aussi son papa, soyons justes.

– Elle est vraiment…

– Inéluctable, oui.

– Vous voulez dire inestimable, monsieur ?

– Je veux dire inéluctable, Leahy. Comme le destin.
Vous n'êtes pas sorti de l'auberge, mon pauvre ami !

Un beau mariage (Le Soleil, lundi 18 septembre 1899)

Une fort belle cérémonie s'est déroulée samedi après-midi en la basilique de Québec, pour le mariage du détective Francis Leahy avec la toute gracieuse Lucille Berthelot, fille de maître Elzéar Berthelot, l'un de nos illustres zouaves pontificaux. La messe de mariage, présidée par nul autre que Mgr Bégin qui avait tenu à honorer le couple de sa présence, fut concélébrée par l'abbé Antoine Gauvreau, curé de la paroisse de Saint-Roch, l'abbé Philibert Marcoux, vicaire de l'Archevêché, et l'abbé Mark Flannagan, vicaire de St. Patrick, tous trois amis des jeunes époux.

La personnalité des témoins, la très révérende mère Augustine Bélanger, supérieure des Ursulines, et le capitaine Frank Pennée, en grand uniforme, rehaussait encore, s'il était possible, la solennité de l'événement.

La fiancée avait choisi comme demoiselles d'honneur deux charmantes cousines de Trois-Rivières, Mlles Alida Morin et Aldouche Therrien, et les garçons d'honneur n'étaient autres que l'ingénieur Horace Routhier (Canadian Electric Light Company) et M. Johnny O'Hara, l'expert bien connu en armes celtiques.

L'assistance était nombreuse, à la fois émue, recueillie et joyeuse. On y distinguait tout d'abord les fiers et heureux parents, dame Margaret Leahy et maître Berthelot, ainsi qu'une foule d'amis issus de nos deux grandes communautés canadienne-française et irlandaise. Qu'il nous suffise de

nommer le docteur Eugène Chassé (rue Claire-Fontaine), M. Ernest Pacaud, directeur de notre journal, l'ensemble de la communauté des Ursulines, de nombreux représentants du corps de police de Québec, et une imposante délégation de l'association des ouvriers du port.

Les agapes qui ont suivi resteront dans tous les esprits. Un service d'ordre adapté à l'importance de l'événement était assuré par le sergent Joseph Rioux, efficacement secondé par le constable première classe Alfred Moreau, qui s'est tout spécialement occupé de la délégation portuaire et dont les interventions empreintes de délicatesse ont vivement impressionné les convives. La musique et les danses ont ensuite dignement terminé cette fête. Regrettons toutefois de ne pas avoir eu le plaisir d'entendre de vieilles mélodies irlandaises.

L'équipe de rédaction du Soleil se joint à son directeur pour souhaiter aux nouveaux mariés une longue existence de bonheur, de santé et de prospérité.

FIN

Note de l'auteur

Certains personnages de ce roman ont existé. Le capitaine Frank Pennée, Ernest Pacaud, l'abbé Antoine Gauvreau, Mgr Louis-Nazaire Bégin, Godfroy Langlois, Honoré Beaugrand, ont tous joué un rôle éminent dans la société où ils ont vécu. J'ai essayé, dans mes descriptions, de respecter la vérité des détails qui les concernent et, sur un plan plus général, de rester fidèle à l'esprit de l'époque. Le lecteur y relèvera peut-être des imprécisions ou même quelques inexactitudes, mais s'il est gentil il fera comme s'il n'avait rien remarqué.

Les autres personnages ne sont que le fruit de mon imagination, ce qui ne les rend pas forcément moins sympathiques. Ou plus sympathiques. Le projet d'électrification de l'archidiocèse de Québec est pure invention romanesque, ainsi que les développements qui y sont rattachés. Les deux compagnies concurrentes ont cependant vraiment existé. En revanche, la taverne du *Chat Roux* n'est mentionnée dans aucun document d'archives. C'est une lacune regrettable, que cette histoire vient fort heureusement combler.

Plusieurs citations émaillent le texte. Celles qui se rapportent directement à l'électrification du diocèse de Québec, ou au meurtre, sont bien entendu une fiction intégrée au développement de l'intrigue. Toutes les autres

sont authentiques, qu'il s'agisse des articles du *Soleil* publiés avant 1898, des extraits de *La maçonnerie canadienne-française* de Jean d'Erbrée ou de *La Lanterne* d'Arthur Buies, ou encore des souvenirs bibliques – parfois imprécis, il faut bien le dire – du constable Rioux.

Antoine Yaccarini

Table

Cet ouvrage composé en Garamond corps 14 a été achevé d'imprimer au Québec
le vingt-sept mars deux mille huit sur papier Quebecor Enviro 100 % recyclé sur les
presses de Quebecor World à Saint-Romuald pour le compte de VLB éditeur.

Que Monique et Anouk trouvent ici l'expression de mon affectueuse gratitude. La première, par la qualité de son écoute, son intérêt constant et sa discrète insistance, a su me convaincre de mener enfin ce roman à son terme. La seconde, en dépit de ses multiples obligations, a bien voulu en réviser les premiers jets et a poussé la gentillesse jusqu'à prétendre qu'elle y avait trouvé du plaisir. L'une et l'autre l'ont lu et relu, en me prodiguant de précieuses remarques et suggestions.

Comment oublier ce que je dois à toute l'équipe de VLB éditeur, dont la compétence et la ténacité bienveillante ont puissamment contribué à donner à cet ouvrage sa forme définitive.

Antoine Yaccarini

VLB éditeur bénéficie du soutien de la Société de développement des entreprises culturelles du Québec (SODEC) pour son programme d'édition.

Gouvernement du Québec – Programme de crédit d'impôt pour l'édition de livres – Gestion SODEC.

Nous reconnaissons l'aide financière du gouvernement du Canada par l'entremise du Programme d'aide au développement de l'industrie de l'édition (PADIÉ) pour nos activités d'édition.

Nous remercions le Conseil des Arts du Canada de l'aide accordée à notre programme de publication.

Meurtre au Soleil
d'Antoine Yaccarini
est le huit cent soixante-quatrième ouvrage
publié chez
VLB ÉDITEUR.

La collection « Roman »
est dirigée par Jean-Yves Soucy.

D1103865